Zara ist nun in der 12. Klasse des kleinstädtischen Hermann-Hesse-Gymnasiums, aber immer noch die Neue, die Dünne, die Außenseiterin – sie wird gemobbt. Auf der Suche nach sich selbst findet sie Halt bei ihrem verstorbenen Vater: sie trägt seine Hemden und hört seine Musik – die Doors. Die dicke Lia, ebenfalls ein Mobbingopfer, hofft, in Zara eine Freundin zu finden. Sie soll ihr helfen, die Konflikte mit den geschiedenen Eltern auszuhalten. Faris, der Junge aus dem Libanon, attackiert Zara nicht nur mit Worten, sondern zerstört anonym aber öffentlich auf einer schulischen Ausstellung ihr Kunstobjekt. Alexander möchte mit Zara nicht nur Kaffee trinken, er flirtet mit ihr immer heftiger. Ihre Mutter wird eifersüchtig, als sie bemerkt, dass Zara sich mit ihren Nöten an Esther, die Geschäftsführerin ihres Lieblingscafés, wendet. In der Schule brennt es. Und ein hartnäckiger Reporter versucht, Zusammenhänge zwischen den Ereignissen herzustellen: ein Hausflurbrand, zweimal brennt es in der Schule, ein Bild wird zerstört, eine Schülerin versucht sich umzubringen. Und der Schulleiter behauptet, sein Gymnasium verstehe sich als Ort gewaltfreien Umgangs miteinander.

So hatte Zara sich das nicht vorgestellt.

Wie bereits im ersten Band *Zara*, wird der Lebenstaumel einer 17-Jährigen im Sog von Sorgen, Nöten, Wünschen und Erwartungen eindrucksvoll und außergewöhnlich geschildert. Ein Roman mit Leichtigkeit und Tiefe, zum Lachen und Weinen gleichermaßen.

Peter Uhlmann

Zara – So habe ich es

mir nicht vorgestellt.

Roman

Bibliografische Information der Deutschen Nationalbibliothek: Die Deutsche Nationalbibliothek verzeich-
net diese Publikation in der Nationalbibliografie;
detaillierte bibliografische Daten sind im Internet über
http://dnb.dnb.de abrufbar.

1. Auflage Juni 2019

© 2019 Peter Uhlmann

Herstellung und Verlag:

BoD – Books on Demand, Norderstedt

ISBN: 978-3-7412-2803-2

Es gibt Dinge,

die sind unbekannt,

und es gibt Dinge,

die sind bekannt,

dazwischen gibt es Türen.

William Blake (1757-1827)

Montagvormittag

»Hallo und guten Tag. Mein Name ist Grundmann, Richard Grundmann. Und – nomen est omen – wir werden im Philosophieunterricht den Dingen auf den Grund gehen. Rerum cognoscere causas, wie Vergil sagte. Vom Schein zum Sein und weiter zum Sinn. Wir werden so tief gehen, dass Ihnen, erkenntnistheoretisch, die Luft knapp wird.«

Sein Blick durchwanderte lächelnd die Klasse. Richard Grundmann prüfte die Wirkung seiner Worte. Er sah die erwarteten verdutzten Gesichter.

»Bis ich Ihre Namen kenne, improvisieren wir ein wenig. Sie nennen Ihren Namen vor der Antwort. Und bevor wir mit dem Tauchen beginnen, möchte ich erfahren, inwieweit Sie in der Philosophie schwimmen.«

So stellte er sich vor, der neue Lehrer. Seine Haltung unterstrich die straffe Ansprache; aufrecht gegen den Tisch gelehnt, stand er vor der 12c. Er trug eine dunkelblaue, schmal geschnittene Hose, ein violettes Polohemd von Boss und die halblangen gelockten Haare zurückgekämmt.

»Ach ja, die Griechen. Nicht nur antike Ethik, auch gut für Schlagzeilen in Politik und Wirtschaft heute. Sokrates von bis? Ja.«

»Andreas Loose. 470 bis 399 vor Christus.«

»Danke Andreas. Vorname reicht. Wie die alten Griechen. Und sonst so?«

»Sokrates war ein Rebell. Er stellte Werte und Überzeugungen infrage. Traditionelle Göttermythen zum Beispiel. Er hörte eine innere Stimme, seinen Daimonion.«

»Gut, noch jemand etwas zu Sokrates?«

»Marcel. Es ging ihm um Wahrheit, um richtiges Handeln, oder? Er musste alles hinterfragen. Das Leben des Einzelnen und das Gesellschaftssystem. Deshalb ist er angeklagt und verurteilt worden.«

»Ja bitte.«

»Carsten. Er sagt, Tugend sei Wissen um das Gute. Seine Philosophie war praktisch ausgerichtet. Aus richtiger Erkenntnis sollte richtiges Handeln folgen. Alles sollte rational überprüft werden.«

»Danke, Carsten. Platon von bis? Ja.«

»Markus. 427 bis 347 vor Christus.«

»Richtig, Markus. Zwei, drei Sätze zu Platon.«

»Er war Schüler von Sokrates. Hat die vier Kardinaltugenden erfunden: Weisheit, Tapferkeit, Besonnenheit und Gerechtigkeit.«

»Gerechtigkeit, dass ich nicht lache. Die gab es damals so wenig wie heute. Mir gefallen die Sophisten am besten: Was ist in einer bestimmten Situation richtig. Ihre Tugend war, persönlich immer das Beste rauszuholen.«

»Ich war noch nicht fertig Faris. Nach Platon ergibt sich Gerechtigkeit aus der Ordnung der drei Seelenteile.«

»Und wie sieht es mit Epikur aus? Hm.«

»Rena. Epikur wurde 341 auf Samos geboren und starb 270 vor Christus in Athen.«

»Sein zentrales ethisches Thema, Rena?«

»Freude als erstrebenswertestes Ziel des Lebens.«

»Freude?«

»Zara. Ich glaube, Epikur hat eher die Lust gemeint.«

»Wer hat Lust, sich dazu genauer zu äußern?«

»Jens. Epikur unterscheidet die Lust in der Bewegung und die Lust der Ruhe. Die Lust in der Ruhe ist wichtiger.«

»Rappen ist Lust in der Bewegung«, ergänzte Faris. Das sei wichtiger.

»Und wer lebte und lehrte von 384 bis 322 vor Christus?«

»Robert. Aristoteles.«

»Was könnt ihr zu Aristoteles sagen?«

»Er war Schüler Platons und behauptet, das Ziel des menschlichen Tuns sei das Gute. Lebt und verhält man sich gut, ist man glücklich.«

»Mir gefällt sein Konzept der Mitte«, sagte Zara. »Nicht Mitte so allgemein idealistisch, sondern Mitte in Bezug auf den konkreten Menschen. Jeder hat eine andere Mitte. In seiner Nikomachischen Ethik sagt er sinngemäß: Die Mitte in Bezug auf uns wird durch Vernunft bestimmt. Das ist Klugheit – Phronesis. Der Dalai Lama spricht auch häufig über den Sinn der Mitte.«

»Okay. Soweit fürs Erste. Danke Zara. Ihr habt mit euren Zehenspitzen klassisches Wasser berührt. Aber das ist nur Faktenwissen und hat mit Philosophie wenig zu tun. Philosophie – der Begriff lässt sich in keine Definition einsperren. Um Philosophie zu verstehen, muss man philosophieren. Philosophie soll zum kritischen Prüfen anregen. Philosophie ist eine Denkwissenschaft. Welcher Name ist mit philosophischen Methoden verbunden?«

»Cindy. Sokrates. Er entwickelte eine Gesprächsform, die nach ihm benannt ist: das sokratische Gespräch.«

»Gespräch, Cindy?«

»Methode. Sokratische Methode oder sokratischer Dialog.«

»Gut, Cindy. Über das Gespräch sprechen wir später genauer.«

»Hat nicht Karl Jaspers gesagt, philosophieren beginne in Grenzsituationen? Der Mensch möchte wissen, wo er hingeht?«

»Und wer er ist. Gut, Carsten.«

»Das war aber ein sehr weiter Sprung, oder«, sagte Marcel.

»Frineur«, kommentierte Faris. »Angeber. Wer bin ich? Was will ich? Darüber haben doch schon die alten Araber nachgedacht. Immer nur Europa! Was ist mit al Ghazali zum Beispiel? Oder Khalil Gibran? Was ist mit Mohammed Ibn Ruschid?«

»Genau. Was ist mit den Chinesen: Laotse, Konfuzius, Buddha?«

»Buddha war Inder. Was ist mit den Indern? Upanischaden, Bhagavadgita, Buddhismus? Immer nur dieser eurozentristische Blick auf die Welt.«

»Ist doch egal.«

»Eben nicht. Wer bin ich denn, wenn ich nur europäische Philosophie höre. Ich will Weltdenken.«

»Ist doch nur Schulwissen.« Jens klinkte sich aus dem Unterrichtsgespräch aus und wandte sich an Faris neben ihm. »Interessanter ist doch, dass Lia da ist. Nach dem Abgang vor den Ferien. Hast du gehört? Sie war weggeschlossen.«

»Boah. Richtig weg? Mit Zwangsjacke und so?« Faris staunte. »Deshalb ist sie heute so ruhig.«

»Nur Papa durfte sie besuchen.«

»Und Zara nicht?«

»Ihre angeblich dickste Freundin.«

»Zara ist doch nicht dick, Mann.«

»Sagt man so, beste Freundin halt.«

»Die gehen durch dick und dünn, oder«, mischte sich Marcel ein und lachte über sein Wortspiel.

»Nein, Zara kam da nicht rein.«

»Woher weißte das?«

»Ist doch egal. Ist aber die Wahrheit. Ha.«

»Indische und chinesische Philosophie behandeln wir später. Noch mal kurz zu Sokrates. Platon überlieferte in seinen Sokratikoi logoi, dass Sokrates argumentative Zwiegespräche mit den Bürgern Athens auf der Agora geführt haben soll. Von ihm selbst gibt es nichts Schriftliches. Es ist daher nicht eindeutig zu klären, was dem literarisch platonischem Sokrates zuzuordnen ist und was dem historischen. Ähnlich ist das mit der Mäeutik: Sokrates indirekt durch Platon oder Sokrates historisch; seine Mutter war eine Hebamme. Aber das ist ein Streit unter Wissenschaftlern. Für uns ist die Vorgehensweise an sich wichtig und weniger die exakte Begrifflichkeit. Es geht nicht darum, über Philosophen zu unterrichten, sondern Sie als Schüler, als Menschen zu Philosophen zu machen. Es geht um selbstständiges Philosophieren und um eigenständiges Denken.«

»Das soll kurz gewesen sein?«, wandte sich Robert an Marcel.

»Ist eben alles relativ, oder.«

»Aber die Schule ist doch, in Anlehnung an Habermas, kein herrschaftsfreier Raum. Wenn ich Kritik am Unterricht übe im Sinne selbstständigen Denkens, riskiere ich eine schlechte Note«, warf Carsten ein.

»No risk, no fun«, lachte Faris.

»Auch Sokrates lebte nicht in einem herrschaftsfreien Raum. Im Gegenteil. Wie Sie alle wissen, wurde er 399 vor Christus zum Tode verurteilt, weil er mit seiner Orientierung an der Vernunft angeblich neue Götter propagierte und damit die Jugend verdarb.«

»Gut, dass es in Deutschland nicht mehr die Todesstrafe gibt, sonst dürfte ich nicht mehr rappen.«

»Du meinst, weil du neue Götter propagierst?«

»Allahu akbar. Gott ist am größten.«

»Es geht um eine Methode der Erkenntnissuche. Was man dann mit den Erkenntnissen beginnt, etwa in einer Schule oder in einer Gesellschaft, ist eine andere Frage. Die Suche nach Wahrheit war und ist immer mit Risiken verbunden, aber deshalb sollte sie nicht nicht unternommen werden. Im Übrigen sind es nicht nur die Philosophen, die sich damit beschäftigen. In Mythen, Märchen, in den Religionen geht es fast immer um die Suche nach Wahrheit.«

»Und in den Wissenschaften«, rief Cindy.

»Und in der Musik«, ergänzte Zara.

»Genau, die Wahrheit im Rap«, insistierte Faris.

»Und in der Kunst.«

»Richtig. Und damit sind wir mitten im Erkenntnisdilemma: Was ist Wahrheit?«

»Die Zensuren bestimmt nicht. Die sind reine Willkür!«

»Wir werden uns damit angemessen auseinandersetzen.«

»Mit Zensuren oder mit Willkür?«

Richard Grundmann lachte. Das war seine bisher lebendigste Philosophiestunde. Auf die Arbeit mit dieser Klasse freute er sich. Er sah auf die Uhr; gleich würde es klingeln.

Montagvormittag

»Mein Name ist Grundmann, Richard Grundmann. Der hat zu viele Bond-Filme gesehen.« Jens haute Robert lachend auf die Schulter. »Mein Name ist Alsen«, äffte er den neuen Lehrer nach, »Jens Alsen.«

»Ein Martini bitte.«

»Gerührt oder geschüttelt?«

»On the rocks oder mit Eis?«

»Wir werden den Dingen auf den Grund gehen, mein lieber Robert Mann, und zwar so tief, dass wir auf der anderen Seite der Erde wieder herauskommen.«

»Pazifik? Nein danke!« Robert krümmte sich vor Lachen. Jens machte den Neuen treffend nach. »Sein oder Schein?«, gab er Jens ein neues Stichwort.

»Schein oder Nichtschein, das hat sich später Hamlet gefragt.«

Sie standen am Fenster in der Klasse. Es war Pause. Markus und Justus kamen hinzu.

»Grundmann toppt Blödel um Längen«, sagte Justus.

»Nomen ist eben Omen«, meinte Markus. Alle lachten.

»Schwimmst du noch oder tauchst du schon«, fragte Robert mit ernstem Gesicht.

Die Jungen grölten und warfen sich gegenseitig die Wortspiele wie Jonglierbälle zu.

»Mach schon mal einen Termin mit der Hebamme aus, um deine Note zu verbessern.«

»Es geht nicht um Noten, sondern um Erkenntnis.«

»Um Wahrheit.«

»Um die Geburt der Einsicht, dass deine Note schlecht ist?«

»Endlich sind wir emanzipiert, wir können gebären.«

»Dank der alten Griechen.«

»Danke, Sokrates.«

»Danke, Platon.«

Montagabend

»Na, wie war dein erster Schultag, jetzt in der zwölften Klasse. In der Elften wolltest du schon am ersten Tag abbrechen, erinnerst du dich?« Zaras Mutter fragte zwar immer noch mit fast denselben Worten wie vor den Sommerferien, doch sie zeigte inzwischen mehr wirkliches Interesse. Die Abendluft war lau und sie aßen auf dem Balkon. Es gab Tiefkühl-Pizza Spinat und einen drei Jahre alten Bordeaux.

»Wir haben einen neuen Philosophielehrer. Der kam schnell aus den Startlöchern.«

»Jünger oder älter?«

»Schwer zu sagen. Vielleicht um die vierzig. Wieso fragst du?«

»Nur so.«

»Er wollte uns testen. Was wir so wissen und ob wir Philosophie als Methode begriffen hätten. Und er ist so was von witzig.«

»Witzig?«

»Er heißt Grundmann und sagt so Sätze wie: Wir werden den Dingen auf den Grund gehen, nomen est omen.«

»Wirklich witzig.«

»Ja, und überhaupt die Art, wie er spricht. Er benutzt oft Wortspiele, macht Andeutungen, zu Griechenland heute, es ging ja um die alten Griechen.«

»Ja, die alten Griechen. Damals war der Staat in Ordnung.« Zaras Mutter hob ihr Glas Rotwein. »Zum Wohl. Auf dass das neue Schuljahr nicht so turbulent wie das alte wird.«

Zara stieß mit ihrem Glas Wasser an. »Auf dass Lia nicht wieder versucht, sich umzubringen. Unsere westliche Kultur gründet sich wesentlich auf den Erkenntnissen der Griechen.«

»Der alten vielleicht, der neuen bestimmt nicht. War Lia heute in der Schule?«

»War sie. Hat etwas abgenommen. Die Griechen sind ein stolzes Volk, sagt Grundmann.«

»Stolz? Worauf denn bitte. Auf ihre Rechenkünste? Ich habe gelesen, dass sie Schafsherden und Olivenernten mehrfach gezählt haben, um an EU-Gelder zu kommen.«

»Hast du mit Rolf nicht immer vom Urlaub in Griechenland geschwärmt?! Diese Freundlichkeit, diese Gelassenheit.«

»Kurz nach der Wende waren wir auf Kreta. Na ja, im Vergleich zur DDR ...« Sie hob entschuldigend die Schultern. »Rolf hat das genossen. Für ihn meditierten die alten Männer vor den Kafenia immer; für mich saßen sie nur rum und langweilten sich.«

»Grundmann würde jetzt von der Subjektivität von Wahrheit sprechen.«

»Das kann anstrengend sein.«

»Hat was Originelles.«

»Scheint mir etwas zwanghaft zu sein, euer neuer Philosoph. Na ja, Hauptsache du verstehst alles.«

Montagabend

»Wir haben einen Neuen.«

Lias Papa hatte seine Schicht hinter dem Lenkrad beendet und war heute nicht zum Essen in den Hasenstall gegangen. Sie saßen am Küchentisch. Lia hatte Spaghetti vorbereitet. Ihr Papa verzog das Gesicht.

»Und, ist der Junge dick oder dünn? Ihr kriegt wohl jedes Schuljahr neue Schüler. Letztes Mal die Bohnenstange Zara, und heute?«

»Es ist ein neuer Lehrer. Wir haben bei ihm Philosophie und Sozialkunde.«

»Wie kann man nur freiwillig in Lohneburg arbeiten?«

»Vielleicht aus Liebe?«

»Aus Liebe???« Seine Augenbrauen sprangen nach oben. »Er ist bestimmt versetzt worden. Strafversetzt! Aus einer pulsierenden Großstadt ab in die Pampa.« Er nahm einen Schluck aus der Bierflasche.

»Würdest du nicht wegen einer Frau, die du liebst, in eine Kleinstadt ziehen?«

Heinz Wallmann schnitt die Spaghetti mit dem Messer klein wie Schnittlauch und schob sie auf den Löffel. Dann startete sein Kampf gegen die Zeit.

»Umgekehrt wird ein Schuh draus! Und wie ist der neue Lehrer so? Wie heißt er denn?«

»Richard Grundmann. Der legte sofort los. Er fragte uns gleich ab, was wir so wissen.«

»Und, was wusstest du so?«

17

»Ich bin nicht drangekommen.« Lia drehte die Nudeln geschickt ohne Löffel auf die Gabel. Keine hing runter, keine Sauce wollte auf die Tischdecke. Das hatte ihr Fida gezeigt, ihre Mitbewohnerin aus der Klinik.

»Wird schon klappen. Mach dich nicht verrückt. Vielleicht ist er nett.«

Lias Vater war unsicher, wie er mit seiner Tochter umgehen sollte. Nach dem Suizidversuch im Juli war Lia fast die gesamten Sommerferien in der Klinik gewesen. Relativ stabil, Stresskompetenz, Leistungsdruck, Coping. Unmöglich, sich das alles zu merken, was der Arzt ihm bei Lias Entlassung eindringlich mit auf den Weg gab. Aber was sollte er tun? Bei den Schularbeiten konnte er Lia nicht helfen. Den Schichtdienst konnte er nicht beeinflussen. Seine Geschiedene begann eine neues Mutterdasein. Und außerdem fand er Justyna toll. Justyna, die polnische Bedienung aus dem Hasenstall.

»Schmecken lecker die Nudeln. Ist noch was da?«

Lia verzieh ihrem Vater, dass er nicht gut lügen konnte. Im Grunde spürte sie, dass er sich bemühte, alles richtig zu machen: richtig zu essen, richtig zu reden, sich richtig zu benehmen; seine Tochter zu verstehen und ihr zu helfen. Aber er war in Justyna verknallt und wollte wieder etwas zum Anfassen.

»Ja. Es ist noch genug da.«

Montagabend

Cindy saß mit ihrer Familie am Esszimmertisch zum Abendessen. Das gab es selten. Ihr Vater war ein nachgefragter Rechtsanwalt, ihre Mutter eine viel beschäftigte Journalistin, ihre ältere Schwester studierte begeistert Kunstgeschichte und der jüngere Bruder befriedigte seine Neugier für das Jurastudium.

»Wir haben einen neuen Philosophielehrer, Richard Grundmann.«

»Und, ein Netter?«, fragte ihre Mutter während sie die Serviette auseinander faltete.

»Auf jeden Fall ein Schneller. Du hast kaum den letzten Buchstaben seines Namens verstanden, da war er schon einen Satz weiter.«

»Das ist die neue Zeit«, sagte Leopold, »an der Uni sprechen sie auch sehr schnell. Steno für das Notebook, das wäre es!«

»Dr. Breitenbach hat ja schon Humor. Aber Grundmann ist noch besser. Er spielte auf seinen Namen an, sagte nomen est omen und betonte, wir würden den Dingen dermaßen auf den Grund gehen, dass uns die Luft knapp würde.«

»Auf den Grund gehen ist immer gut«, meinte Cindys Vater. »Hm, das Essen riecht köstlich, Schatz. Was ist denn in den vielen Schüsseln?«

»Danke, Liebster. Das ist Tempura, ein japanisches Nationalgericht. Einzelheiten über die Füllung der Teigtaschen werden nicht verraten. Die Dips sind Soja, Sweet-Chilli und

Ingwer.« Ihr Zeigefinger schwebte über die blau-weiß gemusterten japanischen Schälchen. »Auf den Grund gehen. Das sehe ich auch so«, ergänzte seine Frau. »Deshalb reise ich morgen nach Lagos. Ich möchte die kulturellen Gründe der Beschneidung von Mädchen in Nigeria verstehen. Was nicht bedeutet, dass ich deswegen nicht dagegen bin. Terre des Femmes macht eine fantastische Arbeit in diesem Bereich.«

»Beschneidung – du bist ja gut«, sagte Floriane. »Das ist Genitalverstümmelung! Und die kulturellen Hintergründe kannst du vergessen. Das ist Körperverletzung und verstößt gegen die Menschenrechte!« Sie spießte heftig eine Teigtasche auf.

»Trotzdem möchte ich mir vor Ort ein eigenes Bild machen.« Ihre Mutter blieb gelassen. »Man könnte die Menschenrechte auch als westlich-zentriert auffassen. Könnte, wohl bemerkt. Aber lasst uns in Ruhe essen.« Ihr Lächeln glitt an den anderen vorbei.

»Er fragte einige Fakten über die alten Griechen ab, nachdem er vorher eine Andeutung über die heutigen Griechen und ihre wirtschaftliche Situation gemacht hatte. Er unterrichtet auch Sozialkunde.« Cindy musste unbedingt weiter von Grundmann erzählen.

»Clever«, sagte Leopold.

»Originell«, ergänzte Floriane.

»Dann belehrte er uns, dass Philosophie mit Faktenwissen nichts zu tun habe, sondern eine Denkwissenschaft sei.«

»Cogito, ergo sum. Ich denke, also bin ich. Mit Descartes werdet ihr euch auch noch beschäftigen.«

»Du hast bei Dr. Breitenbach gut aufgepasst«, meinte Cindy. Leopold winkte ab; das sei doch Allgemeinwissen.

»Aber die neuen Griechen haben scharf nachgedacht, ganz im Sinne des Franzosen, und sich gesagt: Ich denke, also bin ich. Ich manipuliere meine Finanzstatistik, also bin ich dann Mitglied der Eurozone.« Leopold hob sein Glas. »Jamas!«

»Vergesst das Essen nicht. Magst du noch etwas, Liebster?« Frauke Schröder lächelte ihren Mann an.

»Gerne. Danke. Schmeckt ausgezeichnet. Wir sollten das nächste Mal aus Solidarität mit den Griechen Retsina statt Weißburgunder trinken.«

»Ich koche Moussaka mit Hackfleisch oder Lamm mit Staka.« Beide Eltern lachten.

»Fleisch muss nicht sein«, bemerkte Cindy trocken.

»Davon stirbst du doch nicht gleich«, meinte Leopold.

»Lass sie doch«, bestärkte Cindys Mutter ihre Tochter.

»Hoffentlich läuft das diesjährige Schulhalbjahr etwas ru higer. Das mit Lia war schrecklich genug. Wie geht es Lia denn? War sie heute in der Schule?«

»Ja. Sie setzte sich auf ihren Platz wie immer. Und Zara saß neben ihr, wie immer.«

»Und die anderen? Kommentare auch wie immer?«

»Noch nicht.«

Nach dem Essen saßen Cindy und ihre Eltern um den gläsernen Couchtisch. Rupert Schröder trank einen Cognac, Frauke Schröder hatte sich für Espresso entschieden, Cindy trank ihr Glas Weißburgunder zu Ende. Sie waren aufgeregt. Das Angebot, nach Lagos zu fliegen, war kurzfristig gekommen. Die Redakteurin, die recherchieren sollte, war krank geworden. Cindys Mutter fand die Gelegenheit, die Kollegin zu vertreten zu fantastisch, um abzulehnen.

»Hast du an alles gedacht, Schatz? An den Pass und die sonstigen Papiere? Hoffentlich hat die Bahn kein Problem und du würdest das Flugzeug verpassen.«

»Ja, alles bestens und sicher verstaut. Mein Gott, bin ich aufgeregt. So eine Chance. Ich brauche gar nicht ins Bett zu gehen, ich kann sowieso nicht schlafen.«

»Hm, hm«, murmelte ihr Mann. Cindy grinste, ihre Mutter errötete.

»Pass bloß auf dich auf, Mum. Afrika ist nicht Europa.«

»Ach komm, Cindy.« Sie nahm ihre Tochter in den Arm.

»Ich fahre doch nicht in den Dschungel. Außerdem bin ich nicht alleine. Zuerst treffe ich die Mitarbeiterinnen von Terre des Femmes in Lagos. Die holen mich vom Flughafen ab. Zwei Tage später fahren wir in die Dörfer, in denen die Kampagne läuft.«

»Du hast einen tollen Job, Mum. Das möchte ich später auch mal. In New York triffst du dich mit Vertretern der UN, in Nigeria besuchst du ein Projekt von Terre des Femmes. Ist das alles nicht wunderbar aufregend?«

»Auch, Cindy. Auch aufregend. Aber lass dich nicht täuschen. Vor allem ist es Arbeit, viel Arbeit und anstrengende Arbeit. Und du hast ja noch Zeit bis zur Berufsfindung. Sicher wirst du erst einmal studieren wie deine Geschwister. Wenn ich zurückkomme, möchte ich, dass du die Vorhandwendung und Hinterhandwendung noch besser draufhast. Und wir schauen dann nach einem anderen Pferd. Crystal-Bell ist zwar talentiert, und du hast beim Schlossberger-Wettbewerb auch ganz gut abgeschnitten, aber ein isländisches Pony hat für Dressurreiten doch deutliche Grenzen. Wenn du dein Talent nutzen willst, und ich gehe davon aus, dass das der Fall ist, brauchst du ein besseres Pferd. Und dann ist ein erster Platz beim nächsten Turnier der U18 möglich.«

Darauf könnte sie stolz sein, ein erster Platz, das wäre etwas. Doch Cindy spürte auch den Druck und die Angst zu versagen. Erfüllte sie unbewusst die Wünsche ihrer Mum, oder war es wirklich ihr eigenes Bedürfnis, Dressur zu reiten? »Darf ich trotzdem Crystal-Bell behalten? Vielleicht findet Zara Gefallen am Reiten. Dann könnte sie Crystal-Bell nehmen und ich das neue Pferd.«

»Was meinst du, Liebster?«

»Ich sehe kein Problem darin. Hast du ein Pferd bei Schenkendorf gesehen oder beim Gestüt Möllenhof?«

»Bei Schenkendorf. Ich würde zwischen einigen Hannoveranern und Trakehnern aussuchen.«

»Na dann.« Er schwenkte sein Cognacglas. »Auf das neue Pferd.«

Mittwochnachmittag

Cindy und Zara trafen sich im Cebra. Das Café mit den schwarzen Stühlen zu weißen Tischen und den weißen Stühlen zu schwarzen Tischen war inzwischen Zaras Stammcafé. Obwohl ihr das Mobiliar und die alugerahmten Schwarz-Weiß-Fotografien mit den Frauen nach wie vor nicht gefielen. Alles wirkte kühl. Aber sie hatte in den Sommerferien, als sie Lohneburg für sich ausführlicher entdeckte, kein besseres Café gefunden.

»Herrje, ist das voll. In den Ferien war es einfacher, einen Platz zu bekommen«, sagte Zara.

Es war laut und warm im Cebra. Die beiden Mädchen setzten sich an den äußersten Rand der Theke. Draußen war alles besetzt.

»Voll? In New York war es voll. Und was für tolle Cafés es da gibt ...« Cindy lehnte sich zurück und straffte ihren blonden Pferdeschwanz nach.

»Ist eben alles relativ«, bemerkte Zara trocken.

»Und der Latte erst. Die performen Latte Art, nicht nur so ein simples Herz-Motiv wie hier. Die Baristas sind wahre Virtuosen dieser Schaumkunst.« Cindy löffelte den Milchschaum ab.

»Hauptsache der Latte schmeckt.« Zara verrührte den Schaum und nippte am Glas.

»Und dazu ein Butter-Apfelmus-Brioche oder ein cupcake. Hm.« Cindys Zunge wanderte über die Lippen.

»Krieg dich mal wieder ein. New York ist doch nicht der Nabel der Welt.«

»Und der cheesecake …«

»Hast du dich nur von Latte und Kuchen ernährt? Wie war's denn so in der Stadt, die angeblich niemals schläft?«

»Oh. Die Stadt hat eine Persönlichkeit.«

»Wo hast du das denn her?«

»Sie ist vielschichtig, kompliziert, intellektuell.«

»He, Cindy. Hast du den Reiseführer auswendig gelernt?«

»Diese Geschwindigkeit, diese Energie. Alles rennt.«

»Stehst du unter Drogen?«

»Ja, Big Apple macht süchtig.«

Beide lachten.

»Zwei Wochen reichten vorn und hinten nicht. Wir waren fast nur in Manhattan. Und Manhattan taktet anders, weißt du.«

»Nein, weiß ich nicht.«

»Und außerdem organisierten wir meinen Schüleraustausch im nächsten Jahr. Wow, was werde ich dann Zeit haben.«

»Und, was hast du so gesehen?«

»Museen und Galerien interessierten mich nicht und Mum kennt sie schon von früher. Außerdem hatte sie einiges für ihr nächstes Projekt bei den UN recherchiert und mit Kolleginnen gesprochen.«

»Cool!«

Cindy kramte in ihrem Rucksack. »Hier, ich habe dir etwas aus New York mitgebracht. Hoffentlich gefällt er dir. Es ist ein fragrance von Le Labo.« Sie gab Zara eine kleine Flasche. »Le Labo ist ein playground for your nose. Man kann sich nach eigenem Geschmack ein Parfum komponieren lassen. Riech mal. Ich finde, der Duft passt zu dir.«

Zara war irritiert. Sie hasste Parfums. Sie lehnte alle Kosmetik ab, die für andere Mädchen in ihrem Alter selbstverständlich waren. Und jetzt hat Cindy einen Duft extra für sie mixen lassen.

»Du wirst dich wundern, was da alles drin ist. Ich habe es mir aufschreiben lassen. Hier.« Sie gab Zara eine Visitenkarte, auf deren Rückseite mit feiner Handschrift die Duftnoten notiert waren.

Zara öffnete das Fläschchen und schnupperte daran. Der Duft gefiel ihr sofort.

»Danke. Gefällt mir gut. Lieb von dir. Ich lese später die Zusammensetzung. Tja, so riecht jetzt New York für mich.«

»Wenn ich nächstes Jahr zum Austausch drüben bin, kannst du mich doch besuchen. Ich würde mich riesig freuen.«

»Hm, ich weiß nicht.« Zara verzog skeptisch das Gesicht. »Die Kosten. Das ist doch teuer.«

»Das wird sich schon finden. Wow, wäre das toll. Und, was hast du in den Ferien so gemacht?«

»Oh, nichts Besonderes. Ich hatte einige Zeit einen Job im Büro meiner Mutter. Und ich wollte Lia in der Klinik besuchen, aber das war tabu. Verstehe ich zwar nicht. Schließlich habe ich sie ja gerettet.«

»Ach ja, Lia«, seufzte Cindy. »Scheint abgenommen zu haben.«

»Meine Mutter bekam leider keinen Urlaub, aber wir haben an den Wochenenden etwas unternommen. Beziehungsarbeit, verstehst du.«

»Die zwei Wochen mit Mum waren wunderbar. Zwei beste Freundinnen unterwegs. Und da ich bei dem Dressurreiten vorher gut abgeschnitten hatte, war sie besonders stolz auf mich. Es waren die schönsten zwei Wochen in meinem Leben.«

»Na ja, alles ist relativ. Du hast ja noch einige Wochen vor dir.« Zara lachte.

»Okay. Es waren die schönsten zwei Wochen in meinem bisherigen Leben. Ja, du hast recht. Ich habe noch viel vor. Das Reittraining werde ich jetzt verstärken. In der Schule hoffe ich, dass mir Grundmann nicht die Note in Philosophie und Sozialkunde versaut. Der Mann liegt mir überhaupt nicht.«

»Ich finde, er hat was.«

»Ach, was hat er denn?«

»Er ist anders. Seine Art mit uns umzugehen ist völlig anders als die von Dr. Breitenbach. Allein wie er den Unterricht begonnen hat.«

»Ja, schon. Aber irgendwo sind Lehrer alle gleich. Ihre Methoden unterscheiden sich ein wenig, aber letztendlich geht es immer um Leistung, immer um Noten.«

»Und Mark?«

»Mark versüßt mir mein Leben.«

»Schön.«

Sie tranken ihre Gläser leer.

»Na dann.« Zara schaute auf ihre Uhr. »Ich lade dich ein.«

Donnerstagvormittag

Die beiden Lehrerinnen saßen in ihrer Freistunde in einer ruhigen Ecke im Lehrerzimmer.

»Wusstest du, dass wir einen neuen Kollegen bekommen würden?«

»Nein, das war wohl nicht geplant, soweit ich gehört habe. Irgendwas ist in den Sommerferien passiert, dass er bei uns gelandet ist. Breitenbach wird uns schon aufklären. Aber vielleicht erzählt Richard Grundmann selber etwas von sich? Er soll auch Psychologie-Kurse anbieten.«

»Wir werden sehen. Und, waren deine Ferien schön? Hast du dich von deinem Radunfall erholen können?«

»Wunderbar. Es war wunderbar in der Provence. Ich bin dort gleich wieder aufs Rad gestiegen. Der Rippenbruch ist verheilt und die blauen Flecken im Gesicht hatte ich anfangs überschminkt. Aber jetzt bin ich schön braun und die Flecken sind sowieso weg. Und Ron hat mich so was von verwöhnt.« Sie fuhr sich mit den Fingern durch die Haare. »Und bei dir?«

Susanne wurde neidisch. Sie wäre auch gerne verwöhnt worden. Hätte gerne den ersten bis letzten Ferientag in Neuseeland verbracht. Aber ihre alten Eltern fühlten sich in der Kurzzeitpflege nicht wohl – schrieb die Pflegerin per SMS.

»Ich war drei Wochen in Neuseeland. Na ja. Bisschen wandern, bisschen relaxen. Meine Eltern, du weißt ja. Ich hätte ewig bleiben können. Ein wunderbares Land. Diese

Natur, diese Weite. Mein Gott, ist Deutschland eng. Und dieses Kaff Lohneburg …«

»Komm erst mal wieder an, Susanne. Das ist der übliche Schock. Mir ging es ähnlich, als wir aus der Provence zurückkamen. Den Duft von Lavendel hatte ich noch in der Nase, und dann den Geruch von Lohneburg. Aber die Arbeit wird dich schon bald wieder ablenken.«

»Bald? Du bist gut. Rate mal, wer mich in den Ferien angerufen hat. Ich hatte nicht mal meine Tasche ausgepackt.«

»Und?«

»Herr Wallmann, Lias Vater.«

»Ach stimmt, Lia war ja in der Psychiatrie. Und was wollte ihr Vater von dir?«

»Dass ich mich um seine Tochter kümmere. Im weiteren Sinne jedenfalls. Lia hat ihm bestimmt von unseren Gesprächen erzählt, und da dachte er vermutlich, ich sei sowas wie eine Sozialarbeiterin. Hey, ich hatte Ferien! Und dann das!«

»Und, hast du Lia in der Klinik besucht?«

»Ja. Sie war zu der Zeit mehrere Wochen in Behandlung. Physisch war alles okay. Die Tablettenvergiftung hatte sie gut verkraftet, aber die Seele … Na, das Übliche.« Sie zog die Schultern hoch.

»Und, was solltest du tun?«

»Mit Lia reden. Sie in der Schule unterstützen. Für sie da sein.«

»Hohe Erwartungen, findest du nicht?«

»Lias Mutter hat mich auch angerufen.«

»Ach du Ärmste. Jetzt verstehe ich dich langsam. Und was wollte sie?«

»Sie überschüttete mich mit Vorwürfen. Wie konnte es dazu kommen, dass ihre Tochter am Hermann-Hesse-

Gymnasium dermaßen gemobbt wurde, dass sie aus dem Leben scheiden wollte. Das würde noch Folgen haben. Sie würde sich an die Polizei und das Schulamt wenden. Und an die Presse sowieso.«

»Das ganze Programm. Oje. Das kann ja ein Schuljahr werden.«

»Ich schaff das nicht, da bin ich mir sicher. Mich so umfassend um Lia kümmern. Wie stellt sich Herr Wallmann das denn vor? Ja, es ist tragisch, dass Lia einen Suizidversuch unternommen hat. Und Mobbing an unserer Schule ist eine Katastrophe. Der Ruf der Hermann-Hesse. Ich höre schon die Worte von Dr. Breitenbach auf der nächsten Konferenz. Erst brennt es bei uns, und dann noch Suizidversuch wegen Mobbing. Und für die Fahrt nach Brüssel mit dem Leistungskurs muss ich noch so viel vorbereiten. Ich schaffe das nicht. Und der Unterricht macht sich auch nicht von alleine.«

»Ganz ruhig, Susanne. Mit dem Mobbing ist nicht dein Problem, das ist eine Verantwortung, die das ganze Kollegium tragen muss. Die Gespräche mit Polizei, Medien und Frau Wallmann führt sowieso der Schulleiter. Und mit Lia – lass uns in Ruhe eine Strategie entwickeln. Vielleicht sprechen wir noch mal mit Zara, schließlich hat sie Lia gerettet.«

»Zara darf aber nicht überfordert werden. Sie hat ihre eigenen Sorgen, glaube ich.«

Freitagnachmittag

Sie saßen in der Bibliothek, obwohl es nichts für die Schule vorzubereiten gab. Die Nähe in Lias Zimmer mochten beide noch nicht. Es war das erste Mal nach dem Ereignis, so nannte es Lia, dass sie sich allein trafen. Die Klinik hatte Zara nicht betreten gedurft, und die ersten Schultage waren voller Neuigkeiten und schnell vergangen.

»Hallo«, sagte Zara, »wie geht es dir?« Sie hatte oft nachgedacht, wie es sein würde, sich mit Lia wieder zu unterhalten. Sie probierte Sätze und sprach mit ihrer Mutter darüber. Aber alles klang krampfhaft.

»Danke, muss ja«, antwortete Lia. »Vielleicht wäre es besser gewesen, du hättest nicht den Notarzt gerufen?«

»Das darfst du nicht sagen. Außerdem hätte dich doch dein Vater gefunden.«

»Mein Papa tickt anders.«

»Du meinst, er hätte dich nicht gerettet? Das glaube ich nicht.« Zara schüttelte den Kopf.

»Nein, ich meine, er war doch total besoffen. Wenn er überhaupt in mein Zimmer gekommen wäre. Und wenn er … Ach lassen wir das.«

»Ich freue mich, dass du lebst, Lia.« Zara streckte ihren Arm über den Tisch und legte ihre Hand auf Lias.

»Danke. Aber …«

»Kein Aber. Jetzt startest du wieder durch. Du bist doch versetzt worden, und die letzten beiden Jahre schaffst du auch noch.«

»Versetzt worden? Das war doch aus moralischen Gründen. Und außerdem hat meine Mutter viele Gespräche geführt deswegen. Die war in den obersten Etagen. Das ist alles abgesprochen. Glaub's mir. Sitzenbleiben wäre besser gewesen? Weg von den Killern; in einer anderen Klasse aufatmen. Wer weiß?«

»Lia, wir ziehen das durch!«

»Wir?«

»Ja, wir. Wir schießen zurück.«

»Zurückschießen? Zara Croft und ihre fette Freundin? Das kann ich nicht. Sieh mich doch an. Ich habe in der Klinik versucht abzunehmen. Das Ergebnis sitzt vor dir.«

»Lara Croft … Danke für das Busen-Kompliment … Wir schießen trotzdem zurück.«

»Siehste, du sagst nichts zu meinem Aussehen. Brauchste auch nicht. Ich finde es furchtbar nett von dir Zara, dass du mir helfen möchtest. Wir werden ja sehen.« Lia zuckte mit den Schultern. »Vielleicht halten die Killer still nach diesem Ereignis?«

»Ich schieße auf jeden Fall.« Zara zog ihre Hand wieder zurück und ballte sie zur Faust.

»Auf wen denn? Auf Robert und Jens? Und es sind nicht nur die Jungs. Das kannst du nicht wissen, weil du noch die Neue bist. Du kämpfst gegen viele. Achte du mal lieber auf Faris und Alexander. Ich komm schon irgendwie klar.«

Zara sah Lia erstaunt an. Faris, mit seiner Drohung vor den Sommerferien, Lias und ihre Schulkarriere zu zerstören, wenn sie auf dem Abschlussfest der Herman-Hesse rappen sollte. Das Sommerfest gehört mir, hatte er gesagt. Und sie war auf der Wiese geblieben und nicht auf die Bühne gegangen. Doch es hatte sie gereizt, aber die Angst war zu groß.

Lia hat recht. Auf Faris muss sie achten. Immer, solange sie auf dieser Schule ist. Aber Alexander? Kaffee trinken mit ihm ist doch völlig harmlos. *Pass auf dich auf! Du wärst nicht die Erste.* Die Worte von Maike schossen ihr durch Kopf.

»Was hast du eigentlich die ganze Zeit in der Psychia... in der Klinik gemacht. Die ganzen Sommerferien. Und ich weiß gar nicht, warum ich dich nicht besuchen durfte.«

»Das sind die Klinikregeln. Und sag ruhig Psychiatrie. Bei Jugendlichen dürfen nur die Eltern besuchen, es sei denn, sie sind dafür verantwortlich, dass ihr Kind eingeliefert wurde. Sexueller Missbrauch und so.«

»Ich war auch mal in einer Klinik. Wegen Essstörungen.«

»Ach! Bist du deswegen so dünn?«

»Mein Vater, äh, als mein Vater Selbstmord ...«

»Suizid, das nennt man Suizid«, korrigierte Lia. »Das haben sie mir von Anfang an erklärt.«

»Meinetwegen. Mein Vater starb durch einen Autounfall. Ich denke, er hat sich umgebracht. Meine Mutter spricht von Unfall. Danach ging es mir schlecht. Ich konnte kaum was essen und nahm ab wie ...«

»Bei mir klappt das überhaupt nicht. Die haben mir eine Diät verpasst und Sport musste ich machen; ausgerechnet Sport. Und dann musste ich malen.«

»Ah, Kunsttherapie. Musste ich auch. Scheint eine beliebte Methode in den Kliniken zu sein. Gestaltungsprozesse als Anschauungsraum nannte das die Psychologin. Ich hab mich nur gelangweilt. Außerdem konnte ich im Spiegel sehen, wie ich aussah, und mein Inneres kannte ich auch. Die Frau sagte immer was von Wahrnehmen und Aussprechen. Ich würde dadurch meine Reflexionsfähigkeit verbessern. Dabei fühlte ich mich nie verstanden. Weißt du Lia, ich fand meine Reaktion damals normal. Ich meine, wenn dein Vater sich umbringt, da passiert doch was mit dir. Außerdem haben sie mir verboten, seine Hemden zu tragen und seine Musik zu hören.«

»Du ziehst die Hemden von deinem Vater an? Was soll das denn? Da käme ich im Traum nicht drauf. Jetzt verstehe ich. Diese langärmligen karierten Hemden, die du vor den Sommerferien immer anhattest. Bei dreißig Grad im Schatten. Das waren Hemden von deinem Vater.«

»Ja«

»Du musst ihn sehr geliebt haben.«

»Ich liebe ihn immer noch. Gut, ich laufe nicht mehr Tag und Nacht in Männerhemden rum. Aber diese Phase war wichtig für mich. Und die Klinik hat das verbockt.«

»Und was meinst du mit seiner Musik?«

»Blues und die Doors, Dylan. Vor allem die Doors ... Diese scheiß Klinik. Die wollen einen gesund machen, und ich wurde immer kränker. Es war ein Entzug.«

»Du meinst Drogen?«

»Ja, Lia. Meine ich. Nein, ich habe keine Drogen genommen, falls du das jetzt fragst. Aber so stelle ich mir einen Entzug vor. Du brauchst etwas ganz dringend und kriegst es nicht. Ob es der Körper oder die Seele ist, ist doch scheiß egal, oder?«

»Und, hast du dann abgebrochen?«

»Ich habe mir die Musik einschmuggeln lassen.«

»Wow. Wie das denn?«

»Keine weiteren Einzelheiten!«, blockte Zara ab. »Und du, alles straight durchgezogen und erfolgreich abgeschlossen?«

Lia grübelte noch, wie Zara es geschafft hatte, etwas in die Klinik schmuggeln zu lassen. Das war bestimmt nicht einfach. Aber warum macht sie jetzt ein Geheimnis daraus? Ist doch gelaufen.

»Und jetzt bist du wieder gesund?«

»Gesund, Lia? Wer ist schon gesund? Ich finde, ich habe gesund auf eine krankmachende Situation reagiert. Wenn du verstehst, was ich meine.«

»Ich bin ja nicht blöde. Ich reagiere auch auf eine krankmachende Situation. Aber ob es gesund ist, immer fetter zu werden, da habe ich doch meine Zweifel.«

»Und, was sagt die Kunsttherapie dazu?«

»Copingstrategie. Von englisch to cope with – fertig werden mit. Ich habe gelernt, mein Selbstwertgefühl zu stärken und meine Handlungsspielräume auszuweiten – Zitatende.«

»Sage ich doch, Lia. Wir schießen zurück!«

Inzwischen

»Yo, Zara. Hattest schöne Ferien?«

»Was steht an, Faris?« Nicht schon wieder, dachte sie. Nimmt das kein Ende? Sie hatte nicht gerappt auf dem Sommerfest der Schule. Sie hatte Faris' Drohung ernst genommen. Er war der King. Wie immer. Sie war nur kurz geblieben, wollte sich das nicht antun. Schon gar nicht nach dem Selbstmordversuch von Lia.

»Hey, leany. Ich bin höflich. Man fragt das in Deutschland doch so, oder?«

»Ist ja gut. Ja, meine Ferien waren schön. Und deine?«, leierte sie gelangweilt. Nur nicht gleich wieder loslegen. Erst mal checken, ob wieder was mit Feuer kommt. Dieser blöde Zeitungsartikel und der Verdacht, Lia hätte einen Kinderwagen angezündet. Obwohl, in dem Zustand, wie Lia im Sommer war. Vielleicht hatte die Polizei das inzwischen ermittelt. Und der Brand in der Schule ... Sie wurde plötzlich aufgekratzt. Dann kann der Typ mich nicht mehr erpressen. Und Lia erst recht nicht. Warum habe ich nicht schon früher daran gedacht?

»Meine Seele brauchte mal wieder Heimatluft«, unterbrach Faris Zaras Gedanken. »Den Geruch von Zedern. War ein toller Schulabschluss im Sommer, nicht wahr? Rap ist mein Leben. Einige von uns hingen nach dem Fest noch ab, weißt du. Hab dich vermisst.«

»Bin nicht so lange geblieben – wegen Lia.«

»Ach ja, Lia, die Arme. Aber sie ist ja wieder in der Klasse. Scheint ihr gut zu gehen. Toll, sehr mutig von ihr.«

»Wie meinst du das? Wieder in die Schule zu kommen?«

»Ich habe gehört, sie wollte sich umbringen. Das ist nicht einfach. Vor allem für ein Mädchen. Uns ist das nicht erlaubt. Das ist eine Sünde. Ein Gläubiger muss schwierige Situationen im Leben ertragen.«

»Vielleicht ist Lia nicht gläubig? Und was ist denn mit euren Selbstmordattentätern?«

»Märtyrer. Sie sind Märtyrer und werden im Himmel belohnt.«

»Ach ja. Irgendetwas mit Jungfrauen; habe ich irgendwo gelesen. Und womit werden die Attentäterinnen belohnt? Mit Jungmännern?«

»Krieg ist Männersache.«

»Wie du meinst. Ich muss los, Faris.«

»Piis leany«, rief er Zara hinterher.

Montagvormittag

Kunst als Selbstausdruck! Ulrike Vogel bot diesen Kurs an, um den Schülern zu ermöglichen, auch in ihrem Unterricht einmal von den Standards abzuweichen. Neidisch hatte sie häufig auf den Rhetorikkurs ihrer Kollegin Bettina Goedel geschaut. Die holte sogar Theaterschauspieler in den Kurs, damit sie bei den Schülern beliebt wird. Der Musiklehrer Thomas Oertel studierte jedes Jahr ein Musical ein, was vor allem die Mädchen begeisterte, weil sie von einer späteren Karriere träumten. In Sport wird immer nur Basketball gespielt. Selbst Reiner Diekmann bot in diesem Schuljahr etwas Abwechslung in Mathematik an: Zeichen, Ziffern, Zauberei. Bei diesem Thema wurden die Schüler neugierig und der Kurs war schnell voll.

Fast vier Wochen standen die Schüler an ihren Staffeleien und die meisten Bilder waren besprochen.

Die Kunstlehrerin blieb am Tisch von Lia stehen. Sie war erstaunt über Lias Fähigkeiten in Aquarelltechnik nach dieser kurzen Zeit im Kurs. Jede Hausfrau malt Aquarelle, hatte Faris gelästert. Er arbeitete mit Ölfarben und Spachtel. Ulrike Vogel war anfangs ebenfalls skeptisch. Die dicke Lia und die zarte Maltechnik. Sie erwartete verquältes Gekleckse; doch sie irrte sich. Lia war in der Lage, das Einmalige, Flüchtige, Zarte der Aquarellmalerei zu gestalten. Sie arbeitete mit vollem Pinsel, der angemessenen Feuchtigkeit des Papiers und dem richtigen Schwung. Lias Bild zeigte schmale und dicke Linien, die sich näherten und entfernten, berührten, sich verknüpften. Dunkle und helle Farben wechselten sich ab. Es war ein abstraktes Bild und ähnelte doch einem Blumenstrauß. Ulrike Vogel war gespannt, wie Lia ihr Bild präsentieren würde.

Sie wandte sich Faris zu. Er stand vor der Staffelei. Die Leinwand war zentimeterdick vollgespachtelt. Mit viel Fantasie konnte man in der Mitte einen Baum erkennen und so etwas wie eine Sonne im Hintergrund.

»Ein kraftvoller Bildausdruck, Faris«, sagte Ulrike Vogel. Und recht teuer, wenn ich die vielen ausgequetschten Farbtuben sehe.

»Das hier in der Mitte stellt eine Zeder dar, der Baum meiner Heimat. Und die Sonne im Hintergrund ist das Licht und symbolisiert die Wahrheit.«

»Aha, du hast dich für die Richtung des Symbolismus entschieden.«

»Ich weiß nicht, ob ich mich entschieden habe oder ob es durch mich sich entschieden hat. Verstehen Sie?«

»Nicht ganz.«

»Nun, ich würde mein Bild, genauer mein Selbstausdruck, im Spannungsfeld von Symbolismus und Surrealismus ansiedeln.«

Die Kunstlehrerin war verblüfft. So hatte sich Faris bisher im Unterricht nie ausgedrückt. Sie wusste, dass er gute Raptexte verfasste. Aber was er von sich gab zum Spannungsverhältnis Symbolismus und Surrealismus.

»Wie André Breton sich geäußert hat. Er glaubte an die höhere Wirklichkeit von Gedankenverbindungen. Die Zeder, mein Migrationshintergrund. Die Sonne, das Symbol der Wahrheit.« Faris lächelte seine Lehrerin freundlich an.

»Das ist sehr aufschlussreich, Faris. Ich freue mich schon auf deine Präsentation«, unterbrach die Kunstlehrerin ihren Schüler und ging weiter, die Bilder der anderen zu betrachten. Mein Gott, welches Sprachniveau hat der plötzlich.

Drei Präsentationen waren noch offen: Lia, Zara und Faris.
Lia stand neben ihrem Bild und schaute abwechselnd auf den Boden und in die Gesichter.

»Mein Bild ist ein Aquarell.« Sie blickte erst zur Lehrerin, dann zur Klasse. »Aquarelle findet man bereits in ägyptischen Totenbüchern. Auch die alten Chinesen haben Seidenstoffe mit Wasserfarben bemalt. Dürer hat auch schöne Landschaftsbilder gemalt in Aquarell. Und Paul Cézanne war ein meisterhafter Maler in dieser Technik. Wer also bei Aquarellmalerei von Hausfrauenmalerei spricht, hat nichts begriffen.«

Faris boxte Jens in die Seite. »Ey, Mann, die meint mich damit. Die Dicke wird wieder frech. Aquarell ist was für Fette, die haben zu viel Wasser im Gewebe.«

»Aquaristik ist keine Artistik.«

»Aquarell geht ganz schnell.«

»Hey seid ihr fies«, sagte Cindy verärgert. »Lasst Lia doch mal in Ruhe, okay!«

»Ach, Cindy, don't be so windy«, lästerte Jens.

Cindy verdrehte die Augen und wandte sich von den Jungen ab.

»Mit meinem Bild möchte ich durch Andeutungen die Fantasie des Betrachters anregen. So eine Art Suggestion. Es sieht zwar aus wie ein Blumenstrauß, ist aber keiner. Er soll keinen Blumenstrauß betrachten, sondern glauben, er betrachte einen Blumenstrauß. Je nach seinem Phantasiepotenzial dringt der Betrachter in das Bild ein und kann etwas von sich selbst entdecken, wenn er diesen Vorgang reflektiert. Am effektivsten ist diese Methode für den Maler selbst. Aber dazu möchte ich mich hier nicht äußern. Danke.«

Sie faltete ihren Notizzettel zusammen und freute sich, ihn nicht gebraucht zu haben.

Die Schüler klatschten gelangweilt, Cindy und Zara solidarisch heftig.

»Lia, du hast das Flüchtige, Zarte der Aquarellmalerei gut ausgedrückt. Du hast gut mit Lavierung, direkt gesetzten Farben und Tonabstufungen gearbeitet. In der Tat könnte man denken, du wolltest einen Blumenstrauß malen. Aber deine Andeutung hält gute Balance zwischen abstrakt und konkret. Du bist zu einer individuellen Bildwelt vorgedrungen. Daher ist die Fantasie des Betrachters gefordert. Ihr könnt es nachher selber probieren.« Ulrike Vogel notierte sich kurz etwas und forderte Zara auf, ihr Bild vorzustellen.

»Was Birdie so alles sieht in einem solchen Bild. Aber dazu hat sie ja Kunst studiert, oder?« Marcel wandte sich an Justus.

»Ich habe nichts verstanden.«

»Striche auf einem Blatt Papier zu verteilen ist doch keine Kunst. Ich habe im Fernsehen mal einen Bericht über Affen gesehen, denen man Pinsel und Farbe gegeben hat ...«

»Ruhe bitte, Rena«, mahnte die Kunstlehrerin.

Zara trug eine schwarze, weite Hose und eine rote Wickelbluse. Ihre Kupfer-Locken hatte sie hochgebunden und mit einem Essstäbchen zusammengehalten.

»Mein Bild trägt den Titel: *So habe ich es mir nicht vorgestellt.* Die Maltechnik hat die Sumi-E-Malerei als Vorbild. Das ist japanische Tuschmalerei. Wie leicht zu erkennen ist, zeigt das Bild im Zentrum einen Blütenzweig und einen Vogel. In der Sumi-E-Technik beschränkt man sich auf das Wesentliche und gibt dem Bild eine klare, harmonische Aussage. Da es bei einem Selbstausdruck aber kaum eine solche Aussage geben kann, breche ich dieses lächerliche Jing-Jang-Gehabe. Ich öffne Türen durch eingestreute Texte der Doors, die fragmentarisch über mein Bild verteilt sind.

Break on through to the other side ... the gate is straight, deep and wide ... the crystal ship is being filled ... a million ways to spend your time ... when we get back I'll drop a line ... this is the end of our elaborate plans ... no safety ... laughter and soft lies.

So what! Lieber wäre es mir, das Bild ohne die Texte zu zeigen und dazu die Musik von den Doors zu spielen. So etwas wie eine Text-Musik-Installation. Aber so was geht an dieser Schule natürlich nicht.«

»Mein Gott, ist die mal wieder eingebildet.«

»Immer im Vordergrund! Zara nervt langsam.«

»Langsam?«

»Ich öffne Türen mithilfe der Musik von den Doors. Mir gefällt das«, meinte Cindy.

»Dir gefällt ja eh alles, was von der Dünnen kommt.«

»Durch diese Türen kann der Betrachter gehen oder er kann es sein lassen. Damit drückt er etwas aus, oder? Geht er hindurch und stellt sich nicht allzu blind an, wird er sehen, oder sogar erkennen. Ich musste, wie gesagt, maltechnische Abstriche machen. Ideal wäre, der Betrachter betrachtet und hört dazu Musik und Texte, vermengt alles in seinem Gehirn, dann in seiner Seele.«

»Was Zara so alles in ihrem Gehirn vermengt, ist erstaunlich.« Robert beugte sich zu Jens. »Sumo-Technik, hast du davon schon mal gehört?«

»In puncto Malerei nicht. Aber diese dicken japanischen Ringer ... Dass die dünne Zara sich daran orientiert, lässt ja tief blicken.«

»Kunst als Selbstausdruck eben. Das war doch die Aufgabe.«

»Ich habe gemalt, was mir Spaß machte.«

»Man kann sich nicht nicht ausdrücken, mein Lieber.«

Beide lachten.

»Den Titel eines Bildes sollte man nicht erklären müssen«, fuhr Zara fort. »Entweder man sieht das blaue Pferd auf dem Bild ‚blaues Pferd‘ oder die Titel sind für den Katalog. Mein Titel hat eine doppelte Aussage. Ich gestalte etwas, was ich mir so nicht vorgestellt habe. Genial, nicht wahr?« Sie schaute frech in die Runde. »Es ist mein Selbst, nicht mein Ich. Kunst als Selbstausdruck eben. Und der Betrachter entdeckt etwas, was er sich auch so nicht vorgestellt hat. Wenn er überhaupt eine Vorstellung hatte. Jetzt aber Schluss mit der Vorstellung!«

Sie legte beide Hände flach gegeneinander und verbeugte sich erst vor der Kunstlehrerin und dann vor den Schülern. Die Mädchen klatschten begeistert, die Jungen schwiegen verblüfft.

»Zum Sinn und Zweck von Bildtiteln sage ich heute nichts«, begann Ulrike Vogel ihren Kommentar zu Zaras Ausführung. »Es kommt nicht alle Tage vor, dass sich eine Nicht-Asiatin, auch wenn du dich so lieb verkleidet hast Zara, mit der Sumi-E-Technik beschäftigt. Könntest du dazu kurz etwas sagen.«

Zara zögerte. »Mein Vater hat Haikus gemocht. Dadurch bin ich mit asiatischer Kunst in Berührung gekommen.«

»Ach, die japanische Miniaturkunst der Poesie«, warf Alexander leicht in die Runde.

Cindy zwinkerte Zara zu.

Ulrike Vogel lächelte. »Danke, Zara. Dein Bild fordert den Betrachter in mehrfacher Hinsicht. Du hast darauf hingewiesen: Musik, Texte, Zeichnung. Du setzt verschiedene künstlerische Genres gegeneinander, um die Harmonie zu zerstören, weil es Harmonie deiner Meinung nach nicht gibt.«

»Beim Selbstausdruck, ich meine das nicht generell«, korrigierte Zara.

»Dein Bild hat ein kreatives Identifikationspotenzial. Wenn ich euch davon überzeugen könnte, eine Ausstellung für die ganze Hermann-Hesse zu machen, für das Erntedankfest beispielsweise, werde ich es dir ermöglichen, die Musik der Doors so einzusetzen, wie du es dir vorstellst. Überlegt es euch. Wir haben ja noch Zeit und im Kurs einiges vor. Okay, come on, Faris. It's your turn now.«

Faris stand breitbeinig neben der Staffelei. Sein Bild misst zwei Meter mal eins fünfzig. Er hatte sich geweigert, das Bild zu hängen. Den Spachtel in der Hand wie ein Mikrofon, den Oberkörper wippend, rappte er los.

Ich bin ein Migrant
Das ist allen bekannt
Real, irreal, surreal

Der Spachtel meine Waffe
Ölfarbe Munition
Der Schuss auf die Leinwand
Wahrheit dringt in dein Gehirn

Ich verfremde den Charakter vom Ding
Und transponiere zu Zeichen und Bild
Die Allmacht des Traums
Kommt in die Welt - wild

Glaub es oder glaub es nicht
Die Wahrheit ist ein Licht
Das Licht für die Wahrheit
Bringt Klarheit

As-Salaam-Alaikum
Sei es drum
Friede sei mir dir
Und den Deinen
Bist du im Reinen

Selbstausdruck
Selbst Ausdruck
Selbst aus Druck

Die Jungen klatschten begeistert, viele Mädchen kicherten.

Später saßen sie im Stuhlkreis.

»Kunst ist schwer, eigentlich gar nicht zu beurteilen«, begann Ulrike Vogel. »Aber darum geht es in unserem Kurs auch nicht. Ihr standet vor der Herausforderung, die Maltechniken, die ihr bisher kennen gelernt habt, Aquarell, Öl, Acryl und so weiter, unter dem Leitthema Selbstausdruck umzusetzen. Nun ist selbstverständlich klar, dass es Grenzen gibt, sich in der Schule persönlich zu entblättern. Wir sind ja keine Selbsthilfegruppe.«

»Hilf dir selbst, so hilft dir Gott«, warf Andreas ein.

»Dennoch finde ich dieses Leitthema spannender, statt ein Stillleben oder eine Landschaft zu malen. Außerdem haben wir noch Zeit für anderes. Okay, zu den Ergebnissen und ihrer Präsentation. Ich höre.« Sie lehnte sich zurück und schlug die Beine übereinander. Ihr Rock rutschte hoch. Faris' Blick strich von den Riemchen-Sandalen die Wade entlang, über das Knie zum Oberschenkel und endete unter dem Rocksaum in seiner Fantasie.

»Die rote Leinwand von Robert gefällt mir am besten«, sagte Jens. »Ein Mann sieht rot, sozusagen.«

»Oh, Robert ist ein Mann«, bemerkte Cindy.

»Vorsicht, Amokgefahr«, warnte Markus mit erhobenem Zeigefinger.

Einige Jungen lachten.

»Und dass er nicht so glatt gesprayt hat. Ich meine, diese hingehauchte Unregelmäßigkeit der Oberfläche und die grobe Leinwand. Das hat schon etwas, oder?« Marcel blickte in die Runde.

»Rot steht für Zorn.«

»Rot steht für Liebe.«

Lachen und Kichern mischten sich.

»Und dann, dieses Spiel mit seinem Namen. Ro am Anfang, das T am Ende. Rot in Robert. Wahnsinn. Echt voll der Wahnsinn, oder?« Marcel schüttelte den Kopf, als könne er die Genialität von Robert nicht fassen und dass er das entdeckte.

»Robert hat die Farbe ihrer gegenstandsbezogenen Bedeutung entkleidet«, ergänzte die Kunstlehrerin. »Das ist mutig von dir.«

»Aber eine neue Bedeutung angezogen, oder. Sonst wäre sie ja nackt.«

Die Jungen grinsten und Jens hüstelte.

»Ich finde, bei Cindys Bild zeigt sich der Selbstausdruck am besten. Pferde im Stil des Blauen Reiter. Das ist doch eine ehrliche Sache«, sagte Rena.

»Sie hat zu sehr abgemalt«, behauptete Dirk.

»Hat sie nicht. Pferde sind eben Pferde.«

»Ihre Pferde sehen Mackes aber sehr ähnlich.«

»Du hast ja selbst 'ne Macke. Die Pferde hat Marc gemalt. Franz Marc, du Dilettant.« Die Mädchen lachten.

»Hey, Leute, nicht so aggressiv«, versuchte Ulrike Vogel, die aufkommende Gereiztheit zu dämpfen. »Im Übrigen ist Dilettant italienisch und steht für Kunstliebhaber – unter anderem.« Doch ihre witzige Wortanalyse kam nicht an. Die Schüler wurden immer unruhiger. Ob August Macke oder Franz Marc Pferde gemalt hatten, war völlig unwichtig. Hauptsache man konnte lästern und sich amüsieren.

»Eigentlich wollte ich Crystal-Bell darstellen, in meiner Lieblingsfarbe Violett. So sollte die Verbindung zwischen meinem Pferd und mir symbolisiert werden.« Cindy lächelte selbstbewusst.

»Ups, noch ein Symbol.«

»Ich verstehe Cindy gut.«

»Danke, Rena.«

»Ich auch«, sagte Faris. »Das Pferd als Symbol von Sex.«

»Und Lila für den Feminismus«, ergänzte Alexander.

Cindy wurde rot. Die Jungen lachten.

»Man weiß ja, warum Mädchen Pferde …«

»Es ist jetzt genug!«, stoppte die Kunstlehrerin Robert scharf. »Wir sollten beim Thema bleiben.«

»Zaras Sumobild hat mich beeindruckt.« Jens nickte scheinbar nachdenklich.

»Sumi-E-Technik«, verbesserte Zara.

»Sag ich doch. Sumi, Sumo. Bin ich Japaner? Man sieht deutlich, dass das Bild von einer Dünnen gemalt wurde.«

»Vergiss es!« Zara winkte ab und verdrehte die Augen.

»Dieser dünne Blütenzweig und dieser angehauchte Vogel. Alles sehr mager eben.«

»Genau. Mit Tusche kann man doch nur dünn zeichnen. Guck dir doch die Japaner an. Mit Spachtel und Ölfarbe ginge das gar nicht«, unterstützte Faris Jens.

»Man müsste wirklich die Musik dazu hören. Das wäre geil. Rock the Cherrybird, oder so.«

»Das mit den Türen habe ich nicht verstanden, Zara«, sagte Pia. »Kannst du das genauer erklären?«

»Nein«, erwiderte Zara gereizt. Dieser Austausch war ihr zu oberflächlich. Sie hatte in einem Kurs ein anderes Niveau erwartet.

»Bitte«, bettelte Pia.

»Na gut. Das Betrachten und Hören startet einen Prozess, der ausgesprochen individuell ist. Mir ging es dabei um so etwas wie eine – sie schaute nachdenklich zur Decke – emanzipatorische Fluktuationskonzeption.«

»Verstehe.«

»Was die für ein Scheiß redet.« Faris sprang vom Stuhl auf. »Die verarscht uns doch alle, merkt ihr das nicht. Fluktuationskonzeption … was für ein Scheiß, leany.« Er starrte Zara wütend an.

»Nenn mich nicht leany!«, sagte Zara mit fester Stimme.

»Piis leany. Keep cool.« Er hob abwehrend die Hände. »Birdie, äh Frau Vogel, was sagen Sie zur Fluktuationskonzeption von unserer Mitschülerin Zara Völkel?« Faris grinste und ließ sich wieder auf den Stuhl fallen.

Alexander stand gelassen auf und deklamierte lächelnd:

»Leicht wie ein Vogel

Ich betrachte die Welt.

Fest steht das Selbst.«

Er setzte sich wieder hin. Zara wurde rot. Cindy versteckte ihr Lachen hinter den Händen.

Ulrike Vogel beherrschte sich mühsam. Sie dachte an den Rapcontest vom Sommer, als Faris die Stimmung über die Klippe steuerte. Hier war zwar nicht die halbe Schule in der Aula, sondern nur ihr Kurs im Kunstraum; fünfzehn Schüler. Dennoch, die aggressive Stimmung musste gestoppt werden. Faris mit seinem Machogehabe nervte sie.

»Ein Selbstausdruck«, sagte sie angestrengt ruhig, »ist oft schwer in Worte zu fassen. Deshalb habe ich die Malerei als Medium vorgegeben. Sie bietet mehr Möglichkeiten, auch das Unbewusste sprechen zu lassen. Benennt man etwas, kommt zu viel Denken hinzu. Man ist auf Worte angewiesen, die oft nicht passen. Lasst die Bilder auf euch wirken und lauscht in euch hinein.«

»Trotzdem«, beharrte Faris, »Fluktuationsscheiße … Meine Worte passen immer. Ich reime sogar beim Rap und drücke mich – selbst – klar und unmissverständlich aus. Man kanns oder nicht.«

Alle starrten erschrocken Faris und die Kunstlehrerin an. So weit war er noch nie gegangen; mitten im Unterricht eine Lehrerin dermaßen anzugreifen. Dass es die Mitschüler traf, vor allem Lia und Zara, daran hatten sie sich gewöhnt. Aber eine Lehrerin, und dazu eine beliebte wie Birdie.

Ulrike Vogel schluckte. »Es sind zwei unterschiedliche Formen, sich künstlerisch auszudrücken.« Sie schaute Faris direkt an. »Bildnerische Kunst und Literatur. Malerei braucht keinen Text, und Literatur braucht keine Bilder.«

»Beim Rap ist der Mund das Sprachrohr der Seele. Im Freestyle artikuliert sich das Unbewusste durch das Selbst. Man bekommt Selbstbewusstsein, ein Bewusstsein von sich selbst als Individuum.«

»In der Wortgruppe emanzipatorische Fluktuationskonzeption kommt zum Ausdruck, dass etwas wechselt, schwankt. Es ist nicht fest, stabil. Wenn man sich emanzipiert, also von etwas befreit, ist oft nicht klar, wohin diese Befreiung führt. Man spürt manchmal nur, dass man sich befreien muss. Deshalb hat der Mensch, der sich befreien möchte, manchmal nur ein Konzept, einen Entwurf und keinen genauen Plan. Das findet man in der Malerei häufig. Der Drang, der innere Druck, das Leiden des Künstlers sich ausdrücken zu müssen, um sich zu befreien.«

»Van Gogh hat sich sogar von einem Ohr befreit.«

»Aua!«

»So entstehen Phasen beim Künstler und Stilrichtungen in der Malerei.«

»Hey, Alex, welche Stilrichtung vertrittst du denn mit deinen Strichmännchen?«, wollte Faris wissen.

»Das sind stilisierte Japaner, oder.« Marcel grinste Faris an.

»So ähnlich. Das sind Bewegungsstudien. Wie beweglich ist mein Selbst. Aber das kapierst du natürlich nicht, oder?«, äffte Alexander Marcel nach. »Du würdest bei den Piktogrammen von Keith Haring an Hinweisschilder für Analphabeten denken, oder.«

Alle lachten, Zara lächelte und Ulrike Vogel war froh, als sie die Klingel hörte und die Kunststunde vorbei war.

Inzwischen

»Kunst als Selbstausdruck.

Aquaristik ist keine Artistik.

Aquarell malt die Hausfrau schnell.

Sumokunst, da ringt das Selbst sich was ab.

Der rote Robert.

Wahnsinnsinterpretation.

Ich glaube eher Faris sieht bald Rot.

Der Spachtel ist sein scharfes Schwert.

Der Künstler als Mujahidin.

Ölfarbe als Munition.

Faris wird immer militanter.

Das sind doch nur Verbalattacken.

Es geht gegen Zara.

Und Lia.

Trotzdem, früher war er nicht so.

Ich spraye, also bin ich.

Ein Symbol ist nicht hohl.

Alex klopft bei Zara lauter an.

Er will sie haben, dieses Jahr noch.

Mit einem Spontanhaiku.

Sie sollte nicht zu viel Türen öffnen.

Auf keinen Fall die entscheidende.«

Die vier Jungen klatschten sich ab und verließen die Toilette.

Dienstagnachmittag

Seit ihrer Entlassung trafen sie sich ab und zu. Für Lia war es leichter, weil sie wegen der Schichtarbeit ihres Vaters oft alleine war. Fida wohnte wieder bei ihrer Familie, und die Situation war für sie genauso bedrohlich wie vorher. Sie hatte sich mit ihrem Suizidversuch gegen ihre Zwangsverheiratung in der Türkei gewehrt. Aber ihr jüngerer Bruder drohte sie zu töten, sollte sie sich erneut dem Willen der Familie widersetzen. Sich mit Mädchen zu treffen, war Fida erlaubt.

Sie saßen in einem unauffälligen kleinen Café in einem Außenbezirk Lohneburgs. Auf dem Tisch standen ein Glas Tee und ein Espresso.

»Mein Papa hat keine Ahnung, wie er mit mir umgehen soll«, sagte Lia. »Er ist lieb, aber hilflos.«

»Aber er hat dich doch im Drugstore besucht.«

»Wenn der wüsste, dass wir alle so die Klinik genannt haben.«

»Nur das Personal nicht.« Beide lachten.

»Wir bekamen ja wenige Medikamente. Da gab es ganz andere Fälle.«

»Ja, mein Papa. Das ist doch wohl selbstverständlich, dass er mich besucht. Aber jetzt ist er überfordert. Außerdem hat er mehr Justyna im Kopf und seinen Truck.«

Lia und Fida hatten in der Klinik oft über ihre Eltern gesprochen.

»War sie inzwischen bei euch zu Hause?«

»Ich bin sicher, sie war da, als ich weg war. Das war doch die Gelegenheit für meinen Papa. Wenn ich daran denke, dass sie bei uns mal übernachtet, kriege ich Magenkrämpfe.«

»Und deine Mutter? Die kann dir doch noch mehr helfen?«

»Meine Mama habe ich neulich mal wieder im Café getroffen. An unserer Situation hat sich nichts geändert – irre. Sie will weiterhin alles organisieren, will immer in die Schule kommen und sich beschweren. Ansonsten hat sie Arbeit ohne Ende und freut sich auf ihr Baby.«

»Und, meinst du, sie heiratet wieder?«

»War mal vorgesehen.« Lia nippte an ihrem Teeglas.

»Ist schon alles verrückt. Deine Eltern sind so distanziert und meine Eltern kontrollieren mich von den Zehennägeln bis in die Haarspitzen. Du hast zu viel Freiheit; ich habe zu wenig. Eltern sind kompliziert.« Fida schlürfte ihren Espresso aus und knallte die Tasse auf den Tisch. »Und dabei sind Leben und Tod angesagt. Das muss man sich mal vorstellen. Deine Mutter hält Therapie und Schule gut genug organisiert für dich. Mein Vater ist überzeugt, den Ehemann für mich bestimmen zu müssen; zu meinem Wohl natürlich.« Sie steckte sich eine Zigarette an.

»Und, was läuft in deiner Schule jetzt so?«

»Am Anfang ging es. Vielleicht hat mein Suizidversuch die Jungs nachdenklich gemacht – für eine Sekunde! Aber jetzt ist Ende der Schonfrist!« Lia winkte ab.

»Was ist denn passiert?«

»Es ging wie immer von Faris aus. Ich habe dir ja von ihm erzählt. Der Junge aus dem Libanon.«

»Ach, ja.«

»Es war im Kunstkurs. Wir sollten kurz etwas zu unseren Bildern sagen. Ich habe ein Aquarell gemalt, weil ich das in der Kunsttherapie gelernt hatte. Meiner Lehrerin hat es gefallen. Aber Faris meinte, Aquarell sei etwas für Fette, die hätten zu viel ...« Lia kämpfte mit den Tränen.

»Zu viel ...?«

»Wasser.« Die Tränen gewannen.

»Was für ein Scheißtyp!«, fluchte Fida und griff über den Tisch Lias Hand. »Und was sagen die anderen?«

»Ach. Manche grinsen, wie immer halt. Cindy hat mich verteidigt.«

»Und deine sista Zara?«

Lia tupfte sich mit der Papierserviette die Augen trocken.

»Zara ist schon in Ordnung. Sie hat mit Cindy laut geklatscht, als ich fertig war. Sie hat ihre eigenen Probleme. Und ich glaube, die sind ziemlich groß.« Sie schnipste den ausgedrückten Teebeutel vom Tisch.

»Faris?«

»Nicht nur. Wir haben beide neulich darüber gesprochen. Wir schießen jetzt zurück, weißt du.«

»Schießen?«

»Wir werden uns wehren. Einzelheiten sind noch offen, aber die Idee ist doch schon mal was.«

»Genau. Coping, wie Dr. Stern immer sagte.« Fida lachte.

»Ach, die Kunsttherapie«, schwärmte Lia. »Und Christine Stern. Sie war eher eine Sonne für mich. Alle waren so nett zueinander. Schonraum Klinik eben. Aber jetzt ... Wie soll ich das schaffen? Und wie läuft es bei dir in der Schule?«

»Schule war nie mein Problem. Im Gegenteil. So viel Verständnis wie in der Schule hätte ich zu Hause auch gern. Wir haben mehr türkische und arabische Mädchen als ihr. Manche tragen Kopftuch wie ich, andere nicht. Das interessiert nicht. Und die Jungen ...« Fida zuckte die Schultern. »Manche sind wie mein Bruder, manche sind modern. Mein Problem ist die Familie.«

»Und, was willst du tun?«

»Wenn nicht mal mein Selbstmordversuch dazu führt, dass mein Vater seine Ansichten verändert, da bleibt nur eine erfolgreiche Wiederholung. Aber wenn ich tot bin, habe ich von einer anderen Meinung meines Vaters auch nichts. Oder mein Bruder erledigt das.«

»Scheiße!«

»Selbstmord ist nach islamischer Auffassung Sünde.«

»Aber das ist doch nur ein Glaube.«

»Nur ist gut. Um die Auslegung des Korans wurden schon Kriege geführt.«

»Ich dachte, die Religionen helfen den Menschen im Leben.«

»Das siehst du aber sehr idealistisch. Bei euch gab es doch auch Selbstmörderfriedhöfe. Gott hat euch das Leben geschenkt, also darfst du es nicht wegwerfen.«

»Das ist heute doch nicht mehr so streng.«

»Trotzdem. Bist du denn gläubig?«

»Ich bin evangelisch.«

»Alles klar. Ich könnte noch weglaufen und mich verstecken – für den Rest meines Lebens.«

»Wahnsinn, diese Fremdbestimmung.«

»Du bist doch auch fremdbestimmt.«

»Meinst du?«

»Warum hast du denn Selbstmord versucht?«

»Das war … eine Kurzschlussreaktion.«

»Ach, komm Lia.« Fida berührte Lias Arm. »Schau doch mal, wie du aussiehst. Bitte sei mir nicht böse. Du hast zwar zu Hause mehr Freiheiten als ich, aber du bist doch total unglücklich. Du stopfst alles in dich hinein. Nicht nur das

Essen. Und in der Schule … Zurückschießen ist ja schön und gut. Aber das kostet Nerven und wie es ausgeht, bleibt offen. Faris scheint mir unberechenbar zu sein. Und hinterhältig. Und aggressiv.«

»Meinst du? Er ärgert mich.«

»Ärgert? Lia, er verletzt dich!«

Lia schluchzte.

»Sprich mal mit deiner Therapeutin darüber.«

Dienstagabend

Sie saßen am Küchentisch. Lia hatte Gemüse und Kartoffeln gekocht und für ihren Papa ein Schnitzel gebraten. Sie freute sich über das gemeinsame Abendessen und spürte doch, dass er lieber im Hasenstall gegessen hätte. Ihr Papa arbeitete neuerdings mehr und aß öfter als sonst außer Haus. Lia wusste, damit überdeckte er seine Unsicherheit. Ihr Papa fand bisher keinen Weg, mit seiner Tochter nach dem Suizidversuch besser umzugehen. Lias Mutter habe doch alles Notwendige für ihre Tochter organisiert und er müsse sich, wie vorher, nur um das Geld zum Leben kümmern. Sollte das den beiden nicht gefallen, könnten sie ja daran etwas ändern. Außerdem gab es Justyna, die polnische Kellnerin voller ansteckender Lebenslust.

»Prost.« Heinz Wallmann hob die Bierflasche an den Mund. »Riecht gut, was du gekocht hast.«

»Guten Appetit. Hoffentlich schmeckt es dir.« Lia nahm einen Schluck Wasser und zerteilte die Kartoffeln auf dem Teller mit dem Messer.

»Wird schon«, meinte ihr Papa und erkundigte sich zwischen zwei Bissen nach der Schule.

»Na ja, es geht wieder los.« Lia hatte sich vorgenommen, ihren Papa nicht zu schonen. Ihre Therapeutin hatte ihr das nahegelegt. Keine falschen Signale spuren, nannte sie das.

»Was geht wieder los?«

»Das Mobbing.«

»Scheiße!« Ihr Papa knallte das Besteck auf den Tisch. »Was soll der Scheiß. Haben deine blöden Mitschüler nichts anderes im Kopf, als dich fertigzumachen? Was ist das für ein Scheißladen, deine Schule. Ich wollte ja nicht, dass du aufs Gymnasium gehst, aber deine Mutter …«

Lia starrte auf ihren Teller. Immer wieder fing ihr Papa damit an, mit Mamas Wunsch, sie aufs Gymnasium zu schicken. Warum denn nicht. Sie ist doch nicht zu doof dafür.

»Papa. Es war nicht nur Mamas Wunsch. Versteh doch mal. Ich bin doch nicht zu doof fürs Gymnasium. Wozu dann eine andere Schule? Es ist nur …«

»Ja?«

»Ach, lass …« Lia stopfte sich Kartoffeln in den Mund und kämpfte mit den Tränen. Ihr Papa säbelte wütend das Schnitzel zu Hackfleisch.

»Erzähl mal.«

»Es war in Kunst – Faris.«

»Schon wieder der Araber«, brüllte ihr Papa. »Den knöpfe ich mir mal vor.«

»Lass mal Papa. Andere in der Klasse sind nicht besser.«

»Aber immer fällt sein Name, wenn es Probleme gibt.«

»Stimmt. Er fängt oft an.«

»Und diesmal in Kunst?«

»Ich habe ein Aquarell gemalt. Einen suggerierten Blumenstrauß. Frau Vogel hat mich gelobt. Farben und Tonabstufungen hätte ich gut hinbekommen. Ich habe Aquarellmalen in der Klinik gelernt, weißt du.«

Lias Papa kniff die Augenbrauen zusammen. Er verstand nicht, wovon seine Tochter sprach. Was sollte ein suggerierter Blumenstrauß sein?

»Und Aquarell fand der Araber nicht gut?«

»Aquarell ist etwas für ...« Lia holte tief Luft »Fette!«

»Was soll das denn?« Ihr Papa stoppte das Essen.

»Fette haben zu viel ...« sie trank ihr Glas leer und knallte es auf den Tisch. »Wasser!«

»Der Araber hat zu viel Scheiße im Hirn. Der soll mir mal begegnen.« Heinz Wallmann zerstach wütend die Luft mit dem Messer.

»Bitte Papa. Bloß keine Gewalt. Das macht alles nur schlimmer.«

»Keine Gewalt? Wenn das keine Gewalt ist, was da in eurer Schule abläuft, dann weiß ich nicht, was Gewalt ist. Und ihr habt da doch eure komischen Regeln, hast du mal erzählt.«

»Jaja, gewaltfreie Kommunikation. Du hast ja recht.«

»Natürlich habe ich recht! Ich habe noch einen klaren Blick auf die Gesellschaft. Früher wurde sowas anders geregelt.«

»Früher gab's auch Krieg, Papa.«

»Quatsch nicht. Ich spreche nicht von Töten. Glaubste, ich gehe wegen eines Arabers ins Gefängnis? Es gibt andere Möglichkeiten. Lass mich mal machen.« Er kippte das restliche Bier in sich hinein. Mein Gott, was für ein Leben. Eine fette Tochter und ein gewalttätiger Araber an einer gewaltfreien Schule.

»Nein, Papa.«

»Was sagt denn die Schulleitung dazu? Gewaltfreie Kommunikation und dann sowas. Dass ich nicht lache.«

»Ach, Dr. Breitenbach. Er ist nett.«

»Nett? Er soll seinen Laden im Griff haben. Deine Mutter hat doch oft mit ihm gesprochen. Was sagte er denn so?«

»Ich glaube, er zeigte Verständnis.«

»Verständnis? Wofür denn Verständnis? Für den Araber etwa? Oder für deine hirnlosen Mitschüler?« Ihr Vater rutschte halb vom Stuhl.

»Für Mamas Sorgen«, sagte Lia leise.

»Verständnis. Nett. Er sollte sich mal durchsetzen, der Herr Doktor. Da gibt es jede Menge Psychoterror in seinem Haus, und der nette verständnisvolle Doktor Breitenbach kriegt davon nichts mit. Ich werde da mal vorstellig.«

»Bitte nicht, Papa. Mama war oft genug in der Schule. Ich bin doch schon in der Zwölften. Da können doch nicht mehr die Eltern in der Schule antanzen. Das ist doch sowas von peinlich. Ich schaff das schon.«

Lias Papa schaute sie fragend an. »Aber keine Wiederholung bitte.«

Lia schwieg und hielt den Blick gesenkt.

»Versprochen?«

Sie legte das Besteck ab.

»Versprochen?«, drängte er und streckte seine Hand über den Tisch.

»Versprochen.« Lia schlug ein.

Sie aßen zu Ende. Ihr Papa dachte an Justyna; Lia dachte an Schlaftabletten.

»Und die Bohnenstange? Warum haut sie nicht dazwischen? Ist doch deine Freundin.«

»Zara hat ihre eigenen Probleme.«

»Sprich doch mal mit deiner Therapeutin darüber. Die weiß bestimmt, wie man mit solchen Arabern umgeht.«

»Ja, mach ich.«

Ihr Papa stand auf. »Bring dein Bild doch mal mit nach Hause. Ich möchte es gerne sehen.«

Lia nickte und freute sich still. »Im Augenblick hängt es an der Wand im Kunstraum. Wenn wir fertig sind, bringe ich es mit.«

»Gut. Ich geh' nochmal los. Das Essen war lecker.«

»Ja.« Er wird zu Justyna in den Hasenstall gehen. Sie traute sich nicht, zu fragen. Du bist mit deiner Kontrolle schlimmer als deine Mutter, hatte ihr Papa sie einmal angewütet.

Mittwochnachmittag

Lia war wieder mit ihrer Mama verabredet; im Café am Marktplatz. Nach der Schule. Obwohl sich ihre Mama nach Lias Suizidversuch verstärkt um sie gekümmert hatte, ging Lia diesen Treffen nach wie vor mit gemischten Gefühlen entgegen. Warum lud ihre Mama sie nicht zu sich nach Hause ein? Gerade jetzt! Gut, die Schwangerschaft ist fortgeschritten. Ihre Mama war nun in der 27. SSW; diesen Ablauf teilte Bärbel Wallmann ihrer Tochter regelmäßig mit. Aber das war doch kein Grund, die Tochter nicht in die Wohnung einzuladen. Lia nahm es hin. Es war ihr normales Leben. Ihre Mama konnte schon immer gut organisieren, aber irgendwie war alles gefühllos sachlich. Lia war zwölf, da hatte ihr ihre Mama ausführlich erklärt, warum sie sich scheiden ließ. Nun zeigte sie ihr, wie man anständig mit einem Suizidversuch umgeht. Organisieren, man muss nur alles gut organisieren. Die Therapie, die Schule, überhaupt das Leben; und das Sterben sowieso.

Lia betrat das Café, ihre Mama saß, wie immer, schon am Tisch.

»Hallo, mein Schatz.« Lias Mutter stand auf und umarmte ihre Tochter kurz; wie immer.

»Puh, wie heiß es ist, und wir haben schon Oktober. Und dann schleppe ich diese zusätzlichen Kilos mit mir herum. Im Dezember ist es hoffentlich überstanden.« Sie strich sich die fettigen Haare hinter die Ohren und legte die Hände auf ihren dicken Bauch. »Fühl mal.«

Lia zögerte, dann strich sie flüchtig über den dicken Bauch ihrer Mama.

»Nicht so schnell, warte einen Moment und spüre, wie er sich bewegt.«

Lia hielt ihre Hände ruhig und spürte die Bewegung des Kleinen.

»Daran gewöhnt man sich, Mama. Ich schleppe meine Kilos das ganze Jahr mit mir herum«, sagte Lia lakonisch. »Und das schon lange.«

»Ach, Schatz, entschuldige, so war das doch nicht gemeint.« Sie berührte über den Tisch kurz den Arm ihrer Tochter. »Außerdem hast du doch abgenommen, oder? Isst du denn so, wie sie in der Klinik vorgegeben haben?«

»Es ist furchtbar schwer. Am Anfang ging es und Papa war verständnisvoll. Aber auf die Dauer immer zwei Essen kochen, schaffe ich nicht. Er isst jetzt öfter im Hasenstall und ich sitze zu Hause allein am Küchentisch. Ich glaube, ich müsste mal wieder kotzen.«

»Lia, bitte. Sprich nicht so ordinär. Es ist nicht einfach für dich, das verstehe ich. Ich spreche mal mit Heinz. Wir werden eine Lösung finden – bestimmt.«

»Wir?«

»Du musst an dich glauben, Lia. Du bist stark. Das weiß ich. Du hast diese Krise toll gemeistert.«

»Wenn du meinst.«

»Ja, das meine ich. Wirklich. Komm, wir gönnen uns ein Stück Kuchen.« Die Mutter winkte die Bedienung heran. »Und außerdem hast du die Therapie, Zara und …«

»Sie wünschen bitte?«

»Ich hätte gern einen Cappuccino und ein Stück Käsekuchen mit Sahne. Und du?«

Lia zögerte. Sie hätte gern eine Tasse Schokolade, doch die hatte zu viele Kalorien. »Ich möchte ein Stück Erdbeerkuchen ohne Sahne und einen koffeinfreien Kaffee.«

»Wie geht es in der Schule?« Die Mutter legte ihr iPhone auf den Tisch. »Entschuldige, eigentlich ist das unhöflich. Aber mein Chef hat mir heute nur freigegeben, wenn ich erreichbar bleibe.« Sie zuckte mit den Schultern. »Also? Halten deine Mitschüler den Mund? Ich habe darüber ausführlich mit der Schulleitung gesprochen. Oder geht das Mobbing wieder los?«

»Wir stellten neulich im Kunstkurs unsere Bilder vor.«

»Und. Was hast du gemalt?«

»Ein Aquarell. Das fiel mir am leichtesten, weil ich diese Technik in der Kunsttherapie gelernt habe. Birdie war davon begeistert.«

»Birdie?«

»Frau Vogel. Ulrike Vogel, unsere Kunstlehrerin. Wir nennen sie Birdie. Sie ist nett. Sie war überrascht, wie gut ich aquarelliere.«

»Wunderbar.«

»Und meinen Text für die Präsentation konnte ich auswendig.« Lia lächelte.

»Na bitte. Weiter so.«

»Doch dann passierte es wieder. Faris. Er sprach zwar leise, aber ich habe es deutlich gehört.«

»Und, was sagte er?«

»Aquarell ist was für Fette, die haben zu viel Wasser im Gewebe.«

Die Mutter schluckte.

Die Bedienung brachte die Getränke und den Kuchen.

»Guten Appetit.«

»Ich werde morgen die Schulleitung anrufen.«

»Nein, Mama. Bitte nicht schon wieder. Ich mach das schon.«

»Unverschämtheit. Zu viel Wasser im Gewebe ... Dieser Araber ... Und wie ging es weiter?«

»Cindy hat mich verteidigt.«

»Gut. Und Zara?«

»Sie hat mit Cindy nach meinem Vortrag laut geklatscht.«

»Na ja, so kann man auch seine Unterstützung zeigen. Was hat sie denn gemalt?«

»Was Japanisches mit Texten ihre Lieblingsgruppe Doors.«

»Was, Zara hört die Doors. Das ist doch für euch völlig altmodische Musik.«

»Das war die Lieblingsgruppe ihres Vaters. Und der hat sich umgebracht. Und ich glaube, seitdem hat sie das mit dieser Musik. Sie trägt auch die Hemden von ihrem Vater. So karierte Baumwollhemden, weißt du.«

»Ach je.«

»Aber Zara ist cool. So wäre ich auch gerne. So selbstbewusst. Stell dir vor, sie hat sich als Japanerin verkleidet.«

»Wie bitte? Sie kam im Kimono in die Schule?«

»Nein, Mama. So natürlich nicht. Sie hatte eine Wickelbluse an, die sah so japanisch aus. Und ihr Haar war mit einem Essstäbchen hochgesteckt. Ist doch cool.«

»Sehr kreativ, wirklich. Ich wusste gar nicht, dass Zaras Vater Suizid begangen hat«, wiederholte sie.

Sie begannen, ihren Kuchen zu essen.

»Und, wie läuft es in der Therapie? Kommst du voran?«

»Ja, ja. Es geht so. Wir reden halt.«

»Reden kann helfen.«

»Und ich male weiterhin.«

»Gut.«

»Karin meinte neulich, man müsste sich eigentlich die ganze Familie anschauen.«

»Dr. Roser ist sicherlich eine erfahrene Therapeutin. Aber das halte ich für übertrieben. Die ganze Familie …« Sie trank einen Schluck Cappuccino. »Nur weil deine Eltern geschieden sind. Und, wie ging es dann mit Faris weiter?«

»Er hat dann Zara angemacht und sogar Birdie.«

»Wie bitte.« Lias Mutter hörte entgeistert auf zu essen. »Der Araber mobbt deine Kunstlehrerin? Ja, wo sind wir denn. Jetzt geht das auch in Lohneburg los?«

»Mama. Es ist nicht nur Faris. Andere stänkern ebenso. Es ist die Atmosphäre insgesamt. Mal der gegen den, mal die gegen die. Ich hätte sitzenbleiben sollen.«

»Kommt gar nicht in Frage. Kann man den nicht ausweisen?«

»Mama. Faris ist Flüchtling aus dem Libanon.«

»Na und. Ich spreche doch nochmal mit Dr. Breitenbach.«

»Bitte, Mama. Mach es nicht noch schlimmer. Ich schaffe das schon. Zur Not wechsle ich die Schule, oder ich …« ziehe zu dir, wollte Lia sagen.

Auch ihre Mutter setzte den Satz stumm so fort.

»Frau Vogel wird bestimmt etwas gegen Faris' Verhalten unternehmen. Zara und ich haben schon Ideen.«

»Was für Ideen denn?«

»Bisher ist alles vage. Aber auf jeden Fall schießen wir zurück«, sagte Lia lachend.

»Schießen? Seid ihr verrückt?«

»Symbolisch gesprochen.«

»Ach so.«

»Was macht eigentlich Papas neue Freundin? Diese …?«

»Justyna.«

»Genau.«

»Ja, was macht sie eigentlich.« Lia schaute ihre Mutter über den Tassenrand fragend an und trank ihren letzten Schluck Kaffee. »Auf jeden Fall war sie noch nicht bei uns zu Hause. Und bei dir? Ziehst du mit deinem Freund zusammen? Oder heiratet ihr sogar?«

»Das hatte ich mal gedacht. Aber im Augenblick läuft es nicht so gut zwischen uns. Mal sehen. Erst mal kommt der Kleine auf die Welt.«

Frau Wallmanns iPhone klingelte. »Ja? Ja, ich bin hier fertig und komme dann sofort ins Büro.« Sie stopfte sich den letzten Bissen Käsekuchen in den Mund. »Tut mir leid, Lia, aber wir waren ja sowieso fertig. Ich muss los. Iss du in Ruhe zu Ende.« Sie kramte ihr Portemonnaie aus der Handtasche und gab ihrer Tochter einen 50-Euroschein. »Sei so lieb und bezahle, den Rest behalte. Wir sprechen uns. Kopf hoch!«

Brigitte Wallmann beugte sich kurz zu ihrer Tochter, hauchte einen Kuss auf den Kopf und rauschte aus dem Café. Lia ließ ihren restlichen Kuchen stehen, ihr war flau im Magen, zahlte und überlegte, wie es weitergehen sollte.

Donnerstagvormittag

Sie standen am offenen Fenster im Lehrerzimmer und rauchten. Bettina Goedel, Ulrike Vogel und Jürgen Mahnke. Ihre Reisen in den Sommerferien waren kein Thema mehr. Der schulische Alltag hatte sie wieder. Dr. Goedel kokettierte mit den Schauspielern aus dem Stadttheater für ihren Rhetorikkurs. Die Schüler könnten gar nicht genug bekommen. Der halbe Kurs möchte Schauspieler werden. Jürgen Mahnke trug seine gewohnte schwarze Kleidung und den fettigen Pferdeschwanz, damit man ihm den Künstler schon von Weitem ansah. Die Schüler nannten ihn Black Horse. Er bot in diesem Schuljahr keinen Kunstkurs an, Ulrike Vogel war an der Reihe.

»Möchten deine Kursteilnehmer auch alle Künstler werden wie bei Bettina«, flachste Jürgen Mahnke.

»Ich habe andere Probleme.«

»Welche denn?«

Ulrike Vogel inhalierte flach, hustete und drückte die Zigarette aus. Sie hatte lange nicht geraucht und glaubte, es würde ihr den Stress nehmen.

»Man kann mir ruhig widersprechen. Kein Problem. Im Gegenteil. Die eigene Meinung ist bei mir ausdrücklich erwünscht. Gerade in Kunst glauben viele Schüler, man könne dazu nichts sagen. Und besonders im Kurs, wo es keine Zensuren gibt. Aber was Faris da veranstaltet hat …«

Bettina Goedel schnippte die Asche aus dem Fenster und schaute auf die Uhr. »Sag mal genauer. Die Pause dauert nicht ewig.«

»Unser Thema war Kunst als Selbstausdruck. Wir hatten darüber gesprochen«, wandte sie sich an ihren Fachkollegen. Der nickte. »Sehr anspruchsvoll.«

»Na und. Jetzt zeigten die Schüler die ersten Ergebnisse.«

»Und Faris?« Bettina Goedel brauchte keinen ausführlichen Vorbericht.

»Der spachtelte zentimeterdick Ölfarbe auf die Leinwand. Eine Zeder für Libanon und eine Sonne für Wahrheit.«

»Und das ist dein Problem?«

»Nein. Es geht nicht um sein Bild. Es geht darum, wie er erst andere anging und dann mich. Erst lästerte er darüber, dass Lia ein Aquarell malte. Das hat sie wunderbar hinbekommen. Recht professionell. Faris diffamierte das als Hausfrauenmalerei.«

»Ist immer dasselbe bei ihm«, meinte die Deutschlehrerin.

»Lia steckte das weg und zeigte sich in ihrer Präsentation souverän.«

»Na bitte, sie hat etwas gelernt in der Klinik.«

»Dann nahm sich Faris Cindy vor. Die hatte ein violettes Pferd gemalt. Das war für ihn dann feministische Sexualsymbolik.«

»Könnte man doch so sehen.« Mahnke schmunzelte.

»Aber wie er das sagte. Die Stimmung wurde zunehmend gereizter. Bei Zaras Bild war für Faris klar, dass es nur von einer Dünnen gemalt sein konnte. Immer diese Anspielungen. Das nervt mich.«

»Das sind natürlich dumme Sprüche. Doch mit der Symbolik bei Cindy. Ich habe dir gesagt, dass dein Thema sehr anspruchsvoll ist. Und vor allem birgt es eine Menge begriffliche Unsicherheiten. Schon allein über das Selbst nachzudenken.« Er straffte seinen fettigen Pferdeschwanz nach.

»Ach, darum ging es doch gar nicht. Das kann Grundmann in seinem Philosophieunterricht behandeln. Einfach sich selbst ausdrücken, nichts abmalen. Ideen kommen lassen, ohne groß nachzudenken. Aber ich muss mich ja wohl nicht für ein Kunstthema rechtfertigen, wenn ein Schüler aggressiv wird, oder?«

»Sei doch nicht gleich beleidigt. Du kennst doch Faris. Er provoziert gern. Vor allem uns Lehrer. Und als arabischer Jugendlicher gern euch Frauen.« Er lächelte.

»Männerscheiße.«

»Na hör mal. Kunst, besonders moderne Kunst, hat schon immer provoziert. Ganze gesellschaftliche Kreise sogar. Nimm die Impressionisten zum Beispiel.«

»Bitte jetzt keinen Vortrag über die Provokation in der Kunst von … bis.«

»Aber Jürgen hat recht«, mischte sich Bettina Goedel ein. »Wir haben es bei Faris mit einer doppelten Provokation zu tun. Als Künstler und als Migrant. Ich habe mir übrigens nach dem Rap-Contest im Sommer seine Texte geben lassen. Sein Kumpel hatte schnell mitgeschrieben. Er war ganz stolz. Seine Texte sind phänomenal. Besonders seine Spontan-Lyrik. Wo andere tagelang an ihren Zeilen feilen, wirft er treffsicher die Wörter in den Raum.«

»Er rappte auch seine Bildpräsentation. Ziemlich zwanghaft, finde ich.«

»Lass ihn doch. Ist doch originell. Möchtest du nur Standard? Und das in Kunst?«

»Nein, natürlich nicht. Aber ich werde aus Faris nicht schlau. Einerseits dieses provokante Gehabe, ewig den Macho zu markieren. Andererseits hat er mir zu seinem Bild etwas über Symbolismus, André Breton, Surrealismus erklärt, was wir so umfassend im Unterricht nicht behandelt hatten. Er muss sich zusätzlich damit beschäftigt haben. Selbst wenn er im Internet dazu recherchiert hat. So wie er sein Bild erklärte – in Anlehnung an Breton. Das hatte schon etwas.«

»Na bitte. Der Junge ist nicht blöd.«

»Das sage ich ja gar nicht. Aber irgendwie … Ach, ich weiß nicht. Ich spüre oft eine unterschwellige Aggression bei Faris. Nicht nur eine künstlerische Provokation. Faris ist mir, wie soll ich sagen, unheimlich. Er ging mich verbal dermaßen aggressiv an und hat mich vor der gesamten Klasse auflaufen lassen. Das ist mir im Unterricht noch nie passiert. Habe ich etwas erläutert, hielt er frech dagegen. Und immer bezog er sich auf seinen dämlichen Rap.«

»Beruhige dich doch Ulrike.« Jürgen Mahnke und Bettina Goedel winkten ab. Beide plädierten auf künstlerische Freiheit für Faris. Ihre Kollegin fühlte sich unverstanden.

»Ich habe mir übrigens die Bilder deines Kurses angeschaut. Bemerkenswerte Ergebnisse teilweise. Ich weiß zwar nicht, was die Schüler dazu gesagt haben, aber was da auf den Leinwänden zu sehen ist … erstaunlich, erstaunlich.«

»Ich möchte die Bilder auch sehen. Wo hängen sie denn?«, fragte Bettina Goedel.

»Im Gang vor den Kunsträumen.«

»Und unser Problemkind Lia«, sie schaute wieder auf die Uhr. »Oh, ich muss in die Klasse. Ich muss vor dem Unterricht etwas an die Tafel schreiben. Wir sprechen in der nächsten Pause weiter, ja.« Sie nahm ihre Schultertasche und lief zügig aus dem Lehrerzimmer.

»Die armen Schüler. Immer ist Bettina in der Pause bei ihnen. Hast du mal ihre Tafelanschriebe gesehen? Sie schreibt eng die komplette Tafel voll. Die Schüler müssen das abschreiben. Und manchmal schreibt sie dann nochmals etwas an. Dass die Schüler sich das gefallen lassen. Warum verteilt sie so lange Texte nicht kopiert?«

»Und trotzdem ist sie beliebt. Ihr Kurs zum Beispiel.«

»Na ja, sie holt Schauspieler in die Schule. Das kommt an.«

»Wir können den Schülern nur künstlerische Freiheit bieten.« Mahnke lachte. »Das Bild von Zara finde ich interessant. Mit den englischen Texten und der Tuschezeichnung.«

»Das sind Liedtexte der Doors, und die Zeichnung lehnt sich an die – Achtung: japanische Sumi-E-Technik an. Da staunst du, was.«

»Da staune ich wirklich. Wie kommt Zara denn auf so etwas? Das kenne ich ja nicht einmal.«

»Ihr Vater schrieb Haikus, und dadurch ist sie mit japanischer Kunst in Berührung gekommen. So sagte sie jedenfalls.«

»Ach.«

»Ja. Aber eigentlich sollte die Musik der Doors gespielt und nicht die Texte gelesen werden. Sie wollte Hören und Sehen verschmelzen.«

»Wow. Du meinst, Zara hat sich an der Fluxus-Bewegung der Sechziger orientiert? Fluxus, John Cage und Zen. Was hast du für interessierte Kursteilnehmer. Faris liest André Breton, Zara kennt sich mit Fluxus aus. Und alles im Verborgenen. Das muss öffentlich werden. Das stärkt unser Schulprofil. Die Ausstellung müssen alle sehen, Ulrike.«

»Habe ich den Schülern auch gesagt. Doch sie blocken. Aber der Kurs ist ja nicht zu Ende. Nochmal zu Zara. Es kommt noch besser. Pia hatte Zaras Erklärung zu ihrem Bild nicht verstanden. Zara spielte mit Worten: Türen öffnen mit der Musik der Doors und so weiter. Pia bettelte förmlich um eine Erklärung, aber Zara war genervt. Doch dann sagte sie klar und deutlich, es ginge ihr um eine – Achtung: emanzipatorische Fluktuationskonzeption.«

»Fluxus, sage ich doch, Fluxus als Aktionskunst. Zara ist ein Genie. Meine Güte. Sie spielt genial Basketball, rappt genial, und outet sie sich nun als kleine Fluxuskünstlerin. Und niemand merkt es.«

»Doch, Jürgen. Du. Aber ich glaube, sie hat sich diesen Ausdruck nur ausgedacht.«

»Was, Fluktuationskonzeption kann man sich doch nicht ausdenken.«

»Zara schon.«

»Das glaube ich nicht. Entweder hat sie das von ihrem Vater. Vielleicht hat er in seinen Haikus so gesprochen. Oder sie hat etwas darüber gelesen. Im Netz findet man alles. Selbst wenn sie nicht verstanden hat, was sie sagte. Es klingt auf jeden Fall wunderbar. Und passt zu ihrem Bild. Emanzipatorische Fluktuationskonzeption. Was für ein junges Genie, unsere Zara.«

»Faris meinte, sie würde die Klasse verarschen.«

»Der war eifersüchtig. Das war eine kleine battle freestyle für ihn.«

»Ich habe den Eindruck, Faris ist andauernd im Kampfmodus.« Die Klingel schepperte und sie gingen in ihre Klassen.

Donnerstagabend

Sie saßen zum Abendessen wieder auf dem Balkon. Zara hatte gekocht, obwohl ihre Mutter an der Reihe gewesen wäre. Irene Völkel arbeitete mehr, seitdem sie die Leitung der Baustelle am alten Rathaus von Lohneburg hatte. Für Zara wurden die Anforderungen am Hermann-Hesse-Gymnasium in der zwölften Klasse deutlich höher. Doch Mutter und Tochter versuchten, nach wie vor die Hausarbeit gerecht zu verteilen.

Zara schmeckte den Salat niçoise ab und prüfte die Pizza für ihre Mutter im Backofen.

»Ich möchte am Sonntag nach Halshausen. Bei der Restauration am Fundament des alten Rathauses sind archäologisch interessante Funde aufgetaucht. Die würde ich gerne den Leuten vom Museum zeigen. Möchtest du mitkommen?«

»Danke, lieb von dir. Aber Halshausen finde ich nicht so spannend. Außerdem habe ich furchtbar viel für die Schule zu tun. In Mathe und Deutsch stehen Klausuren an. Vielleicht übe ich mit Cindy zusammen.«

»Gut, wie du meinst.«

Irene Völkel trank einen Schluck Rotwein und sie begannen, den Salat zu essen.

»Hm, das Dressing schmeckt gut. Ich glaube, da bahnt sich etwas an.«

»Wo?«

»Am alten Rathaus. Sollten wir auf Fundamente eines Steingebäudes mit Keller stoßen, werde ich mit den Verantwortlichen über archäologische Denkmalpflege sprechen.«

»Aha. Und was zeigst du dem Museum?«

»Eine Ringschnalle aus Eisen, eine Bodenfliese aus Ziegelton, Scherben, vermutlich von Kugeltöpfen. Bin gespannt, was die dazu sagen werden.«

»Toll.«

»Was macht die Schule so, außer den vielen Klausuren? Wie geht es Lia? Was macht Richard Grundmann?«

»Oh, du hast dir den Namen unseres neuen Philosophielehrers gemerkt.«

»Na ja. Ist nicht so schwer. Du hast ihn neulich bildhaft beschrieben. An so etwas erinnere ich mich gut.«

»Außerdem hast du gefragt, ob er älter oder jünger sei. Auch eine Merkhilfe?«

Was sollte das denn? Meinte ihre Tochter etwa, sie interessiere sich für den neuen Lehrer. Lachhaft. Sie hatte sich neulich völlig absichtslos erkundigt. Bei Zara muss man aufpassen. Alles registriert sie penibel. Und für einen Mann wäre augenblicklich sowieso keine Zeit.

»Und Lia? Ist sie immer noch so dick?«

»Ja. Sie tut mir echt leid. Kurz nach den Sommerferien hatte sie etwas weniger Kilo. Das war wegen der Diät in der Klinik. Aber jetzt. Genauso wie vorher; eher mehr. Sie ist richtig fett. Sie hat aber auch eine beschissene Situation zu Hause. Ihr Vater ist oft weg, und wenn er mal da ist, isst er oft in einer Gaststätte. Den Hasenstall. Kennst du den?«

»Nur vom Hören. Die Arbeiter meiner Baustellen verbringen dort ihre Mittagspause.«

Sie waren mit dem Salat fertig und Zara nahm die Pizza aus dem Backofen. Irene Völkel ließ den Rotwein in ihr Glas plätschern.

»Immer allein einkaufen, allein kochen, allein essen. Ist doch blöd. Da würde ich auch so dick.«

»Das glaube ich weniger«, lächelte ihre Mutter. »Du würdest dir im Internet ein Salatabonnement bestellen und ab und zu Reis essen. Sei mir nicht böse Zara, bitte. Aber du könntest noch etwas zunehmen. Nimm ein Stück Pizza. Die Ganze ist mir sowieso zu viel.«

»Danke, ich habe keinen Hunger mehr.«

»Dann iss aus Vernunft.«

»Tu ich ja.«

Schade. In den Ferien war unser Umgang entspannter. Da aß sie etwas mehr. Natürlich nicht genug, aber immerhin. Seit Schulbeginn nahm ihre Tochter wieder das alte Verhalten an. Wenn sie jetzt über das Wochenende allein bliebe, würde sie wahrscheinlich gar nichts essen. Vertrauen Sie Ihrer Tochter, hatte Zaras Therapeutin geraten. Sie könne Zara sowieso nicht immer kontrollieren.

»Hast du mal wieder mit deiner Therapeutin gesprochen? Sie hatte dir doch angeboten, bei Bedarf anzurufen.«

»Ist schon okay. Ich weiß, dass ich mal Probleme hatte. Aber jetzt ist alles okay. Ich meine mit dem Essen und so.«

»Und mit dem Nicht-Essen und so?«

»Lia wird wieder fertiggemacht. So wie vor den Ferien.«

»Das darf doch nicht wahr sein.«

»Doch.«

»Bitte kein erneuter Selbstmordversuch.«

»Hoffentlich. Lass deine Pizza nicht kalt werden.«

»Was ist denn passiert?« Zaras Mutter schnitt kleine Happen von der Pizza ab, pustete drauf und aß vorsichtig.

»Es war in Kunst. Wir sollten uns künstlerisch selbst ausdrücken. Nicht irgendetwas abmalen oder so. Einfach kommen lassen.«

»Klingt anspruchsvoll.«

»In Kursen werden andere Erwartungen an die Schüler gestellt. Sie melden sich ja freiwillig dazu.«

»Trotzdem. Und was hat Lia gemalt?«

»Ein Aquarell.«

»Nun, das ist nicht so schwer.«

»Irrtum, Mutter. Das hat Faris auch behauptet. Er sprach von Hausfrauenmalerei.«

»Soweit würde ich nicht gehen. Aber Aquarellkurse gibt es an jeder Volkshochschule.«

»Auch in Altenheimen.«

»Wo war das Problem?« Sie ließ die halbe Pizza auf dem Teller, tupfte sich mit der Serviette den Mund ab, trank ihr Glas Rotwein aus und hob die Weinflasche gegen das Licht, um einzuschätzen, ob die Flasche zu voll war, um sofort ausgetrunken zu werden.

Meine Mutter trinkt zu viel, dachte Zara. Gleich wird sie die Flasche austrinken und danach sich eine ihrer stinkenden Senoritas anzünden.

»Das lohnt sich nicht mehr aufzuheben«, sagte Zaras Mutter. »Und dazu eine gute Zigarillo. Erzähl mal weiter.«

»Das Problem war, für Faris und einige andere, dass Lia sich gewehrt hat. Wir stellten unsere Bilder kurz vor, und Lia sagte, wer bei Aquarellmalerei an Hausfrauenkunst denkt, hat von Aquarellmalerei nichts begriffen.«

»Das verstehe ich nicht.«

»Weil du nicht weißt, was sie vorher gesagt hat. Sie schlug einen Bogen von den ägyptischen Totenbüchern über chinesische Seidenmalerei in Aquarelltechnik und endete bei Dürer und Cézanne.«

»Außerordentlich.«

»Und Birdie, unsere Kunstlehrerin Ulrike Vogel, hat Lia himmelhoch gelobt. Wie gut sie das Zarte und Flüchtige der Aquarellmalerei ausgedrückt habe, Lavierung und Tonabstufungen seien ausgezeichnet gesetzt und so weiter. Du hättest mal sehen sollen, wie Faris glotzte. Lia sprach dann noch von Suggestion und Fantasiepotenzial.«

»Wo hat sie das denn her?«

»Wir hatten im Kurs die unterschiedlichen Maltechniken kennen gelernt. Aber nicht so ausführlich. In der Klinik gab es bestimmt Kunsttherapie. Oder sie ist ein Naturtalent. Ich habe auch gestaunt. Und ihr Bild ist cool. Ein Blumenstrauß, der kein Blumenstrauß ist, verstehst du?«

»Nein. Und du? Was hast du gemalt?«

»Ich habe eine japanische Tuschtechnik benutzt und englische Texte.«

»Was für Texte denn?«

»Im Mittelpunkt sind ein Vogel und ein Blütenzweig. Beides ist überschrieben mit Auszügen von Songtexten der Doors. Besser wäre, die Musik der Doors zu hören, während man das Bild betrachtet. Aber dieses Konzept konnte ich im Kurs nicht umsetzen.«

»Ach ja, die Doors.« Irene atmete tief durch. »Eine von Rolfs Lieblingsgruppen. Come on baby, light my fire. Und wie bist du auf japanische Tuschtechnik gekommen? Hattet ihr die im Unterricht behandelt?«

»Nein. Ich habe im Netz etwas dazu gefunden, als ich über Haikus recherchierte.«

»Haikus, die Doors, Zara, du musst, nein, nicht musst … Du solltest langsam deine eigenen Schritte gehen.«

»Tu ich doch.«

»Du läufst in den Schuhen deines Vaters, merkst du das nicht? Und du trägst seine Hemden.«

»Mir gefällt's. Außerdem trage ich gar nicht mehr so oft Rolfs Hemden. Und ich höre auch andere Musik.«

Irene ließ das Schweigen einen Moment im Raum stehen, griff in ihre Handtasche und zog ein Päckchen Zigarillos heraus. Mit einem Plastikfeuerzeug zündete sie sich eine Montecristo an und sog gierig den Rauch ein, froh über den Geruch und den kräftigen Geschmack von Holz und Erde. Ihr Blick folgte den Rauchkringeln. Zara dachte an ihren Vater. Beide hingen ihren Gedanken nach.

Die Mutter betrachtete ihre Tochter: Langer, weiter Rock, kariertes Männerhemd. Pretty Flamingo hatte Rolf sie genannt. Rote Haare, Sommersprossen, dünn. Gut, dass sie die Haare wieder länger trägt. Kurz nach Rolfs Unfalltod waren sie fast abrasiert. Hatte Zara nicht recht? War es wirklich ein Unfall? Überhöhte Geschwindigkeit, nasse Fahrbahn, ein Reh. Aber warum wollte er aus dem Leben scheiden? Viel Geld war nie im Haus und seine Freunde machten Karriere. Einige besaßen ein Haus in der Toskana. Nein, Rolf war nicht depressiv. Er war melancholisch und zynisch, aber nicht suizidgefährdet. Zara bildete sich das ein wegen der beiden Träume. Sie sollte sich endlich verlieben, dann würden Rolfs Hemden im Altkleidercontainer verschwinden. Meine Tochter ist siebzehn und hat keinen Freund. Oder sagt sie mir nur nichts? Vertraut sie mir doch nicht so, wie ich es mir einbilde? In den Ferien hatten wir weniger Zeit füreinander als geplant. Die Baustelle am alten Rathaus verlangte mehr Präsenz. Ich muss aufpassen, dass mir meine Tochter nicht aus dem Leben verschwindet.

Zara war sich nicht mehr so sicher, ob Rolfs Unfall Selbstmord war. Seit dem Gespräch mit ihrer Mutter vor den Ferien hatte sie oft darüber nachgedacht. Ihre beiden Träume von Rolf. Warum deutete sie diese als Hinweis auf Selbstmord? Ihre Mutter weigerte sich, ein eigenes Deutungsangebot zu machen. Und in den Ferien war nicht so viel Zeit wie versprochen. Die Intimität über Rolf zu sprechen konnten sie nicht fortsetzen. Und seine Hemden sind so schön bequem. Und die Welt der Doors ist so aufregend.

Hello, I love you / Won't you tell me your name?

Freitagvormittag

Jürgen Mahnke und Thomas Oertel standen im Gang vor dem Kunstraum und betrachteten die Bilder aus dem Kurs ihrer Kollegin.

»Ulrike hatte begeistert von den bisherigen Ergebnissen ihrer Kursteilnehmer geschwärmt. Und sie hat nicht unrecht. Hier hängt eine erstaunliche künstlerische Qualität.«

»Das sehe ich auch so. Die Bilder zeigen eine breite kreative Innovationstendenz.«

»Selbst Faris hat heftig mit dem Spachtel gekämpft.«

»Ein Rap in Öl auf Leinwand.«

Sie blieben vor Zaras Bild stehen, schauten es an und lasen die englischen Texte.

»Wahnsinn, oder? Zara als Fluxuskünstlerin. Sag ich doch!« Mahnkes flache Hand krachte auf die Schulter seines Kollegen.

»Wie meinst du das?«

»Einmal die Kombination aus Text und Bild. Das ist vielleicht, wir wissen es nicht, eine Anlehnung an die Fluxusbewegung der Sechziger. Von Hommage würde ich nicht sprechen. Aber sie hatte im Unterricht auf Nachfrage erklärt, es sei eine emanzipatorische Fluktuationskonzeption. Faris soll ausgerastet sein.«

»Kann ich mir vorstellen. Ich verstehe den Begriff zwar nicht, er klingt aber eindrucksvoll. Zara versteht, ihre Kunst wirksam zu präsentieren.«

»Und zu provozieren. Echte Kunst eben.« Mahnke lachte. »Lies mal genau die Texte.«

»Brauche ich nicht. Das sind Ausschnitte aus Songs von den Doors.«

»Ach.«

»Hat sie im Unterricht dazu etwas erklärt?«

»Keine Ahnung. Aber wie würdest du das interpretieren? The gate is straight, deep and wide? It's sex, isn't it?«, lächelte der Kunstlehrer.

»Das siehst du zu eng, mein Lieber. Das ist der Spirit der Doors. Schon der Gruppenname weist auf Drogen hin. Sie haben sich benannt nach Huxleys *Pforten der Wahrnehmung*. Wieso nutzt Zara Texte der Doors? Das ist Musik der Siebzigerjahre. Und eine komplexe Musik. Kein platter Rock'n'Roll. Wenn ich nur an das Intro von Raymond Manczareck zu *Light My Fire* denke. Stell dir vor, das Lied war für die Radiostationen zu lang. Sie haben das Solo in der Mitte weggelassen.«

»Was du alles weißt«, staunte Jürgen Mahnke, straffte seinen Pferdeschwanz nach und knipste die Schuppen von seinem schwarzen Hemd.

»Ich brenne für die Musik. Haha. Aber jetzt mal direkt: Zara und Doors. Warum? Wozu?«

»Keine Ahnung. Aber kann man diese Zeile nicht auch sexuell deuten?«

»Alter Sexist.« Oertel lachte. »Ich bleibe dabei, hier werden Drogenerfahrungen musikalisch thematisiert. Zara hat die Texte wahrscheinlich benutzt, weil sie ihr gefielen. Crystal ship deutet auf Drogen hin, drop a line heißt einige Zeilen schreiben. Aber man könnte es mit Drogen in Verbindung bringen. Eine Linie fallen lassen, legen.«

»Und wenn Zara Drogen konsumiert? Ich habe schon lange den Verdacht, dass an unserer Schule gehascht wird.«

»Möglich. Aber ehrlich gesagt, ich würde da nicht so viel hineininterpretieren. Lass es als Kunstwerk stehen.«

»Könnte so laufen. Könnte aber auch anders. Faris wird es sich bestimmt nicht nehmen lassen, damit mal wieder einen Aufreger an der Schule zu platzieren.«

»Wieso das denn?«

»Er braucht das. Er ist süchtig nach battle. Außerdem ist er wieder mit Zara aneinandergeraten. Wenn das so angespielt wird, dass Drogenkunst an den Wänden der Hermann-Hesse hängt ...« Er schüttelte skeptisch den Kopf. Thomas Oertel hörte die Musik der Doors. Das Stakkato in *When The Music Is Over*, die Klangtropfen des Elektropianos von *Riders In The Storm*.

»Thomas! Hörst du mir überhaupt zu?«

»Nein, ich habe eben die Doors gehört.« Lachend haute er Jürgen Mahnke auf die Schulter. »Komm, wir gehen. Alles hat seine Zeit.«

Ich muss herausfinden, wieso sich Zara so für die Doors interessiert. Diese Musik des Vietnam-Kriegs.

Inzwischen

Die Pause war fast zu Ende. Zara sah beide den Flur entlang kommen; Maike und Rosalie. Jetzt wird wieder gezischt. Die neueste Warnung der Nornen vor Alexander dem Großen. Im Sommer haben sie mich vor seinen Jungfrau-Eroberungszügen gewarnt. Mal sehen, was sie heute draufhaben.

»Du kennst uns noch?«, zischte Maike.

Zara nickte. Ja, leider, dachte sie.

»Die Eröffnung hat er gewonnen. Er dominiert nun das Mittelspiel.«

Zara verstand nichts. »Eröffnung? Mittelspiel?«

»Du warst mit ihm Kaffee trinken«, erklärte Rosalie. Beide beugten sich näher zu Zara. Sie wich zurück.

»So fängt er häufig an«, fuhr Maike leise fort. »Einen Kaffee.«

»Ich habe selber bezahlt«, unterbrach Zara den Redefluss der beiden.

»Ein Eis«, flüsterte Rosalie und lächelte süffisant.

»Ein zwangloses Gespräch auf dem Hof.«

»Ein angedeutetes Interesse an der Person.«

»Das ist die sizilianische Eröffnung.«

»Falls du Schach spielst.«

»Nein, spiele ich nicht«, sagte Zara trotzig. »Aber was spielt ihr hier? Ich habe keine Zeit. Die Pause ist gleich zu Ende.«

»Manchmal eröffnet er italienisch«, erklärte Rosalie.

»Oder spanisch«, ergänzte Maike.

»Er ist ein vielseitiger Spieler.«

»Ein großer Stratege.«

»Ein genialer Taktiker.« Beide Mädchen hakten sich ein.

»Alexander der Große eben.«

»Ja ja, ich weiß«, sagte Zara genervt. »Ich muss jetzt aber los.« Sie wandte sich von den beiden Mädchen ab.

»Sein nächster Zug – pass auf!«, warnte Maike eindringlich.

»Er will dich einengen«, rief Rosalie Zara hinterher.

Freitagnachmittag

Im Café Cebra war es voll wie immer um diese Zeit. Alexander hatte telefonisch einen kleinen Tisch reservieren lassen, was unüblich war. Aber er kannte Lena, die am Tresen arbeitete und bediente.

Nun stand Lena vor Alexander und Zara und fragte laut nach deren Bestellung und sich innerlich, warum Alex immer diese Kate-Moss-Type anschleppte. Dieses Mädchen im langen Rock und weitem Männerhemd. Mit roten Locken zum Dutt gebunden. Lena straffte ihren Oberkörper, wodurch der Ausschnitt ihres schwarzen Tops sich weitete, und Zara und Alexander den schwarzen BH bewundern konnten. Zara erinnerte sich an die Situation vor den Sommerferien, als sie ebenfalls auf diesen Busen starrte und anschließend eine ungewöhnliche Teebestellung aufgegeben hatte.

»Alex, für dich einen Latte Amaretto wie immer und für Sie wieder einen Tee? Wie Sie unserer Teekarte entnehmen können, haben wir eine frische Ernte Highgrown-Tea aus Ceylon, Uva-Distrikt.« Lena benutzte den gezierten Ton, den sie für Zara reserviert hatte.

Alexander lehnte sich grinsend zurück. Fortsetzung des Zickenkrieges vom Juli. Und Lena ist nicht nur schlagfertig, sondern auch verdammt sexy. »Ja, Lena, für mich den Ami, bitte.«

Zara fixierte Lena mit einem spöttischen Blick; sie wusste um Lenas Schlagfertigkeit.

»Danke für den Hinweis. Aber ich bin der Ansicht, dass Ihr Wasser für eine optimale Zubereitung der meisten hier aufgeführten Tees nicht weich genug ist. Ich nehme gern den Sencha und verlasse mich auf die richtige Zubereitung.«

»Gern«, antwortete Lena und drehte sich um. Alexander musste sich beherrschen, ihr nicht hinterher zusehen. Zara hatte den vom knappen schwarzen Rock umspannten Po Lenas im Blickfeld. Trägt sie ein schwarzes oder ein weißes Höschen passend zum Look des Cafés? Oder gleich schwarz-weiß?

»Was findest du an dieser Frau? Ihr Auftritt ist doch ordinär. Selbst für ein Café, in dem überwiegend Jugendliche verkehren. Ich habe schon neulich gesagt, der Chef ist bestimmt ein geiler Sack. Dieser Cebra-Look der Bedienung gehört zum Geschäftsmodell. Na ja, mir soll es recht sein. Es gibt keine großen Alternativen in Lohneburg.«

»Mir gefällt es hier. Die Stimmung, die ganze Atmosphäre ...«

»... die Bedienung ...«

»Ja, auch die Bedienung. Eine gute Bedienung ist für ein Café die halbe Miete. Glaubst du, die Gäste kämen wegen der Bilder oder der schwarz-weiß arrangierten Tisch-Stuhl-Ordnung?«

»Weißt du, wieso das Café Cebra heißt, ich meine, warum Cebra mit C und nicht mit Z geschrieben ist? Dieser Schwarz-Weiß-Look lässt doch eindeutig auf das Tier Zebra schließen.«

»Keine Ahnung, wir fragen mal Lena.«

»Ich weiß, wofür Cebra steht.«

»Ach ja?«

»Das C steht für Catwalk, und das bra für BH auf Englisch.«

»Ups.« Alexander hob die Augenbrauen. »Darauf wäre ich jetzt nicht gekommen. Aber müsste es dann nicht Cabra heißen, oder?«

»Das klingt doch blöde, wie Kindersprache; Cabra. Nein, das C wird geschrieben, wie es gesprochen wird: Ce.«

»Das glaube ich nicht. Und überhaupt. Was soll das denn bedeuten: Catwalk und BH?« Und weißt du überhaupt, was ein BH ist; so dünn, wie du bist.

»Schau dir die Bedienung doch an.« Zara lachte. »Und die anderen Mädchen hier. Bist du denn blind? Es ist hier so voll, weil es der Catwalk von Lohneburg ist. Früher versammelte sich die Jugend auf dem Dorffest, um zu sehen, wen man abschleppen könnte. Und heute ist es das Café. So einfach, so klar. What next?«

Alexander fühlte sich unbehaglich. Abschleppen … Hoffentlich werde ich nicht rot.

»Meinst du wirklich, das Wasser in Lohneburg ist zu hart für guten Tee? Ist mir gar nicht aufgefallen«, wechselte er das Thema.

»Ja. Nicht nur für den Tee. Es ist überhaupt hart. Ich merke es an meinem Wasserkocher. Der verkalkt schneller als sonst. Eigentlich müsste auch Sencha mit weichem Wasser zubereitet werden. Aber ich habe mich zu Hause schon daran gewöhnt. Sencha ist in Japan ein Tee für den Alltag und da können die hier nicht so viel versauen.«

Lena steuerte falsch lächelnd den Tisch der beiden an. »So, hier die gewünschten Getränke«, säuselte sie gekünstelt. »Einen Latte Amaretto und einen Sencha, zubereitet mit fünfundsiebzig Grad Celsius heißem Wasser und drei Minuten Ziehzeit. Guten Appetit.«

»Ach, Lena«, stoppte Alexander ihren Abgang. »Wir haben eine Frage nach der Bedeutung des Café-Namens. Warum heißt euer Café Cebra mit C und nicht mit Z?«

Lena schaute kurz ins Nichts. »Frag mich was Leichteres. Darüber habe ich noch nie nachgedacht. Ich schicke euch den Geschäftsführer, der weiß es bestimmt. Er ist kurz weg, dann sage ich ihm Bescheid.«

Sie verschwand in Zeitlupe hinter den Tresen.

»Dann lernst du den geilen Sack persönlich kennen«, sagte Alexander schmunzelnd. »Und ich bin gespannt, ob deine Behauptung stimmt.«

»Er wird es uns kaum sagen.«

Zara hob das Teeglas und ließ das Aroma des Sencha auf sich wirken. Sie phantasierte eine kleine Teezeremonie, wie sie sie manchmal allein zu Hause zelebrierte. Wenn sie sich beruhigen musste, Lesen nichts mehr half und auch nicht die Musik der Doors. Wenn die Aggressionen blieben, während sie an Rolf dachte, ihren Vater, dessen Grab in Bad Grombach sie wieder einmal ansehen wollte. Ihre Mutter sprach immer davon, das Grab zu besuchen. Diesen Ausdruck fand Zara blöd. Man besucht kein Grab. Man besucht auf dem Friedhof die Seele eines Menschen.

»Du bist eine Kennerin von Tee?« Alexander nippte an seinem Latte und spähte Zara fragend über den Rand des Glases an.

»Nicht der Rede wert.« Zara begutachtete das gelb-grüne Getränk im Teeglas.

»Und du hast eine Affinität zu Japan?« Ihr Mitschüler war froh, einen Ansatz gefunden zu haben.

»Nicht der Rede wert.«

»Ich meine – japanischer Tee, dein Vater schrieb Haikus, dein Bild.« Alexander blieb hartnäckig.

»Faris ist ein Rassist«, schoss Zara scharf zwischen Alexanders Gesprächsangebot und setzte ruhig ihr Glas ab. »Ein verdammter Rassist.«

Alexander stutzte über Zaras Heftigkeit, ließ sich aber nichts anmerken. »Weißt du, dass dein Nathan Zach auch ein Rassist ist?«

»Was soll das denn jetzt? Was hat Zach mit Faris zu tun?«

»Nichts. Ich habe das gelesen. Er soll mal gesagt haben, Aschkenasim hätten eine höhere Kultur als Sepharden.«

»Kann ich was dafür? Aschkenasim, Sepharden, wir sind hier nicht in Israel. Faris ist nicht nur ein Rassist, er ist auch ein Sexist. Hast du seine Texte mal genauer gelesen? Und überhaupt, sein Auftreten …«

»Attitüde, alles Inszenierung. Er ist eben durch und durch ein Rapper. Sieh das doch nicht so persönlich.«

»Neulich hast du mein Misstrauen bestätigt.«

»In Wirklichkeit ist er nicht gefährlich.«

»Ach, in Wirklichkeit ist er ein lieber Junge. Jaja, die alte Leier: raue Schale, weicher Kern. Hinzu kommt die Migrationsnummer plus Flüchtlingselend plus Libanon plus Bürgerkrieg plus x.« Zara schlürfte etwas Tee. »x^{n+1} mit n = unendlich – selbstverständlich.«

»Das ist nicht zu toppen. Gratuliere.« Alexander zügelte energisch sein Lachen.

»Nicht der Rede wert.«

»Was bedeutet das Gedicht von Nathan Zach als Erklärung zu deinem Bild?«

Durch Zaras Kopf wanderten kurz die Nornen, … *er zeigt Interesse an der Person … das Schachspiel ist … er will dich ein-*

engen ... »Ich möchte meinen lyrischen Hinweis nicht erklären. Mir gefällt der Text. Das ist alles.« Zara zuckte mit den Schultern.

»Mir gefällt der Text auch. Er ist so – sein Blick behauptete, nach den richtigen Worten zu suchen, dabei hatte er vorher genau darüber nachgedacht – lakonisch, und trotzdem spürt man die Verletzung. Zerstörte Pläne durch eine unerwartete Wegbiegung. Wie bist du darauf gekommen?«

»Ich werde es irgendwo gelesen haben. Wie sonst?« Zara reagierte heftig.

»Sei doch nicht gleich so aggressiv.«

»Sei doch nicht so pseudotherapeutisch.«

Sie schwiegen sich an. Alexander löffelte den Milchschaum, Zara nippte den Sencha.

Alexander ist nett, er sieht gut aus. Er interessiert sich für Lyrik. Sie erinnerte die Äußerungen der Nornen, ihre Warnungen. Wenn Alexander mehr will als Kaffee trinken, traute sie sich zu, das zu steuern.

Sie sieht so verletzlich aus. Ein dünnes Mädchen. Warum immer nur diese weiten Männerhemden? Selbst im Sommer, als es so heiß war. Das Gedicht hat bestimmt einen persönlichen Bezug. Auch das Bild; zarte japanische Zeichnungen, Doors-Texte als Anspielung. Zara ist so anders. Sie ist interessant.

Sie hatten die Frau nicht kommen sehen, die plötzlich an ihrem Tisch stand und sich als Geschäftsführerin des Cebras vorstellte. Lange schwarze Haare, Pony, grüne leicht schräge Augen, hohe Wangenknochen, schmale angestupste Nase, knallroter Mund. Sie trug ein dunkelgrünes Jackett, eine schwarze weite Hose und einen Duft von Limette.

Alexander starrte sie an. Mein Gott, ist die schön.

Zara starrte sie an. Mein Gott, bist du schön.

»Hallo. Lena hat mir gesagt, Sie hätten Interesse, den Namen des Cafés zu verstehen«, sagte sie mit leicht tiefer Stimme.

»Das, äh, stimmt.« Alexander stotterte etwas. »Aber Lena, hm, sprach von einem Geschäftsführer, deshalb ...«

»Deshalb was? Haben Sie ein Problem damit?« Sie lachte und zeigte weiße Zähne.

»Nein, natürlich nicht.« Alexander hatte sich gefangen. »Deshalb waren wir so überrascht, als Sie plötzlich vor unserem Tisch standen.«

»Lena ist, obwohl man das ihr nicht ansieht, etwas altmodisch strukturiert, was Hierarchien in Unternehmen angeht. Der Boss ist immer einen Mann, auch wenn es eine Frau ist. Ich hoffe, der Tee hat Ihnen geschmeckt«, wandte sich die Geschäftsführerin an Zara. »Sie haben schon einmal spezielle Wünsche geäußert, habe ich gehört. Ich hoffe, Sie sind mit unseren Tees zufrieden.«

Zara nickte und lächelt verkniffen. Sie konnte sich von der Schönheit dieser Frau nicht losreißen.

»Nun, der Name – was denken Sie?«

Alexander sah Zara an. Sollte sie ihre Idee doch selber mitteilen.

»Ce für Catwalk und bra für BH.« Zara schaute die Schöne ernsthaft an. Das Lachen der Frau begann mit einem Gickeln, ging in ein Kichern gemeinsam mit Kopfschütteln über, die Hand vor dem Mund wollte den Strom, der sich Bahn brach, nicht ernsthaft stoppen. Die Töne wurden immer höher. Ihr Lachen schickte Wellen durch das Café, die selbst den entferntesten Tisch berührten. Viele lachten mit, ohne zu wissen, warum. Alexander grinste, Zara blieb ernst.

»Catwalk, BH«, wiederholte die Schöne nach Luft schnappend. »Das werde ich als Antwort übernehmen, falls mal wieder jemand fragt. Wie bist du, wie sind Sie darauf nur gekommen?«

Zara zögerte. Sollte sie von der Anmachatmosphäre sprechen, von der aufreizenden Kleidung der Bedienung? »Es gibt hier viele Mädchen und junge Frauen, die laufen so gestelzt wie auf einem Laufsteg.«

»Und der BH?«

»Man sieht, vor allem im Sommer, häufig die BHs.«

Die Geschäftsführerin betrachtete Zara gelassen. Ich verstehe dich. Du bist etwas zu dünn, um einen BH zu zeigen und gestelzt herumzulaufen. Du bist neidisch auf die Körper der anderen. Du hast ein Problem.

»Ihre Getränke gehen auf Rechnung des Hauses. Und was den Namen betrifft, ist das unspektakulär. Das Café hat einmal zwei Musikern gehört. Einer spielte Cello, der andere Bratsche. In Hamburg läuft ihre Karriere besser, deshalb haben sie hier verkauft. Daher: Ce plus Bra gleich Cebra. Und die Designsprache ist schwarz-weiß, weil der Cellist aus Iringa stammt und der Bratschist aus London.«

Sie holte eine Visitenkarte aus der Tasche ihres Jacketts und legte sie vor Zara auf den Tisch. »Falls Sie hier einmal kellnern möchten, melden Sie sich bei mir.« Sie lachte, murmelte *Catwalk* und *BH* vor sich hin und ging kopfschüttelnd hinter den Tresen.

Samstagvormittag

Eltern und Gäste saßen in der Aula wie jedes Jahr. Vom Tagesecho war diesmal ein Reporter gekommen. Immerhin hatte es einen Brand am Hermann-Hesse-Gymnasium gegeben, Gerüchte über Mobbing und den Nervenzusammenbruch einer dicken Schülerin, und diese dünne Schülerin, die das Basketballspiel gegen die Konkurrenz knapp entschied. Nichts, was die Welt außerhalb Lohneburgs interessiert hätte, aber mehr, als an einer Schule in einer Kleinstadt in kurzer Zeit normalerweise passiert. Mobbing am Hermann-Hesse bei deren hochnäsigem Anspruch nach gewaltfreier Kommunikation. Vielleicht bahnt sich ein Amoklauf an, und das Tagesecho hat den richtigen Riecher.

Der Schulleiter Dr. Breitenbach stellte sich vorn hin und es trat Ruhe ein.

»Geehrter Herr Bürgermeister, verehrte Gäste und Freunde des Hermann-Hesse-Gymnasiums, liebe Kolleginnen und Kollegen, liebe Schülerinnen und Schüler. Same procedure as every year, so könnten Sie denken – er lächelte in die Runde – Herbstzeit ist Erntezeit, und Erntezeit ist Dankeszeit; wieder einmal gilt es, an unserer Schule gemeinsam das Erntedankfest zu begehen. Obwohl es eher der heidnische Brauch einer bäuerlich geprägten Gesellschaft war und erst gegen Ende des 18. Jahrhunderts eine kirchliche Tradition wurde, haben wir es bisher auch so gehalten. Wer ernten möchte, muss vorher säen und pflegen. Und obwohl die

Schülerinnen und Schüler aus ihrer Sicht erst am Ende eines Schuljahres ernten, lehnen wir uns an dieses Datum an.

So wie Herrmann Hesse in seinem Werk den Wert des Individuums betont und Partei für den Einzelnen nimmt, so versucht unsere Schule, dem Individuum gerecht zu werden.

Das Gymnasium als Schnittstelle zwischen Tradition und Moderne muss nicht jedes Jahr einen kompletten Fruchtwechsel machen. Aber eine sanfte Erneuerung, ohne das Bewährte aufzugeben, zeichnet moderne Pädagogik aus. In diesem Sinne ernten wir heute die unterschiedlich gereiften Früchte einer kleinen Oberstufenreform. In der Denktradition unseres Namenspatrons zeigen Ihnen die Schülerinnen und Schüler der Klassen elf bis dreizehn, was sie im Rahmen ihrer Kurse bisher erarbeitet haben. Ach erarbeitet. Wie soll ich mich ausdrücken … entdeckt, kreiert, entwickelt, gestaltet. Sehen Sie selbst, verschaffen Sie sich einen eigenen Eindruck. Betrachten sie die Werke des Kunstkurses in der Eingangshalle. Gehen Sie in die Sporthalle, wo der Musikkurs seine Ergebnisse zeigt. Nehmen Sie sich Muße für die Powerpoint-Präsentation des Mathematikkurses. Ich möchte hier nicht alles aufzählen. Die Programmübersicht, von den Schülerinnen und Schülern des Medienkurses entworfen, listet alles einschließlich der Uhrzeiten auf. Suchen Sie das Gespräch mit den Kursteilnehmern, lassen Sie sich überraschen. Ich wünsche Ihnen und uns viele Freude.«

Der Beifall ebbte ab und die Gäste machten sich auf, die verschiedenen Angebote zu besuchen. Die Schüler warteten an ihren Stationen. Der Reporter sprach den Schulleiter an.

»Guten Tag Dr. Breitenbach. Mein Name ist Klaus Roeder, Reporter vom Tagesecho. Eine schöne Rede war das. Kreativ und voller inspirierender Wortspiele.«

»Finden Sie? Schickt das Tagesecho jetzt schon einen Reporter. Im letzten Jahr tat es doch noch der Volontär.« Der Schulleiter lachte.

»Bildung hat Priorität. Wie bei unserer Regierung.« Klaus Roeder lachte zurück. »Darf ich in meinem Artikel aus Ihrer Rede zitieren?«

»Wenn Sie es korrekt machen, geht das in Ordnung. Ich bitte um einen Vorabdruck.«

»Aber Dr. Breitenbach.« Klaus Roeder spielte Entrüstung. »Wir sind doch hier nicht auf politischer Bühne.«

»Das ist mir egal. Ihr Artikel wird nicht umfangreich sein«, entgegnete der Schulleiter.

»Wer weiß?«

»Was soll das heißen? Sie machen einige Fotos, geben eine Übersicht über das Ganze, interviewen einige Schülerinnen und Schüler, und das war es dann.«

»Same procedure as last year?« Klaus Roeder grinste.

»Damit wir uns richtig verstehen. Ich möchte Ihren Artikel vorher sehen«, betonte Dr. Breitenbach.

»Wie bitte? Jetzt wollen Sie schon den ganzen Artikel lesen und nicht nur die Zitate Ihrer Rede. Sehe ich da eine Zensur im Anmarsch?« Seine Augenbrauen schoben sich hoch.

»Nun machen Sie mal halblang; Zensur gegenüber dem Tagesecho. Ich möchte nur korrekt wiedergegeben werden. Das ist alles. Und nun versäumen Sie mal nicht die Angebote«, beendete der Schulleiter genervt das Gespräch. Er hatte nichts gegen die Presse. Im Gegenteil, gute Artikel zu unterschiedlichen Anlässen sah er als kostenlose Werbung. Das ist vorteilhaft für den Elternverein und die Sponsoren. Dass aber diesmal kein Volontär, sondern ein Reporter über das Erntedankfest berichten sollte, machte ihn stutzig. Klaus Roeder hatte den Ruf, penetrant zu recherchieren und provokant zu schreiben.

Er wandte sich ab und verließ die Aula. Der Reporter machte sich Notizen, schaute auf das Programm, was er sich dort angekreuzt hatte und ging dann in die Eingangshalle. Statt der Dauerausstellung über das Leben und Wirken des Namenspatrons hingen die Bilder aus dem Kunstkurs gut ausgeleuchtet an den Wänden. In einem Erker projizierte der Mathematikkurs seine Powerpoint-Präsentation auf eine große Leinwand. Das Licht der Vormittagssonne fiel durch die alten, hohen Fenster, mischte sich mit dem Licht der Spots und tauchte die Eingangshalle mit ihren Säulen und gewölbten Decken in eine warme Atmosphäre. Klaus Roeder folgte mit vielen anderen den Ausführungen des Mathematikkurses.

Mathekurs: Zeichen, Ziffern, Zauberei

Gematria

Die Juden benutzen eine Zahlenschrift.

Gleichsetzung von Zahlen und Buchstaben.

Buchstaben haben einen Zahlenwert.

Worte haben einen Zahlenwert.

Das Wort Ahavad (Liebe) = 13

Das Wort Echad (Eins) = 13

13 + 13 = 26 = Jahve = Der Eine - Gott der Liebe

J=10 H=5 V=6 H=5

Siehe Vers 26, 1. Buch Mose, 1. Kapitel

Adam = 45
Chawah (Eva) = 19
45-19=26 = Gott schuf Eva aus einer Rippe Adams.

»Verstehen Sie, was damit gemeint ist«, fragte ihn jemand.

»Ich müsste improvisieren«, sagte Klaus Roeder eingebildet. »Aber fragen Sie besser einen Schüler. Dr. Breitenbach hat uns ja dazu aufgefordert.«

Er schlenderte weiter, schob sich an anderen Gästen vorbei und betrachtete die Bilder des Kunstkurses. Die Schüler hatten kurze Texte verfasst, die neben den Bildern an der Wand hafteten. Der Reporter stand vor dem Bild von Robert und las: *Rot Zorn Liebe.* Er machte ein Foto. Weiter zu Lias Bild. *Suggestion eines Blumenstraußes.* ›*Es ist so, dass ich längst nicht mehr leben würde, wenn nicht in den schwersten Zeiten meines Lebens die ersten Malversuche mich getröstet und gerettet hätten.*‹ *Hermann Hesse 1925. Hermann Hesse geht einer poetischen Wahrheit nach. Es geht ihm nicht um ein Abbild der Wirklichkeit, sondern um ihr Sinnbild.* Roeder fotografierte Text und Bild und schrieb sich Lias Namen auf. Der Hinweis auf den lebensrettenden Stellenwert der Malerei für Hesse ließ ihn stutzen. Was hatte dieser Satz mit der Schülerin zu tun, die dieses Aquarell gemalt hat. Mit außerordentlicher Qualität, stellte er fest. Er ging weiter zu Zaras Bild. Eine Gruppe stand davor. *So habe ich es mir nicht vorgestellt, dass die Dinge so sind. Pläne, Träume – und plötzlich eine Biegung im Weg. Nathan Zach.*

»Verstehst du, was Zara damit ausdrücken will?«

»Zach ist ein israelischer Dichter, habe ich gegoogelt. Der Sinn der Zeilen ist klar. Du hast Ideen für dein Leben, und plötzlich kommt etwas dazwischen. Daran ist doch nichts Besonderes«, antwortete Alexander.

»Kennst du vielleicht israelische Dichter? Ich kenne nicht einen Einzigen.«

»Zach und Zara. Vielleicht spielt sie nur mit den Namen?«

»Und der Zusammenhang mit den englischen Texten?«

»Zara ist etwas retro. Das sind Textauszüge von den Doors.«

»Eigentlich sollte die Musik dazu gehört werden. Aber das ließ sich technisch nicht umsetzen.«

»Ein interessantes Objekt von ihrer Mitschülerin«, mischte sich der Reporter in das Gespräch ein. »Ach ja, die Doors. Diese sublime, eher subtile Kritik am Vietnam-Krieg. Äußerlich waren sie eine Rockgruppe, innerlich war Jim Morrison Spiritualist. Wenn ihr versteht, was ich meine?«

»Sind Sie Religionslehrer?«

»Um Gottes willen«, wehrte Klaus Roeder lächelnd ab. »Ich bin Reporter vom Tagesecho. Ich schreibe einen Artikel über euer Erntedankfest. Und diesmal scheint es spannender zu sein als in den letzten Jahren.«

»Da haben Sie recht. Bisher gab es immer nur diese Reden.«

»Und essen und trinken.«

»Und wie verstehen Sie diese Kombination von Texten und Bild im japanischen Stil?«

»Ich improvisiere einmal, darf ich?«

»Wir bitten darum.« Die Schüler schauten sich grinsend an.

»Den sogenannten japanischen Stil würde ich nicht so eng sehen. Blütenzweige und Vögel sind in asiatischen Mythen, Dichtung und Kunst allgemein verbreitet. In Zaras Bild trifft das Amerikanische auf das Asiatische. Der Text versucht, das Bild zu dominieren. Amerikanische Kultur versucht, asiatische Kultur zu dominieren. Die Wörter sind über das gesamte Bild verstreut. Die USA bombardieren Vietnam im engeren und Asien im weiteren Sinn.«

»Wow!«

»Ist das nicht gewagt konstruiert?«

»Ist eure Zara klug?«

»Klug? Ist Zara klug?«

»Hm.«

»Sie ist auf jeden Fall selbstbewusst.«

»Schlagfertig.«

»Vielleicht hat das Bild etwas mit ihrer Biografie zu tun. War sie mal in den Vereinigten Staaten? Zum Schüleraustausch? Sind ihre beiden Eltern Deutsche«, wollte der Reporter wissen.

»Soweit kann Kunst gehen. Birdie hätte ihre Freude an Ihnen. Besuchen Sie uns doch mal im Kunstkurs.«

»Wird sich zeigen. War ja nur improvisiert. Auf die Texte müsste man auch eingehen. Mal sehen, mit welchen Botschaften die anderen Bilder überraschen.«

»Hat ja unser Schulleiter gesagt. Lassen Sie sich überraschen.«

Klaus Roeder drängte sich weiter zum Bild von Faris. Die arabischen Schriftzeichen konnte er nicht entziffern. Vermutlich hatten sie dieselbe Bedeutung wie die Wörter daneben in Englisch und Französisch. *victim - yearning - fight / victime - désir - combat.*

»Opfer, Sehnsucht, Kampf«, las er halblaut vor sich hin.

»Das ist der bilderstarrte Selbstausdruck eines Migranten.«

Der Reporter drehte sich um und bemerkte den spöttischen Blick von Faris.

»In der Mitte ist eine Zeder, die steht für Libanon. Die Sonne im Hintergrund ist das Licht, das steht für Wahrheit.«

Klaus Roeder betrachtete Faris genauer. Er sah einen stolzen Gesichtsausdruck. Schwarze, halblange Haare; gegelt und streng nach hinten gekämmt. Schwarzes T-Shirt unter dem schwarzen Jackett, schwarze Hosen, schwarze Sneaker.

»Haben Sie das Bild gemalt?«

»Es hat mich gemalt. Das Selbst drückte sich aus.«

»Aha.«

»Sind Sie von der Zeitung?«

»Sieht man mir das etwa an?«, lachte der Reporter.

»Ich habe Ihre Deutung von Zaras Bild mitgehört.«

»Und, hat Sie Ihnen zugesagt? Die anderen meinten, ich würde zu stark hineininterpretieren. Aber Kunst ist vieldeutig.«

»Meine nicht.«

»Aha.«

»Ein guter Wein ist ein guter Wein. Ein gutes Brot ist ein gutes Brot. Ein guter Rap ist ein guter Rap. Vieldeutigkeit ist etwas für Menschen, die nichts von der Sache verstehen.«

»Aha. Und wie sehen Sie das Bild ihrer Mitschülerin Zara?«

»Ich sehe das so, wie Sie angedeutet haben – biografisch.«

»Aha.«

»Zara ist dünn, ihr toter Vater schrieb Haikus und hörte die Doors. Soll ich langsamer sprechen zum Mitschreiben?«

»Danke, reden Sie ruhig weiter«, sagte der Reporter und wusste, er hatte einen auskunftsfreudigen Fisch an der Angel. Vielleicht war er der anonyme Anrufer mit dem Hinweis, das Erntedankfest würde diesmal aufregender als in den letzten Jahren.

»Weiter gibt es nichts zu sagen. Wenn Sie mehr wissen wollen – da kommt die Dünne um die Ecke. Hey leany«, rief Faris und winkte Zara zu sich. Zara reagierte nicht. »Zara, die Presse wartet auf dich. Du kommst in die Zeitung.«

Zara schaute genervt nach oben, doch sie musste an den beiden vorbei. Der Reporter sprach sie an.

»Guten Tag. Ich bin Klaus Roeder vom Tagesecho. Ich schreibe einen Artikel über das Erntedankfest des Hermann-Hesse-Gymnasiums und bin eben dabei, mich mit den Produkten des Kunstkurses vertraut zu machen. Wir sprachen eben über Ihr Bild. Vielleicht könnten Sie uns helfen; der Titel ist ungewöhnlich.«

Zara schwieg.

»So habe ich es mir nicht vorgestellt.«

Sie nickte leicht.

»Die USA bombardieren Vietnam?«

Kopfschütteln.

»Zara trug bei der Präsentation im Unterricht japanähnliche Kleidung und ein Essstöckchen im Haar«, informierte Faris den Reporter.

»Aha.« Und heute trägt sie rote Sportschuhe, einen langen, grünen Rock aus Seide und ein weißes Herrenhemd, dachte Roeder.

»Idiot«, fauchte Zara Faris an. »Was im Unterricht passiert, bleibt im Unterricht.«

»Na ja. Schule ist eine öffentliche Institution«, relativierte Roeder.

»Mir doch egal.« Die roten Locken wippend im Takt ihrer Schritte ging Zara weiter.

Der Reporter schaute auf den Programmflyer. »Oh, das Musikangebot startet gleich in der Sporthalle. Ich möchte noch rasch einen Blick auf die anderen Bilder werfen.«

»Haben Sie schon das Bild von Lia gesehen?«

Roeder nickte. »Das mit dem Hesse-Zitat. Wissen Sie, was die Schülerin damit ausdrücken wollte?«

»Nicht wirklich. Sie hatte Selbstmord versucht vor den Ferien. Vielleicht malt sie jetzt und das hilft ihr.«

Roeder konnte seine Genugtuung kaum verstecken. Dass er so schnell so viel erfuhr, hatte er nicht zu hoffen gewagt. Von wegen Nervenzusammenbruch. »Suizid wegen Mobbing, oder?« Ein nächster Schritt des Reporters.

»Ach wissen Sie. Mobbing ist so ein großes Wort und so modern. Lia ist etwas dick. Darunter leiden viele Mädchen. Das ist ganz natürlich. Ich als Migrant zum Beispiel ...« Er winkte ab. »Na ja, man soll sich ja nicht beklagen. Immerhin hat Deutschland meine Familie aufgenommen. Und in Lohneburg ist es ganz schön. Aber sonst ...«

»Sonst?« Roeder nahm weiter Witterung auf.

»Ich danke Allah, Mohammed ist sein Prophet, dass ich hier in Sicherheit bin.«

»Die Schule hat ja den Anspruch an gewaltfreie Kommunikation. Klappt das?« Das ist ja hier wie Fliegenfischen, freute sich der Reporter.

»Ach wissen Sie. Gewalt ist auch so ein großes Wort. Wenn ich im Rap meine Ehre verteidige. Wenn ich eine battle mache. Wenn meine Seele das Mikro segnet. Ist das Gewalt? Nein! Es ist ein Statement zu einem Lifestyle.«

»Sie rappen? Wie interessant. Nur in der Schule?«

»In der Community auch.«

»Und öffentlich. Konzert und so?«

»Das ist nicht mein Ding. Haben Sie eigentlich herausgefunden, warum die Kinderwagen im letzten Sommer brannten? Ich hatte das in Ihrer Zeitung gelesen.«

Was für ein schneller Themenwechsel, dachte Roeder.

»Das hat sich erledigt. Die Polizei stellte die Untersuchung ein.«

»Die Polizei war sogar an unserer Schule, als es nur ein bisschen im Keller brannte.«

»Ich weiß.«

»Haben die nichts Besseres zu tun? Es brannte nicht mal richtig, es stank nur furchtbar wegen dem Fußboden.«

»Kann ich nicht beurteilen.«

»Verfolgt Ihre Zeitung nur das, was die Polizei verfolgt?«

»Absolut nicht. Wir schauen da sehr genau hin. Investigativer Journalismus sozusagen. Aber ein bisschen zündeln hier und da ist für die Betroffenen zwar ärgerlich, für die Medien aber nichts Besonderes.«

»Es müsste mehr passieren?«

»Ja. Aber mich interessiert noch einmal, warum Sie nicht öffentlich rappen. Lohneburg hat doch eine lebendige Jugendszene, in der auch gerappt wird.«

»Ja, schon. Aber ich bin so … wie sagt man?«

»Unsicher«, bot Roeder an.

»Hm, hm«, verneinte Faris.

»Öffentlichkeitsscheu«, schlug der Reporter vor.

Faris schüttelte den Kopf.

»Schüchtern.« Roeder traute sich kaum, das Wort auszusprechen.

»Schüchtern. Genau!«

»Das hätte ich nicht gedacht«, meinte Roeder ironisch, ließ Faris stehen und suchte die Sporthalle auf, um das Musikangebot zu hören.

Lia erwartete Fida am Schultor. Nun gingen sie beide über den Hof in das Gebäude. Lia unsicher, etwas gebückt, verloren in weitem Hemd und weiter Hose. Fida aufrecht und selbstbewusst, dunkelblauer Hijab, dunkelblaues, enges Jackett über einer grünen Bluse, enge Jeans, schwarze, halbhohe Schuhe. Neugierige Blicke durchschnitten ihren Weg.

Nachdem sie in den Tagen vorher die Präsentation und den Text über Hermann Hesses Kunstverständnis zusammengestellt hatten, wollte Fida unbedingt Lias Bild auch sehen. Aber nicht irgendwann bei Lia zu Hause, sondern auf dem Erntedankfest in der Schule.

Beide betrachteten die Bilder des Kurses und blieben vor Lias Bild stehen. Fida sagte nichts; sie staunte. In der Kunsttherapie hatte sie zwar einiges von Lia gesehen, aber das hier verschlug ihr die Sprache. Eine solch künstlerische Qualität und persönliche Präsenz von einer jungen Schülerin, die psychisch so unsicher ist. Unglaublich. *Suggestion eines Blumenstraußes*. Fida fotografierte mit ihrem Handy das Bild. »Komm, stell dich neben dein Bild.« Sie nahm Lia an der Schulter, doch Lia zögerte.

»Das ist Verschwendung von Speicherkapazität, Schwester im Glauben.« Fida wandte sich um, Faris lachte sie an. »Geht schon in Ordnung. 16 GB reichen bestimmt«, entgegnete sie.

»Und wie viel bleiben frei?«

»Genug.«

»Du bist nicht von unserer Schule. Darfst du überhaupt hier sein? Und dann noch fotografieren? Das ist eine geschlossene Veranstaltung.« Faris baute sich auf.

»Ich bin eingeladen.« Fida lächelte freundlich.

»Vom Schulleiter oder von Lia?«

»Als Schulsprecherin meiner Schule sondiere ich eine mögliche Partnerschaft zwischen unseren Schulen, und da schien mir das Erntedankfest eine geeignete Gelegenheit für einen ersten allgemeinen Eindruck. Lia war so nett, mich ein wenig herumzuführen.«

»Auf welche Schule gehst du denn?«

»Für diese Auskunft ist es zu früh. Sollte die Partnerschaft beidseitig angestrebt werden, wird selbstverständlich alles offiziell.«

»Du redest so komisch.«

»Ich bin nicht privat hier.«

»Schade.«

»Faris, hast du nicht was anderes vor«, unterbrach Lia das Gespräch.

»Schwimm oben, Dicke.«

Fida und Lia tauschten Blicke.

»Kraul weiter, Faris«, sagte Lia.

»Man wird sehen, sluts.« Er schlenderte davon.

Fida lächelte Lia an und fotografierte sie neben ihrem Bild.

Cindy und Ulrike Vogel standen an der Wand der Eingangshalle.

»Ich bin froh, dass ihr euch damit einverstanden erklärt habt, eure Bilder öffentlich zu zeigen.«

»Ich auch.«

»Sieh dir die Drängelei hier an. Die Leute haben Interesse an euren Bildern.«

»Was passiert denn nach dem Fest damit?«

»Ihr nehmt sie mit nach Hause und wir erarbeiten im Kurs Neues. Ich könnte mir auch vorstellen, das Jahrbuch diesmal anders zu gestalten. Oder unsere Sponsoren, die Sparkasse zum Beispiel, könnten einige Sachen in ihren Räumen aufhängen oder in ihren Hauszeitungen veröffentlichen. Ginge es nach mir, dann … ach lassen wir die Träumerei. Wie bist du denn auf deinen exzellenten Bildtext gekommen?«

»Klingt gut, nicht wahr? *Violett belauscht das ewig Gleitende für einen Augenblick.* Ich habe mit meiner Schwester gesprochen. Sie studiert Kunstgeschichte und hat mir erzählt, dass Hesse Kontakte zu den Künstlergruppen Brücke und Blauer Reiter hatte. Und dann haben wir in den Büchern von Hesse diese Äußerung gefunden. Er hat sich ja zu seiner Malerei nicht systematisch geäußert. Vieles steht in Briefen verstreut. Und ich wollte unbedingt eine Anlehnung an unseren Namenspatron haben.«

»Der Satz ist wunderbar, Cindy. Habt ihr so viel Literatur von Hermann Hesse zu Hause?«

»Nach der Anmeldung meines Bruders am Hermann-Hesse-Gymnasium haben meine Eltern sich gleich das Gesamtwerk und einige Sekundärliteratur zugelegt. Jeder hat ab und zu darin gelesen und wir haben darüber gesprochen.«

»Dann seid ihr ja eine echte Bildungsbürgerfamilie.« Mit Sekundärliteratur, dachte Ulrike Vogel, man kann Bildung auch übertreiben.

»Und, ist das schlimm?«

Die Kunstlehrerin lachte. »Natürlich nicht. Es gibt sie nur nicht so zahlreich in Lohneburg, weißt du. Wer liest denn heute so umfassend? Und dann in der ganzen Familie? Im Zeitalter von Internet und Joystick. Wie geht es mit dem Reiten weiter bei dir? Hattest du nicht vor den Sommerferien an einem Dressurturnier teilgenommen?«

»Genau. Ich habe sogar gut abgeschnitten; Dressurreiten für Island Ponys. Meine Mum möchte, dass ich darauf aufbaue. Und dann mit einem richtigen Dressurpferd.«

»Und was möchtest du?«

»Hm – ich glaube, ich möchte das auch. Außerdem möchte ich bald wieder nach New York. Meine Mum ist dabei, einen Schüleraustausch zu organisieren.«

»Wunderbar. Da hast du schöne Sachen vor dir. Ich drücke dir die Daumen, dass alles klappt. Und dass du bald weißt und nicht nur glaubst, was du willst.« Sie berührt Cindy kurz an der Schulter.

»Danke. Ich muss jetzt gehen. Die Agora-Vorstellung fängt gleich an.«

»Ich komme mit.«

Faris und Said verfolgten die Präsentation des Mathematik-Kurses; breitbeinig standen sie vor der Leinwand.

»Ich wusste gar nicht, dass es eine jüdische Mathematik gibt«, feixte Said.

»Die Juden mischen doch überall mit.«

»Wer einen Bund mit Gott geschlossen hat, ist eben allmächtig.«

»Allah ist groß und Mohammed sein Prophet.«

»Verstehst du, was das soll?«

»Das ist Zahlenmystik. Voll die Einbildung, Mann. Die hebräischen Buchstaben haben Zahlenwerte, und wenn Wörter dieselben Zahlenwerte haben, fangen die Juden an, religiös zu deuten. Im Talmud findet sich einiges. Das meiste steht in der Kabbala.«

»Wow, du kennst dich aber aus.«

»Man muss seinen Gegner genau studieren. Nutze seine Kraft. Füge deine eigene Kraft hinzu. Gib nach, wenn der Gegner zu stark ist. Zieht er sich zurück, folge ihm.«

»Du sprichst in Rätseln, Bruder«, lachte Said.

»Bald kommt das Licht.«

»Come on baby light my fire. Hallo Zara, hast du mal ein Zippo für mich?« Alexander lachte.

»Willst du hier rauchen?«

»Eher nicht. Ich würde lieber mal wieder einen Kaffee mit dir trinken und über die Poems von Nathan Zach meditieren. Ein erstaunlicher Mann.«

»Ach ja?« Es war unklar, worauf sich Zara mit diesen zwei Wörtern bezog; auf den Kaffee oder Nathan Zach.

»Wenn das hier fertig ist, wie wär's gleich anschließend?«

»Ich möchte vorher Lia und Cindy abhören, was sie so vorhaben.«

»Die Ernte war fair.

Und die Röstzeit lang genug in der Trommel.

Über die Zunge fließen Harz und Vanille.«

Alexander spielte Haiku-Dichter.

»Ich würde mich freuen, Misaki«, lächelte er.

Zara lächelte ebenfalls.

Die Agora, dieser altgriechische Markt mit der Volksversammlung, war passend für den Philosophie-Kurs in einer Ecke des Schulhofes aufgebaut. Griechische Säulen aus Pappmaschee deuteten Altertum an. Da dies im Programm die letzte Darbietung war, standen die meisten Besucher des Erntedankfestes dicht gedrängt, um alles zu verstehen. Als

Zara dort eintraf, um Lia und Cindy zu treffen, hatte die Darstellung bereits begonnen.

Die Schüler auf der Agora schritten auf und ab und sprachen abwechselnd zu sich selbst, zu den anderen und zu den Zuschauern.

»Philosophen stellen eher Fragen.

Und wer gibt die Antworten?

Lehrer stellen eher Fragen.

Und wer gibt die Antworten?

So habe ich mir das nicht vorgestellt.

Sondern?

Anders.

Aber vorgestellt – oder?

Ja.

Was stellst du wovor?

Oder wohinter?

Einen Gegenstand.

Eine Idee.

Den Gegenstand vor die Idee.

Oder die Idee vor den Gegenstand?

Geht die Existenz der Essenz voraus?

Oder gibt es zuerst die Essenz?

Wer nichts weiß und weiß, dass er nichts weiß, weiß viel mehr als der, der nichts weiß und nicht weiß, dass er nichts weiß.

Ist das wahr?

Respondeo dicendum quod veritas consistit in adaequatione intellectus et rei.

Ich antworte, es sei zu sagen, dass Wahrheit in der Übereinstimmung von Verstand und Sache besteht.

Alles ist subjektiv, die Sicht der Welt ist subjektiv, also ist Wahrheit subjektiv.

Gottes Wort ist wahr.

Jesus ist Wahrheit.

Etwas, das ist, kann nicht gleichzeitig und in derselben Hinsicht nicht sein.«

Alle blieben stehen und bildeten eine Reihe. Zwei Darsteller traten vor und sprachen zum Publikum:

»Pu der Bär besucht I-Ah und stellt fest, dass etwas fehlt.«

»Was ist denn mit deinem Schwanz passiert?, sagte er überrascht.«

»Was ist denn mit ihm passiert?, sagte I-Ah.«

»Er ist nicht da!«

»Bist du sicher?«

»Also, entweder ist ein Schwanz da, oder er ist nicht da. Da kann man keinen Fehler machen.«

»Quod erat demonstrandum.«

Alle Mitspieler zeigten mit dem rechten Zeigefinger auf die Zuschauer und verbeugten sich.

Die Zuschauer klatschten begeistert.

»Ich wusste gar nicht, dass im Philosophie-Kurs *Winnie The Pooh* gelesen wird.«

»Vermutlich in der griechischen Übersetzung.«

»Oder auf Latein.«

»Richard Grundmann hat einiges erneuert. Warum nicht auch an Kinderbücher hermeneutisch herangehen.«

»Warum nicht. Man kann mit Kindern philosophieren.«

»Hast du Zeit und Lust auf einen Kaffee?«

»Ja, gerne.«

Susanne Behrend und Doris Jähnke gingen ins Schulgebäude, um aus dem Lehrerzimmer ihre Sachen zu holen.

Die Besucher verstreuten sich wieder. Manche wollten noch einmal die Bilder sehen oder die Präsentation des Mathematikkurses. Andere zog es zum Kuchenbuffet. Neben den üblichen Thermoskannen mit Kaffee hatten die Schüler einen Stand mit drei gesponserten Pad-Espresso-Maschinen von Illi aufgebaut. Die Atmosphäre war herbstlich entspannt. Der Bürgermeister verabschiedete sich vom Schulleiter.

»Danke für die Einladung, Dr. Breitenbach. Es war ein gelungenes Erntedankfest. Machen Sie weiter so. Tradition und Moderne verknüpfen. Ausgezeichnet.«

»Danke für Ihr Kommen, Herr Bürgermeister.«

Plötzlich kam Unruhe auf. In einem leichten Sog, dann schneller, liefen die Leute zurück ins Schulgebäude.

»Zara, komm mal eben«, rief Cindy.

Die Menge drängte sich in der Eingangshalle vor Zaras Bild. Handys und Kameras blitzten. Vielfältig hochgereckte Arme versuchten, über das Display die beste Sicht zu bekommen.

Der Schulleiter schnappte sich den Reporter. »Kein Wort davon in Ihrer Zeitung, verstanden!« Klaus Roeder zeigte lächelnd in die Runde. »Wollen sie die auch alle zensieren, Dr. Breitenbach.«

Zara schubste sich durch.

So habe ich es mir nicht vorgestellt war rot unterstrichen. In schwarzer Schrift mit breitem Strich stand quer über das Bild geschrieben: 1+4+5+6+50=800. In der Mitte war ein Rosenblütenblatt mit einer Pinnnadel aufgespießt.

Samstagnachmittag

Cindy, Lia und Zara saßen gedrängt im übervollen Café Cebra. Lia hatte Fida gebeten mitzukommen, doch Fida wollte zu Hause kein unnötiges Misstrauen erregen.

Andere Schüler der Herrmann-Hesse waren ebenfalls da. Die Bildzerstörung war das einzige Gesprächsthema im Café. Aus allen Richtungen verknüpften sich Gesprächsfetzen zu einem Thementeppich. »Zahlen ... Warum ... Bild ... Blütenblatt ... Zara ... Rache ... Aggressionen ... Hass ... Presse ...«

Die drei Mädchen steckten ihre Köpfe zusammen, damit sie nicht so schreien mussten, wenn sie sich etwas sagten. Lia war seit einer Ewigkeit nicht mehr im Cebra gewesen, aber die Stimmung am Ende des Erntedankfestes hatte sie zusammen mit Cindy und Zara ins Café gelockt. Sie waren aufgewühlt, fassungslos und sprachlos. Erst als sie nach ihrer Bestellung gefragt wurden, kamen sie etwas zur Ruhe.

»Ein Glas Wasser für mich bitte und einen Espresso«, bestellte Cindy.

»Für mich auch«, sagte Zara und Lia schloss sich an.

»Ein historischer Moment für die Hermann-Hesse«, lachte Cindy. »Ein Bildersturm in Anwesenheit der Presse. Ich sehe schon die Überschrift: künstlerischer Amoklauf am Hermann-Hesse-Gymnasium.«

»Du meinst, das kommt in die Zeitung«, fragte Lia.

»Na klar, die schreiben jedes Jahr einen Artikel. Warum, glaubst du denn, war der Zeitungsmann anwesend. Diesmal hat es sich für ihn gelohnt. Erstmalig interessante Schüler-präsentationen, und als Highlight die Bildzerstörung. Der setzt sich in der Redaktion sofort an seinen Computer. Ihr werdet sehen. Ich hole mir auf jeden Fall Montagfrüh gleich das Tagesecho aus dem Briefkasten unseres Nachbarn. Der schläft immer lange.«

»Meine Mutter hat die Zeitung seit Kurzem im Abo. Das Leitmedium von Lohneburg muss sie lesen, sagt sie.«

»Mein Vater liest sie auch.«

»Na dann werden wir alle drei Montagfrüh eine erfri-schende Frühstückslektüre haben.«

»Bist du sicher?«

»Absolut.«

»Und die Lehrer?«

»Ebenfalls.«

»Der Ruf der Schule. Ich sehe schon Dr. Breitenbach hän-deringend in seinem Büro auf und ab tigern.«

Ihre Getränke wurden gebracht. Cindy und Zara schlürf-ten den heißen Espresso sofort zur Hälfte, Lia verrührte erst zwei Schläuche Zucker.

»Und was sagt ihr zu den Zahlen?«

»Ist mir sowas von scheiß egal. Zahlen, Buchstaben, Punk-te, Striche … Das ist mein Bild, und daran hat sich niemand zu vergreifen.«

»Was meint ihr, wer das getan hat?« Lia schaute die beiden an.

»Faris«, antwortete Cindy sofort. »Das war Faris, da bin ich mir sicher. Der musste sich mal wieder austoben. Den ganzen Kurs bisher reitet er schon diesen aggressiven Grundton. Und seine ewigen Lästereien nerven. Ich weiß gar nicht, wie ich das bis zum Abi überleben soll. Und die Lehrer gucken Löcher in die Luft.«

»Das ist seine Art zu mobben.«

»Ist mir egal. Mobben, shoppen, poppen. Damit ist jetzt Schluss! Ohne mich! Und wenn es die Schule mit ihrer blöden gewaltfreien Kommunikation nicht hinkriegt, kriege ich es eben allein hin! Einer muss Faris doch mal bremsen.« Zara kippte den restlichen Espresso in sich hinein und einen großen Schluck Wasser hinterher.

»Was willst du denn machen?«

»Faris ist es nicht allein. Das ist das Tragische«, meinte Cindy.

»Und er ist beliebt. Seit seinem ersten Tag an der Hermann. Auch bei den Lehrern. Du weißt doch, dass Blödel die Raptexte von ihm sammelt.«

»Ach ja, wir sind ja sowas von tolerant, dass es fast zum Kotzen ist.«

»Vielleicht haben die Lehrer Angst vor dem Vorwurf der Ausländerfeindlichkeit.«

»Was hast du eben gesagt? Blödel lässt sich immer die Texte von Faris geben? Was soll das denn?«

»Ja, schon lange. Er rappt, seitdem er an unserer Schule ist. Sommerfest, Weihnachtsfeier, zu jeder Gelegenheit.«

»Sammelt sie auch Texte von anderen?«

»Weiß ich nicht.«

»Will sie ein Buch rausgeben? Sprachkunstwerke von jungen Migranten in Deutschland, gesammelt und herausgegeben von Dr. Bettina Goedel.«

Samstagabend

»Na, wie war euer Erntedankfest? Hat es so lange gedauert? Es ist schon fast sechs. Nicht, dass ich dich kontrollieren möchte. Ich habe mir Sorgen gemacht, weil du etwas von vormittags gesagt hattest. Nimm doch das nächste Mal ein Handy mit und rufe mich an, ja.«

Irene Völkel und ihre Tochter Zara saßen in der Küche. Auf dem Tisch stand eine angebrochene Flasche Bordeaux, ein halb volles Glas, ein Aschenbecher mit Kippen. Auf dem Herd köchelte eine Suppe vor sich hin.

»Möchtest du einen Teller mitessen? Ich wusste nicht genau, wann du kommst. Du weißt doch, dass ich wegwill. Und Suppe passt immer, dachte ich.«

»Ist schon in Ordnung, Irene. Tut mir leid, habe ich total vergessen. Ich habe keinen Hunger. Es gab was zu essen in der Schule.«

»Aber das ist doch stundenlang her. Ein Teller Suppe ...«

»Ich war im Cebra mit Cindy und Lia.«

Was kann sie im Café schon groß gegessen haben? Sie rutscht mir weg. Ich verliere meine Tochter wieder. Die Mutter spürte einen Druck in der Brust. Diese verdammte Essstörung. Wozu gibt es eigentlich Therapeuten? Wofür werden die bezahlt? Und Rolfs Hemden ... ich schmeiße sie in den Müll. Weiß sie nicht, wie hässlich sie darin aussieht? Irgendetwas muss passieren, und zwar bald. Sie stand auf und schaltete resigniert den Herd aus.

»Das Fest war, wie soll ich sagen ...« Zara kannte diesen Blick ihrer Mutter nur zu gut. Da schaute ihr schlechtes Gewissen. Sie sollte mal ihren Rotweinkonsum checken. Ist auch nicht so gesund. »... bis kurz vor Schluss passabel. Breitenbach hielt eine Rede, die Elternsprecherin bettelte um Geld, die Leute haben sich unsere Kursstationen angesehen, es gab Essen und Trinken.«

»Schade, dass ich keine Zeit hatte.«

»Ach ja, die Zeit. Wie sie dahinrast.« Zara musterte die Küchendecke.

»Was soll das denn?«

»Nichts.«

»Es gibt eben manchmal Sachzwänge, die es erfordern, auch samstags zu arbeiten. Und kurz vor Schluss?«

»Da hat es geknallt.«

»Geknallt? Was meinst du damit?« Sie trank ihr Glas leer.

»Irgendein Arsch hat mein Bild beschädigt«, sagte Zara laut.

»Schrei doch nicht so.«

»Ich schreie, wann ich will!« Sie holte tief Luft. »Er hat mit Filzer Zahlen drüber geschmiert und ein Blütenblatt in der Mitte aufgespießt.«

»Hm. Und wer? Und warum?« Sie holte ein zweites Glas aus dem Küchenschrank und goss beide Gläser halb voll.

»Faris? Was weiß ich denn?« Zara nahm einen kräftigen Schluck.

»Der Araber?« Irene trank ebenfalls.

»Ich bin mir nicht sicher. Aber es würde zu ihm passen.«

»Und was für Zahlen?«

Zara holte einen Zettel aus der Tasche und zeigte ihn ihrer Mutter: 1+4+5+6+50=800.

»Eigenartige Addition.«

»Das ist keine Rechenaufgabe, Mutter.«

»Was dann?«

»Weiß ich doch nicht. Bin ich Araber?«

»Aber wieso Faris?«

»Diese Zahlen bedeuten irgendetwas. Deshalb! Und weil er immer nervt. Deshalb! Das ist eine seiner neuesten Ideen. Was weiß ich denn.« Sie warf den Zettel auf den Tisch, griff ihr Glas und leerte es in einem Zug.

»Sei bloß vorsichtig, Zara. Bei solchen Jungs weiß man nie, woran man ist. Ich möchte nicht, dass dir etwas passiert. Hörst du. Und nimm bitte jetzt immer mein altes Handy mit. Oder ich kaufe dir ein moderneres. Eine 17-Jährige ohne Handy. Willst du einen Gegentrend setzen?« Sie prostete ihrer Tochter gequält lächelnd zu und leerte ihr Glas.

»Ich muss wissen, was diese dämlichen Zahlen bedeuten.«

»Und das Blütenblatt?«

»Auch dafür wird es eine Erklärung geben. Ist die Suppe noch heiß?«

Samstagnacht

Nach Mitternacht. Zara trug nur einen Slip und ein Hemd ihres Vaters und saß mit angezogenen Beinen auf ihrem Futon, den Rücken an die Wand gelehnt, die Kopfhörer über den Ohren. *I need a brandnew friend who doesn't trouble me.* Das Zimmer war schwach beleuchtet; über der Schreibtischlampe lag ein Tuch. Sie hatte noch gemeinsam mit ihrer Mutter Suppe gegessen, sich dann aber zurückgezogen. Die Mutter besuchte eine Freundin. Es würde später werden, hatte sie gesagt.

Auf dem Bett lagen verstreut die alten Schulhefte mit den Gedichten ihres Vaters; nummeriert und mit RV markiert. Auf dem Schreibtisch lag ihr Tagebuch, mit ihren Gedanken und Gefühlen. Die Therapeutin hatte ihr nach dem Tod des Vaters vorgeschlagen, möglichst über alles zu sprechen. Entweder mit der Mutter, mit ihr oder einem Tagebuch.

You know the day destroys the night. Night devides the day. Can you trie to run. Trie to hide. Break on through to the other side.

Zara nahm eins der alten Hefte und blätterte durch die abgegriffenen Seiten. Sie schlenderte durch die Gedichte ihres Vaters, und versuchte sich in seinen Gedanken und ihren Erinnerungen zurechtzufinden. Unzählige Male hatte sie diese Zeilen gelesen, viele kannte sie auswendig. In Zeiten großer Einsamkeit floh sie in diesen Sprachwald und versuchte im Dickicht der Sätze Antworten auf ihre Fragen zu finden. Ihr Blick blieb hängen.

Das Korn ist geschnitten.

Hirten begraben

die schwarze Sonne im nackten Wald.

Sie fühlte ihre Angst. Sie schmeckte sie im Mund, hörte sie in den Ohren, spürte sie auf der Haut. Es war eine ihr bisher unbekannte grimmige Bedrohung, von der sie sich nicht überwältigen lassen wollte. Sie stoppte die Doors, nahm die Kopfhörer ab, öffnete ihr Tagebuch und griff nach dem angekauten Bleistift.

Rolf, dachte sie und vernahm ihre Stimme so laut, dass sie unsicher war, ob sie den Namen ihres Vaters nicht ausgesprochen hatte. Rolf, was soll ich tun? Mir geht es schlecht. Die Schüler ekeln mich an, die Lehrer ekeln mich an, Lohneburg ekelt mich an, das Leben ekelt mich an. Der Tod scheint mir liebenswerter, so wie du ihn auch gemocht hast. Du fehlst mir so. Mit Irene spreche ich zwar über vieles, ach, es gibt oft kaum versteckte Vorwürfe in ihren Worten. Keine Zeit. Neue Arbeit. Wir dachten, im idyllischen Lohneburg würde alles besser. Irene hätte neue Arbeit, und ich hätte eine andere Schule. Hätte, hätte. Von wegen. Ich stecke voll in der Scheiße. Warum werde ich gemobbt? Warum werde ich angepöbelt? Warum werde ich angegriffen? Mich kotzt solches Verhalten an. Sie atmete flach. Ihre Gedanken und Gefühle wälzten sich verbissen in ihrer Seele. Ihre innere Stimme stieg in schrille Lagen. Sie wollte nicht weinen. Wütend sprang sie auf und knallte ihr Tagebuch an die Wand. Sie prügelte die Luft herrisch mit ihren Fäusten und trat sie mit den Füßen. Ihr Körper wirbelte lautlos durch das Zimmer. Dann stand sie abrupt still, breitbeinig, die Hände erhoben wie eine Karatekämpferin, die zum beidhändigen

Schlag ansetzt. Ihr Atem zischte zwischen den zusammengepressten Lippen, sie spannte Muskeln und Sehnen und hielt einen Moment inne.

»Schluss mit gewaltloser Kommunikation!«, flüsterte sie. Die rechte Faust schoss nach vorn. »Schluss mit all den pädagogischen Phrasen von Toleranz!« Sie drehte sich blitzschnell nach rechts und stieß den linken Fuß in die Luft. »Schluss mit Empathie!« Der Hammerfaustschlag traf die Verlogenheit.

Erschöpft hielt sie inne. Sie legte die flachen Hände vor der Brust gegeneinander und neigte kurz ihren Kopf, als wollte sie sich bedanken. Dann hob sie ihr Tagebuch vom Boden, setzte sich an den Schreibtisch und schrieb.

Was ist passiert?
In Kunst:
Ich habe ein Bild geschaffen.
Einige Schüler haben gelästert.
Faris war aggressiv.
Alexander hat mich verteidigt. Oder? Er hat was gesagt.

Beim Erntedank:
Faris hat mit dem Zeitungsmenschen gesprochen.
Der Zeitungsmensch hat mein Bild interpretiert.
Faris quatschte Sachen aus dem Unterricht aus.
Mein Bild wurde zerstört.

Mit mir:
Ich fühle mich beschissen.
Ich bin wütend.
Ich könnte kotzen.

Was ist zu tun?!

Die Dinge einordnen.

Was mache ich mit meiner Wut?

Mit wem kann ich sprechen?

Kann ich etwas ändern?

Kann ich etwas beeinflussen?

Ich habe ein Bild geschaffen. Super.

Einige Schüler haben gelästert. Never mind.

Faris war aggressiv. Im Blick behalten.

Alexander hat mich verteidigt. Oder? Er hat was gesagt, aber ... Unterstützer?

Faris hat mit dem Zeitungsmenschen gesprochen. Nicht zu ändern.

Der Zeitungsmensch hat mein Bild interpretiert. Nicht zu ändern.

Faris quatschte Sachen aus dem Unterricht aus. Nicht zu ändern.

Mein Bild wurde zerstört. Wer? Warum?

Ich fühle mich beschissen. Das ist nicht gut.

Ich bin wütend. Das ist gut.

Ich könnte kotzen. Das ist nicht gut.

Was ist zu tun?

Die Dinge einordnen. Das mache ich.

Was mache ich mit meiner Wut? Nutzen.

Mit wem kann ich sprechen? Weiß ich nicht.

Kann ich etwas ändern? Ja.

Kann ich etwas beeinflussen? Ja.

Sie löschte das Licht und ließ sich auf den Futon sinken. Später träumte sie von Rolf. Auf seiner rechten Hand, geschützt durch einen Lederhandschuh, saß ein Falke. Ihr Vater streckte den Arm und der Falke hob ab in die Luft, zog einige Kreise und verschwand im endlosen Himmel.

Sonntagvormittag

Das Lehrerzimmer war nicht geputzt, die Papierkörbe quollen über, weil die Reinigungsfrauen erst Montagfrüh kommen würden. Die Luft war abgestanden und die Stimmung im Kollegium war müde.

»Jetzt haben wir schon sonntags Dienstgespräche. Wenn das so weiter geht, kann ich gleich in der Schule schlafen. Es passiert etwas in der Schule, und prompt haben wir ein Dienstgespräch. Und wann bereite ich in Ruhe meinen Unterricht vor?«

»Reg dich doch nicht so auf, Reiner. Soll Breitenbach alles autoritär alleine regeln? Du wirst deine Formeln schon in die Köpfe der Schüler schleusen können.«

»Du hast gut reden. Ob deine Schüler eine Note mehr oder weniger singen können, spielt im Abitur doch keine Rolle. Aber bei mir …«

Beide lachten. Sie hatten Spaß daran, sich ihre gekünstelte Entrüstung zuzuspielen wie den Fußball beim Training. Das Wort Dienstgespräch wirkte für den Mathematiklehrer Diekmann wie ein Anpfiff.

»Mir gefällt das. Es ist etwas los an unserer Schule. Nicht immer nur Unterricht. Schule ist Leben«, erklärte Brigitte Diesner.

»Für dich vielleicht. Für mich ist sie ein Arbeitsplatz. Unter Leben verstehe ich etwas anderes. Außerdem hatte ich heute Besseres vor. Warum nicht morgen? Dann fiele wenigstens Unterricht aus.«

»Ist doch freiwillig. Kein formales Dienstgespräch mit Anwesenheitspflicht.« Die Deutschlehrerin ließ sich nicht beirren.

Der Schulleiter stand auf und stützte seine Hände auf den Tisch. Er wirkte müde. Das Kollegium unterbrach die Gespräche.

»Liebe Kolleginnen und Kollegen. Es tut mir leid, Sie sonntags in die Schule gebeten zu haben. Aber glauben Sie mir, es musste heute sein und nicht erst morgen. Wenn wir hier fertig sind, werden Sie verstanden haben, warum. Nachdem, was gestern, quasi öffentlich, mit dem Bild einer Schülerin passiert ist, können wir am Montag nicht Unterricht as usual machen. Hat jemand von Ihnen irgendeine Erklärung für diesen Vorgang? Was sollen diese Zahlen bedeuten und das aufgespießte Blütenblatt?«

Dr. Klaus Breitenbach sackte auf seinen Stuhl zurück und erweckte den Eindruck, stundenlang geredet zu haben.

Fragende Blicke machten die Runde.

»Vielleicht hat Kollege Diekmann eine Idee. Er beschäftigt sich doch in seinem Kurs mit Zahlenrätseln.«

Die Blicke wandten sich dem Mathematiklehrer zu.

Reiner Diekmann erhob sich. »Zahlenmystik«, korrigierte er. »Unser Kurs beschäftigt sich mit Zahlenmystik.«

Er machte eine Kunstpause und genoss es, im Mittelpunkt zu stehen. Seine Hand strich über die kurzen blonden Haare; vor den Sommerferien waren sie länger.

»Die Zahlen auf Zaras Bild sind nicht einfach zu dechiffrieren. Man muss dazu tief in die arabische Zahlenmystik eintauchen. Ich bin gestern Nacht noch einmal die Literatur durchgegangen.« Er nickte sich selber zu. »Sie beziehen sich auf die alte Form des arabischen Alphabets, dem sogenannten Abjad. Demnach hat jeder arabische Buchstabe nicht nur einen Zahlenwert, er ist auch Anfangsbuchstabe einer Eigenschaft Allahs, also Gottes. Alif ist das Wort Allah selbst. Ba ist abgeleitet von Baki, und Baki bedeutet der Bleibende. Alif hat den Wert 1, Baki 2. Wie bei uns im ABC. Außerdem haben die Buchstaben, und das ist entscheidend, einen Zahlenwert, der die Summe bildet aus den Werten der Buchstaben, also den Eigenschaften Gottes, aus denen das Wort besteht. Verstanden?«

Er wusste, das war eine rhetorische Frage. Natürlich hatte das niemand im Kollegium verstanden. Er genoss die Situation. »Beispiel: Allah hat den Zahlenwert 66, der sich zusammensetzt aus Alif=1, Lam, das heißt: wohlwollend, = 30, das noch einmal, und Ha=5 für Hadi, was Führer bedeutet. Also: 30+30+5+1=66.«

»*Get your kicks on route 66*«, summte Thomas Oertel leise.

»*Well goes from St. Louis down to Missouri ...*«, stimmte Jürgen Mahnke ein und schaukelte leicht mit dem Oberkörper.

» *... Oklahoma city looks oh so pretty ...*«, setzte sein Musikkollege fort.

»Pst!«, warf Susanne Behrend ein. Hin und her sprangen ihre Gedanken, da wollte sie nicht zusätzlich auf der Route 66 fahren. Die Ausführungen ihres Mathematikkollegen über Allahs Zahlenwert vermischten sich in Susannes Kopf mit dem Vorwurf ihrer Mutter, ihre Tochter würde sie vernachlässigen. Wir haben doch nur dich ... der Pfleger bringt alles durcheinander ... wir werden bestohlen ... kläre das doch mal ... du besuchst uns so selten ...

»Die Zahlen, die jemand auf Zaras Bild notiert hat, bedeuten also: 1=Allah, 4=Dajan=Richter, 5=Hadi=Führer, 6=Wali=Meister, 50=Nur=Licht. 800 ist nicht die Summe dieser Zahlen.« Er schaute süffisant in die Runde. »800 ist der Zahlenwert für Dar, was für der Strafende steht. Es handelt sich um eine Aneinanderreihung von Eigenschaften Gottes in Zahlen ausgedrückt. Für die weitere Deutung bin ich nicht mehr zuständig. Danke für die Aufmerksamkeit.« Er setzte sich.

»Also Faris«, sagte jemand.

»Oder einer aus Diekmanns Kurs.«

»Oder das Mädchen mit dem Kopftuch. Die gehörte nicht auf unsere Schule. Wer hat die überhaupt mitgebracht?«

»Und was sollen die Eigenschaften Gottes auf Zaras Bild?«

Es war nicht klar, ob man eher sich selbst fragte oder seinen Nachbarn.

»Ruhe, bitte, Kolleginnen und Kollegen, alles der Reihe nach.« Der Schulleiter stemmte sich hoch. »Danke Kollege Diekmann für die Dechiffrierung. Man lernt immer wieder etwas Neues im Leben. Wir sind einen ersten Schritt weitergekommen. Gotteseigenschaften auf Zaras Bild. Ich höre.« Sein Blick wanderte die Gesichter der anderen ab.

»Jemand droht Zara, das ist doch deutlich. Und zwar auf einer religiösen Grundlage, das ist ebenfalls deutlich. Und es ist eine muslimische Grundlage. Das ist überdeutlich. Also – Dr. Goedel schaute sich um – Faris.«

»Jemand, der sich mit islamischer Zahlenmystik auskennt. Aber soweit sind wir im Kurs nicht«, relativierte Diekmann.

»Und das Kopftuchmädchen?«

»Sie war mit Lia zusammen. Aber ein Zusammenhang scheint mir unwahrscheinlich.«

»Wir sollten wieder den Polizisten holen. Der war so nett.«

»Mein Gott, was ist denn passiert? Ein originelles Graffiti auf einem Bild.« Der Kunstlehrer straffte seinen fettigen

Pferdeschwanz nach. Black Horse sah das Ganze aus der künstlerischen Perspektive. »Etwas wurde zerstört, um etwas Neues zu kreieren. War das nicht schon immer die Aufgabe von Kunst? Tut mir leid um Zara. Aber es ist eine Frage der Perspektive.«

»Wie die Schmierereien in der Stadt: Kunst am Bau. Dass ich nicht lache.«

»Kollegen, bitte. Ich sehe das nicht so witzig wie manche von Ihnen.«

Susanne Behrend, die Englischlehrerin, meldete sich. »Ich spreche mit Lia wegen der Muslima.« Sie bereute ihr Angebot sofort. Warum tue ich mir das an? Wir sind fast zwanzig Kollegen. Sie ärgerte sich still.

»Man sollte mit Zara reden. Nicht, dass sie durchdreht – bei ihrem Temperament.«

Ulrike Vogel übernahm das. Schon bei dem Rap-Contest vor den Sommerferien war sie der Meinung, Zara hätte sich durch Texte von Faris verletzt gefühlt. Und nun die Zerstörung ihres Bildes. Eventuell wieder durch Faris. Die Kunstlehrerin sorgte sich um Zara.

Dr. Breitenbach nickte ein Danke an beide Frauen.

»Und Faris?«

»Das übernehme ich persönlich«, sagte der Schulleiter. »Wir hatten uns beide erst vor den Sommerferien unterhalten. Ein interessanter, junger Mann.« Dr. Breitenbach hatte sich dafür vom Musiklehrer Thomas Oertel coachen lassen, um mit Faris das Kritikgespräch zu den Raptexten kompetent führen zu können. Und es war gut gelaufen. Diesmal würde er Rat bei Ulrike Vogel suchen, weil es um Kunst ging. Der Schulleiter war professionell genug, trotz seiner Unterrichtsfächer Deutsch, Latein, Philosophie und Geschichte, seine fachlichen Grenzen zu kennen und zu wissen, wo er sich Hilfe holen sollte. Er wusste, Faris war ein intelligenter, leicht aufbrausenden Schüler.

»Ich möchte nicht als Rassist angesehen werden, aber sollte man nicht einmal seinen familiären Hintergrund durchleuchten. Ist er nicht mit seiner Familie aus dem Libanon geflüchtet?« Der ältere Kollege zuckte entschuldigend mit den Schultern.

»Also doch die Polizei.«

»Oder den Bundesnachrichtendienst.«

»Und das aufgespießte Blütenblatt?«

Richard Grundmann bewegte lässig halbhoch die rechte Hand, als würde er auf einer Auktion unauffällig mitbieten.

»Hier wird der Eindruck vermittelt, es gäbe die Dschihadisierung eines Schulscherzes.« Mahnke schüttelte den Kopf. Sein fettiger Pferdeschwanz klatschte ihm gegen die Ohren.

»Wie wollen wir gegenüber der Öffentlichkeit damit umgehen. Neben den vielen fotografierenden Gästen gab es einen Reporter vom Tagesecho.«

»Wir sollten den Druck rausnehmen, Kollegen. Es ist kein Mord am Hermann-Hesse-Gymnasium passiert. Es ist nur das Bild einer Schülerin verunstaltet worden.«

Grundmanns Hand verharrte nach wie vor im Auktionsmodus.

»Das sehe ich nicht so«, entgegnete Dr. Bettina Goedel. Ihren Blick im Raum schweifend führte sie aus: »Diese Aktion ist doch nur ein Zwischenschritt. Die Worte bilden zusammen eine Drohung. Ich bitte euch. Richter, Meister, Führer, der Strafende. Da gibt es keinen Interpretationsspielraum. Entweder war diese Bildzerstörung die Strafe, oder sie wird dadurch angedeutet. Entweder wurde Zara bestraft, indem ihr Bild zerstört wurde. Oder die Bildzerstörung ist das Medium, ihr Strafe anzudrohen.«

»Aber wer will Zara bestrafen? Und warum?«

»Wenn ich einmal ein Deutungsangebot machen darf?«, warf der Philosophielehrer in die Runde, nachdem er bemerkt hatte, dass es hier keine Gesprächsleitung gab.

»Selbstverständlich Kollege Grundmann«, sagte der Schulleiter. »Wir sind dankbar für jede Idee. Manchmal ist es von Vorteil, wenn jemand von außen die Dinge betrachtet.«

»Man könnte das Blütenblatt als Symbol des Hymens deuten. Die Nadel, mit der das Blütenblatt durchbohrt wurde, steht für den …«

»Ich glaube, wir haben alle verstanden«, unterbrach ihn der Schulleiter. »Ein interessanter Blick auf die Situation aus den Tiefen der Psychologie.«

»Tiefenpsychologie eben«, flüsterte Mahnke Oertel ins Ohr. »Der Neue traut sich ja was.«

Einen Moment lang herrschte verblüfftes Schweigen. Das Kollegium hatte sich bisher nicht als prüde eingeschätzt. Es gab schon das eine oder andere offene Gespräch über sexuelle Themen, nicht nur untereinander, auch auf Konferenzen. Aber so direkt hatte bisher niemand von ihnen gesprochen.

Die meisten schmunzelten in sich hinein.

»Ich stimme Bettina zu«, sagte Ulrike Vogel. »Wir müssen in größeren Zusammenhängen denken. Lias Nervenzusammenbruch beispielsweise sehen die Schüler als Selbstmordversuch. Eine Sichtweise, die nicht ohne weiteres von der Hand zu weisen ist. Der Schwelbrand vor dem Abstellraum? Ungeklärt. Jetzt dieses zerstörte Bild. Warum versucht Lia Selbstmord? Warum zündelt jemand in der Schule? Warum wird Zaras Bild zerstört? Ich wette mit euch, so wird es morgen im Tagesecho stehen.«

»Der Reporter hat mit den Schülern gesprochen. Ich habe es gesehen. Auch länger mit Faris.«

Der Schulleiter trommelte mit den Fingern auf der Tischplatte. Deutlich tauchte vor ihm das Gespräch mit Lias Mutter auf. Kurz vor den Sommerferien. Es war heiß in seinem Büro. »Meine Tochter wollte sich umbringen, weil sie an Ihrer Schule elendiglich gemobbt wurde.« Mit voller Wucht knallte Frau Wallmann diese Behauptung dem Schulleiter vor die Füße. Er versuchte zu relativieren, betonte den Anspruch seiner Schule auf gewaltfreies Miteinander und wies auf die verbreitete psychische Labilität von dicken Mädchen hin. Da ist Frau Wallmann explodiert. Sie drohte mit der Presse und nach einem hitzigen Wortgefecht lenkte Klaus Breitenbach schließlich ein. Sie einigten sich darauf, Lias Suizidversuch offiziell Nervenzusammenbruch zu nennen und die gefährdete Versetzung zu ignorieren. Nachdem Bärbel Wallmann sein Büro verließ, hatte der Schulleiter den Eindruck, die Zimmertemperatur hätte sich verdoppelt.

Es dauerte eine weitere Stunde, bis sich das Kollegium über das Vorgehen einig war. Obwohl die unterschiedlichen Einschätzungen blieben, stellte man so etwas wie eine Strategie auf. Mit Zara und Lia sprechen zwei Lehrerinnen, mit Faris unterhält sich der Schulleiter. Falls Reporter auftauchen, durfte auf keinen Fall vom Hausrecht Gebrauch gemacht werden. Bettina Goedel wurde als Ansprechpartnerin bestimmt, falls Dr. Breitenbach nicht im Haus sein sollte. Interviews mit den Schülern auf dem Schulhof sind zu untersagen, wohlwissend, dass diese Gespräche ebenso gut nach dem Unterricht auf der Straße stattfinden konnten. Der

Schulleiter wollte gleich Montagfrüh das Tagesecho durchsehen, was über die Schule geschrieben war und bei Bedarf in die Redaktion fahren. Das Gespräch mit dem Reporter Klaus Roeder am Samstag über Zensurverdacht hatte er dem Kollegium nicht mitgeteilt. Was die Gäste mit ihren Fotos und Kommentaren im Internet trieben und wie man sich dazu verhält, wurde hilflos offen gelassen.

Sonntagmittag

Außen war es nur eine Baracke, innen war es ein Beduinen-
zelt. Den Boden bedeckten dicke, orientalische Teppiche, die
Sitzecke hatte niedrige Mosaik-Tische, und große und kleine
Kissen lagen verstreut im ganzen Raum. An der hell lasier-
ten Holzpaneelwand hing die Fahne Libanons: Weiß und
Rot mit der Zeder in der Mitte. Die einzige Modernität in
diesem Zelt war das DJ-Set, der Doppel CD-Player mit
Mischpult und USB, 4 Kanal Mischpult, Scratch- und
Pitschfunktion und andere Feinheiten. Faris und seine liba-
nesischen Freunde saßen oder lagen auf den Kissen und
rauchten Shisha. Sie sprachen über ihre Heimat, ihre Fami-
lien, ihre Musik, ihre Sehnsüchte. Einer trommelte leise auf
der Derbekke, der Bechertrommel vor sich hin.

»Shakira ist eine Nutte. Sie prostituiert sich mit ihrem
Hüftschwung«, warf einer in die Runde.

»Aber ihre Stimme ist cool.«

»Ihr Vater tut mir leid.«

»Du findest Nancy Agram wohl besser, Mann?«

»Frauen singen nicht hart genug. Sie benutzen das Mikro
nicht als Waffe.«

»Man kann auch mit weicher Stimme kämpfen.«

»Wen findest du denn gut, ey?«

»MC Malika, Katibe5. Das ist nicht nur guter Hip-Hop, das
ist auch politisch«, erklärte Faris.

»Musik muss doch nicht immer politisch sein.«

»Alles ist politisch, stupid! Musik, Tanz …«

Faris sprang auf und stampfte mit den nackten Füßen auf den Boden. Der Derbekke-Spieler schlug heftiger und mit zunehmendem Tempo auf die Trommel. Andere erhoben sich, hielten sich an den Schultern und tanzten: Dabke, den traditionelle libanesische Tanz. Sie stampften den Barackenboden wie ihre Vorväter den Lehm zum Häuserbau. Said, wie Faris aus der Hermann-Hesse-Schule, erhob die Stimme zu einem alten Volkslied.

»Ach Libanon / Vom Gipfel des Qorret es Saouda bis zum Meer / Heimat aus Blut und Schnee / Der Gerechte wird wachsen wie eine Zeder auf Libanon.«

»Ach Libanon«, sangen die jungen Männer und schlossen den Kreis um Faris. Der brach die Stimmung und intonierte einen Rap. Eine zweite Derbekke übernahm den Beat und Faris erzählte über die sperrigen Beats eine Geschichte.

»Give me one!«

»One!«, riefen die anderen.

TOCK

»Donne moi zéro!«

»Zéro!«

TOCK

»Gib mir die Vier!«

»Vier!«

TOCK

»Gib mir Khamse!«

»Khamse!«

TOCK

»Und die Zwei!«

»Zwei!«, brüllten alle laut.

»Zehn vier fünf zwei
Kilometer zum Quadrat.

Oh, meine Geliebte.

Lebanon.

Liban.

Du Geliebte der vielen Religionen.

Der Freiheit und Toleranz.

Zerrissen und geschändet im Krieg der Bürger.

DIASPORA.

Penetriert von Hisbollah.

FUCK!

Regiert von Millionären.

FUCK!

Bedrängt von Syrien.

FUCK!

Gedemütigt durch Israel.

FUCK!

Palestinian refugees go home!«

»*Go home*«, kam als Echo.

Der Kreis der Tänzer drehte sich schneller und schneller. Die Schläge der Derbekkes formten einen einzigen langen Schlag.

»*Libanon, ich liebe dich!*

Lebanon, I love you!

Liban, je t'aime!«

Sie klatschten und lachten, ihr Kreise klangen aus und sie ließen sich erschöpft auf die Kissen und den Boden sinken. Manche verließen den Raum, andere griffen zur Shisha.

»Was für ein Tag, Mann«, sagte Faris.

»Was für ein Fest, Bruder«, sagte Said.

Beide lachten und klatschten sich ab. »Sie nennen es Erntedankfest.«

»Ernte Dank Fest«, betonte Said.

»Leany wird sich bedanken, für das, was sie auf diesem Fest geerntet hat.«

»Du bist genial.«

»Keine Rede.« Faris winkte großzügig ab.

»Und der Pressemann?«

»Ich habe ihn angefüttert. Mal sehen, was er morgen so schreibt.«

»Wo hattest du denn so schnell das Rosenblatt her?«

»Ein Meisterwerk des Zufalls.«

Und überhaupt wollte Said wissen, wie und wann und warum Faris diese Veränderung, so nannten sie es, an Zaras Bild vorgenommen hatte. Aber Faris verriet nichts. »Ein wahrer Kämpfer verrät seine Strategie niemals«, sagte er mit gespieltem Ernst. »Er ist immer wachsam, mutig und entschlossen.«

Said war sich nicht sicher, ob er lachen sollte, oder besser nicht. Sein Freund war unberechenbar. Aber Faris schaute ihn so verschmitzt an, dass Said sich davon anstecken ließ.

»Und die Zahlen?«

Faris sog an der Shisha, sinnierte über die Rauchschleifen und schüttelte den Kopf.

»Da bin ich aber curieux, wie es in der Schule so weitergeht.«

»Lass dich überraschen, Bruder.«

Sonntagmittag

Lias Vater fuhr in letzter Zeit auch sonntags; so war seine Tochter allein zu Hause. Sie freute sich, einmal ihre Ruhe zu haben, doch sie glaubte ihrem Vater nicht; er trifft sich bestimmt mit Justyna. Er verließ zwar die Wohnung, als ginge er arbeiten: in seiner Cargohose, mit der Brotdose und der Thermosflasche. Aber er schimpfte seit Wochen weniger über seinen Chef, und seine Laune allgemein hatte sich verbessert, und er zeigte verstärkt Interesse an Lias Schulproblemen. Doch Lia konnte diese Veränderung nicht genießen, denn sie sah dahinter eine neue Gefahr lauern: Justyna. Kaum vorstellbar, wie dieses Verhältnis zwischen der polnischen Kellnerin aus dem Hasenstall und ihrem Vater weiter gehen könnte. Es reichte ihr, dass ihre Mutter bald ein Kind in die Welt setzte und vielleicht sogar wieder heiratete. Was manche Patchworkfamilie nannten, waren für Lia zwei Mühlsteine, zwischen denen sie zerrieben würde. Der Sonntag drohte lang und mühsam zu werden, und sie wollte nicht abwechselnd an das neue Glück ihrer Mutter, die Lügen ihres Vaters, die blonden Haare von Justyna und an das Chaos am gestrigen Erntedankfest denken; sie suchte Halt beim Fernsehen.

Daher war sie erleichtert, als Zara mittags anrief und sie zu sich nach Hause einlud; es gehe um Schießtraining. Lia war gespannt, nicht nur auf das Schießen, sondern auch auf Zaras Zimmer. Und sie freute sich, dass sie für Zara anscheinend doch wichtig war.

Lia blieb einen Moment im Türrahmen stehen und ihr Blick wanderte durch das Zimmer. Ein leicht verblichener Flickenteppich vor einer Matratze auf dem Boden, zwei kleine, volle Bücherregale, ein alter Tisch mit einem soliden alten Holzstuhl davor, auf dem ein Kissen mit japanischen Schriftzeichen lag. Auf dem Fensterbrett Muscheln und drei Kakteen. Zara hatte ihr Zimmer einmal Schuhkarton genannt, aber so klein fand Lia es gar nicht. Nur ein Kleiderschrank fehlte.

»Wir setzen uns auf einen Tee an den Schreibtisch. Auf dem Futon ist es zu unbequem, oder?«

»Futon?«

Zara zeigte auf die Matratze.

»Das ist ein japanisches Bett. Nicht hundert Pro, aber zum Teil. Wenn ich Platz brauche, rolle ich es zusammen.« Zara zeigte es Lia. »In Japan legt man den Futon tagsüber in einen Schrank, aber wie du siehst …«

Lia betrachtete die beiden Poster an der Wand. Das Gesicht von Kate Moss war ihr aus Illustrierten bekannt, doch der nackte Oberkörper mit den kleinen Brüsten irritierte sie. Sie mochte nackte Menschen nicht, auch nicht auf Fotos.

»Und wer ist der halb nackte Lockenkopf«, fragte sie verlegen lachend.

»Das ist Jim Morrison, der inspirative und spirituelle Kopf der Doors.«

»Ach ja, deine Lieblingsmusik. Hast du mal erzählt.« Sie verstand nichts.

»Setz dich bitte hier auf den Schreibtischstuhl, der ist bequemer, ich hole für mich einen anderen Stuhl aus der Küche.« Lia zuckte innerlich zusammen. Denkt sie, ich bin zu fett für einen Küchenstuhl? Zara brachte einen schmalen, abgenutzten blauen Stuhl mit dick geflochtener Sitzfläche. »Das ist ein traditioneller griechischer Kafenion-Stuhl. Den haben meine Eltern von ihrer ersten Kretareise mitgebracht. Ist nicht komfortabel. Ich habe nie verstanden, dass die Griechen darauf stundenlang hocken können.«

»Du hast recht, der sieht nicht bequem aus.« Lia ärgerte sich über ihr Misstrauen. »Die Stühle passen zu uns, finde ich.«

Beide kicherten.

Zara verschwand in der Küche und kam mit einem Tablett zurück, auf dem zwei japanische Teeschalen mit einem blauen Drachenmuster, eine dazu passenden Teekanne und eine Schale mit Gebäck standen. »Das ist Tee aus Ceylon, den trinkt man pur. Wenn du Milch oder Zucker oder beides haben möchtest – aber dann ist es kein Tee mehr.«

»Pur«, sagte Lia. Sie wollte die Stimmung zwischen ihnen halten.

»Er ist in seinem Aroma hauchähnlich deiner geliebten Ostfriesenmischung.«

Sie nippten beide an den Schalen. Lia war gerührt, dass Zara sich an ihren Lieblingstee erinnerte.

»Das sieht aus wie eine kleine Teezeremonie«, lächelte Lia.

»Na ja, die wäre etwas strenger. Und man kniet auf dem Boden.«

»Ich könnte das nicht.«

»Ist anstrengend, stimmt. Und es heißt nicht Teezeremonie, sondern Teeweg.«

»Teeweg – das klingt ja komisch.«

»Im Westen sagt man Teezeremonie.«

»Was du so weißt.«

»Die Teekunst ist weder ein religiöses Ritual noch ein gesellschaftliches Zeremoniell. Aber dir hier die zenbuddhistische Entwicklung dieses spirituellen und künstlerischen Schulungsweges zu erklären, dazu habe ich keine Lust.«

Lia nickte dankbar. Sie hatte ebenfalls keine Lust sich solche bestimmt total langweiligen Erklärungen anzuhören. Man konnte Tee auch einfach trinken.

»Und«, wollte Zara wissen, »was sagt dein Vater zu unserem Festabschluss gestern?«

»Ich habe noch nicht mit ihm sprechen können. Er hat im Augenblick mächtig zu tun.«

»Auch am Wochenende?«, staunte Zara.

»Gerade am Wochenende.«

»Aber sonntags ist doch Fahrverbot für LKWs auf den Autobahnen.«

Lia fühlte sich erwischt. »Ich glaube, sonntags fährt er regional, also Landstraße und so.«

Zara gab sich damit zufrieden, glaubte Lia aber kein Wort. Doch heute wollte sie keine Familiengeschichten hören.

»Das war ein bizarrer Schlussakkord gestern in der Schule«, wechselte sie das Thema.

»Ja, schade um dein schönes Bild.«

»Das Bild.« Zara zuckte mit den Schultern. »Ich häng' nicht dran. Das Seiende ist bloß der Schatten des Nichts. Es geht um mich als Person, als Mensch. Es wurde zwar ein Bild angegriffen, aber es sollte meine Seele getroffen werden. So wie bei dir.«

Lia nickte zustimmend und verstand nichts. Nur dass Zara und sie ein ähnliches Problem hatten.

»Habe ich dir schon gesagt«, fragte Zara, »dass mir dein Aquarell gefällt.«

»Danke. Aber ich habe in der Klinik …«

»Hör auf!«, fuhr Zara sie barsch an. »Keine falschen Entschuldigungen bitte. Dein Bild ist wunderschön. Deine Erklärungen dazu waren super. Suggestion eines Blumenstraußes, einfach genial, und dann der Bezug zu Hesse in deinem Text: Abbild, Sinnbild. Mensch Lia, das ist dein Durchbruch.«

»Danke. Wenn du meinst«, sagte sie wenig begeistert und wurde rot.

»Und was die Klinik angeht. Ich war auch mal drin, das weißt du, und hatte auch Maltherapie. Na und. Wahre Kunst kommt sowieso von innen.« Zara lachte und ihre roten Locken wippten. »Und selbstverständlich beobachteten und studierten auch die größten Maler die Natur oder ein Gesicht oder nackte Frauen.« Sie leerte ihre Schale. »Trink mal schneller, kalt schmeckt er nicht mehr«, forderte sie Lia auf. »Also, wofür sollten wir uns schämen?«

Lia fühlte sich auf einmal mitgerissen. Zara war toll.

»Ich habe mich den ganzen Abend nicht mehr eingekriegt, habe mich mit meiner Mutter fast gestritten, und die Nacht …« Sie winkte ab. »Vergiss es.«

»Ich konnte auch nicht schlafen und habe lange ferngesehen.«

»Ich habe Musik gehört und …«

»Und?«

»Nachgedacht.«

»Schön für dich.«

»Das wird sich rausstellen. Pass auf.« Zara stand auf. »Wir müssen rausfinden, was diese Zahlen bedeuten und ob sie überhaupt etwas bedeuten.«

»Und das Blütenblatt.«

»Das aufgespießte Rosenblatt, genau. Bedeutung oder nicht Bedeutung, das ist hier die Frage.« Zara lief hin und her. »Wenn wir das wissen, wissen wir bald, wer das getan hat.«

»Faris, meinst du nicht, dass es Faris war?«

»Alles spricht für ihn, aber wir sollten es genau wissen.«

»Und wie können wir das herausfinden?«

»Das weiß ich noch nicht. Ich betone: noch.« Zara fühlte sich wie die Rote Zora, deren Abenteuer sie früher verschlungen hatte.

»Und dann?« Lia wurde immer aufgekratzter.

»Panta rhei, alles fließt.«

»Und dann?«

»Sich schützen, nicht provozieren lassen, angreifen.«

»Das klingt gefährlich. Sollte es Faris gewesen sein, der Junge ist unberechenbar.«

»Wir kämpfen mit anderen Mitteln. Ich verabscheue körperliche Gewalt. Lass mich mal machen.«

»Und ich, was soll ich machen?«

Zara dachte einen Moment nach.

»Dieses Kopftuchmädchen gestern, das neben dir war.«

»Fida.«

»Fida«. Zara nickte. Ein hübscher Name, dachte sie. Lia und Fida. Sie sollten Freunde werden, dann bin ich nicht mehr die Einzige, die Lias Probleme anhören muss. »Kennst du sie näher? Ich meine, sie trägt ein Kopftuch, ist das nicht etwas …« Sie suchte nach dem richtigen Ausdruck.

»Sie ist nett. Ich habe sie in der Klinik kennengelernt. Das Kopftuch täuscht.«

»Wow, die war auch in der Klinik?« Zara schüttelte belustigt den Kopf. »Wir sollten eine Ex-Klinik-Gruppe aufmachen. Wir sind schon zu dritt.«

Lia hätte sich auf die Zunge beißen können. Sie bereute sofort, dass sie spontan etwas ausgeplappert hatte. Das hätte sie auf keinen Fall tun dürfen. Aber es war zu spät.

»Jetzt mal im Ernst. Sie hat doch Fotos gemacht, vielleicht von meinem Bild. Frag sie, ob sie sich auf die Zahlen einen Reim machen kann. Eine Muslima kann sich in den Kopf eines Muslims besser hineinversetzen als wir. Und das Rosenblatt, womöglich ein libanesisches Symbol? Was weiß ich denn?«

»Rosen sind doch Symbole der Liebe.« Lia grinste.

»Red' kein Blödsinn« ... Dicke, dachte sie weiter. »Das fehlte mir gerade noch; Faris macht mir einen originellen Liebesantrag. Das würde meine Probleme unendlich vergrößern.«

»Wieso? Was sich neckt, liebt sich.«

»Das ist ja voll retro.«

»Die Worte vielleicht, aber die Methode nicht. Ja, ich hab's.« Lia hielt es nicht mehr auf dem Stuhl.

»Faris ist verknallt in dich, kann es aber nicht anders zeigen. Seine Kultur, seine Männlichkeit, seine Sonstwas. Ich sag's dir, Zara. Das ist es. Nichts mit Bedrohung und so. Das ist seine Art Gefühle dir gegenüber zu zeigen. Der Junge ist in dich verknallt.« Lia stieß Zara an die Schulter.

»Ist ja gut, Mädchen. Du wiederholst dich.« Sie schob Lia etwas von sich weg. »Ja, wo die Liebe hinfällt. Sagt man nicht so?«

»So sagt man.«

»Okay. Ich sage aber nicht so. Ich verfolge meinen Plan weiterhin. Und wenn du nicht mitmachen möchtest, lass es bleiben. Ich kann Fida auch selber fragen.«

Lia erschrak. Zara durfte auf keinen Fall Fida selber fragen und dadurch zeigen, dass Lia Fidas Vertrauen enttäuscht hatte. Sie bedauerte ihre Worte, verstand aber nicht, warum Zara so wenig Humor besaß und so heftig reagierte. Schade. Die Teestunde war bisher so schön.

»Nein, ich frage Fida schon selber. Wir werden ja sehen, was die Zahlen und das Blütenblatt bedeuten könnten, wenn sie überhaupt etwas bedeuten.«

Zara schwieg. Alles, was sie mit Lia besprechen wollte, war angesprochen. Auf andere Themen hatte sie keine Lust, weder Familie noch Schule. Die Dicke könnte jetzt abhauen.

Lia schwieg. Schade, es hatte so harmonisch begonnen, und jetzt habe ich alles versaut. »Ich gehe jetzt mal, ich muss einiges zu Hause machen.« Sie schaute auf ihre Armbanduhr. »Ist ja schon fast vier.«

Zara nickte. »Vergiss nicht das Tagesecho morgen.«

»Nein. Danke für den Tee.«

»Bis morgen dann«, verabschiedete Zara lakonisch Lia an der Wohnungstür.

»Ja, bis morgen«, sagte Lia matt, hielt sich am Geländer fest und ging Schritt für Schritt langsam die Treppe hinunter.

Montagfrüh

6.30 Uhr. Oft überfliegt Irene Völkel das Tagesecho morgens während des Frühstücks, um besser zu verstehen, worüber die Leute im Büro oder auf der Baustelle reden. Die Süddeutsche liest sie ausführlich abends, um politisch auf dem Laufenden zu sein. Doch diese Methode funktioniert schon länger nicht mehr.

Die Überschrift sprang ins Auge. Okkultismus am Hermann-Hesse-Gymnasium. Sie stellte den Kaffeebecher auf den Tisch, rief ihre Tochter und reichte ihr den Regionalteil. »Eure Schule steht groß in der Zeitung. Lies mal laut vor.« Sie schaute auf die Uhr. »Dann kann ich meinen Kaffee in Ruhe austrinken.«

Zara zog den Gürtel ihres japanischen Morgenmantels fester, setzte sich an den Küchentisch und las den Artikel vor.

»Das ist ja schweres Kaliber. Dass die sich sowas trauen. Soweit in deiner Persönlichkeit herumzuwühlen. Das kann nicht so stehen bleiben. Ich werde einen Termin mit dem Chefredakteur vereinbaren und mit deinem Schulleiter sprechen. Das sprengt jeden Anstand. Und der Schluss: *Will sie sich interessant machen. Wir werden sehen.* Ich glaube, ich rufe da sofort an.« Sie suchte sich aus dem Impressum der Zeitung die Telefonnummer der Chefredaktion raus. »Oder ich frage besser einen Anwalt. Über unserem Büro ist eine Kanzlei. Da gehe ich gleich vorbei. Ich muss los, Schatz. Vielleicht solltest du dich in der Schule krankmelden. Ich schreibe dir eine Entschuldigung. Das Tagesecho wird von vielen gelesen. Oder?«

»Auf keinen Fall. Die Sache wird immer spannender. Ich habe heute Nacht lange nachgedacht und hatte einen wunderbaren Traum. Später mehr.«

»Mach nur nichts Falsches. Warte mal ab, was der Anwalt uns rät. Das ist kein Schülerstreich, den ihr unter euch ausmachen könnt oder den die Schulleitung moderiert. Du bist nun eine öffentliche Person, Zara. Das Tagesecho ist das Leitmedium von Lohneburg. Und dein Name stand schon mal vor den Sommerferien in der Zeitung, in Zusammenhang mit eurem Basketballsieg gegen die andere Schule. Ich bitte dich, lass uns heute Abend in Ruhe darüber reden.« Sie sah auf ihrer Uhr. »Mein Gott, ich bin spät dran. Zara, versprochen?!«

»Ich gehe in die Schule!«

»Wie dein Vater«, sagte ihre Mutter an der Wohnungstür. »Er wäre stolz auf dich.«

»Und du?« Zara schaute sie an.

»Ich bin stolz auf dich.«

Montagvormittag

Okkultismus am Hermann-Hesse-Gymnasium. Die Überschrift stand im Raum, kaum hatte Ulrike Vogel sie im Lehrerzimmer laut vorgelesen.

7.30 Uhr. Die meisten Lehrer waren heute früher als sonst erschienen. Selbst einige, die in der ersten Stunde keinen Unterricht hatten, standen herum oder saßen auf den Tischen. Es herrschte eine gelockerte Stimmung. Der Schulleiter nahm einen Termin außer Haus wahr. Man umringte die Kunstkollegin, die das Tagesecho in den Händen hielt.

Auffällig zwischen den üblichen Regionalnachrichten - Ergebnisse der Sportvereine, Unfälle, Veranstaltungen unterschiedlicher Art - war der Artikel auf einer Viertelseite im Tagesecho platziert. »Das Erntedankfest am Hermann-Hesse-Gymnasium verlief wie immer. Der Schulleiter Dr. Breitenbach hielt eine erfrischende Rede, die Vorsitzende des Elternvereins wies auf anstehende Verbesserungen in und an der Schule hin und forderte unverblümt zu Spenden auf. Im Unterschied zu letztem Jahr konnte man diesmal verschiedene Schülerstationen besuchen und sich einen Eindruck von dem hohen Niveau und der teilweise verblüffenden Kreativität schulischen Lernens machen.«

»Bravo«, rief Reiner Diekmann und klatschte. Er schaute sich nach Zustimmung um. »Endlich werden unsere wahren Qualitäten erkannt. Lies weiter.«

»Neben gutem Essen und ausgewählten Getränken (der Espresso war Spitzenklasse!)« —

»Hört, hört«, warf Thomas Oertel ein.

– »konnte man eine aufgeräumte Atmosphäre genießen. Am Ende aber gab es einen kreativen Eklat. Das Bild der 17-jährigen Schülerin Zara V. wurde verunstaltet. Auf den ersten Blick. Sieht man genauer hin, könnte man sagen – das Bild wurde neu gestaltet. Auf die Leinwand mit einer japanischen Zeichnung und englischen Texten der amerikanischen 70er-Jahre Rockformation The Doors wurden Zahlen geschrieben (1+4+5+6+50=800) und ein Blütenblatt aufgespießt. Mystik pur! Ironie des ganzen Vorgangs – der Titel des Bildes lautet: ‚So habe ich es mir nicht vorgestellt.' Zeilen aus einem Gedicht des israelischen Lyrikers Nathan Zach. Was soll das bedeuten? Diese mysteriöse Zahlenkombination? Das aufgespießte Blütenblatt? Und es wird noch verrückter. Zara erläutert ihre Collage mit der Fortsetzung des Gedichts: '... daß die Dinge so sind. Pläne, Träume – und plötzlich eine Biegung im Weg.' Man könnte den Eindruck gewinnen, jemand habe den Text als Aufforderung verstanden und Zaras Bild bearbeitet. Oder war sie es selber? Will sie sich interessant machen? Wir werden sehen!«

Ulrike Vogel ließ die Zeitung sinken. »Der Fotograf hat Zaras Bild gut getroffen.«

»Arme Zara, was für eine blöde Verdächtigung.«

»Wieso, ist doch ein aufschlussreicher Ansatz, Susanne. Man wird ja herausfinden können, wo sich Zara aufgehalten hat, als das passierte. Ich werde die Analyse der Zahlen noch einmal vertiefen. Gegebenenfalls gibt es eine eindeutigere Lösung. Dass es Faris war, ist nicht hinreichend.« Reiner Diekmann schaute auf seine binäre Uhr.

»Kommt dann der Polizist?«, fragte Ulrike Vogel.

»Wir müssen, Kolleginnen und Kollegen. Wir müssen«, rief Dr. Goedel, packte ihre Tasche und strebte zur Tür.

»Geht in Ordnung, Bettina, schreib du schon mal die Tafel voll.«

Alle lachten und griffen nach ihren Unterlagen.

»Wann willst du denn mit Zara sprechen«, fragte Susanne Behrend Ulrike Vogel. Sie waren auf dem Weg in ihre Klassen.

»Nachher frage ich sie, wann sie Zeit hat. Ich weiß gar nicht, ob sie den Zeitungsartikel gelesen hat? Was das alles werden soll.«

»Ich frage Lia nach dem Unterricht.«

»Mal sehen, was bei dem Gespräch zwischen Dr. Breitenbach und Faris rauskommt.«

»Und wie es überhaupt weitergeht. Möglicherweise stehen morgen schon Reporter vor dem Schultor.«

»Und wir haben wieder eine Dienstbesprechung.«

»Lass uns mal einen Kaffee zusammen trinken.«

Montagvormittag

»Piis leany. Ich bitte, einen Moment Zeit zu haben.«

»Was gibt's Faris?«

»Viel und wenig, nichts Genaues weiß man.«

»Hast du wieder einen Zeitungsartikel für mich?«

»Genau. Woher weißt du das? Hier, das Tagesecho von heute mit einem Artikel über unsere Ernteparty.«

»Danke, hab ich schon gelesen.«

»Aber lesen ist nicht alles, leany.«

»Nenn mich nicht leany. Wenn du mit mir reden möchtest, dann mit r-e-s-p-e-c-t.«

»Yo, geht in Ordnung, Sara, äh, Zara. Weißt du übrigens, dass dein Name arabisch ist und ‚schöne Blume' bedeutet?«

Aha, dachte Zara, das Blütenblatt. »Kann sein, aber darüber wolltest du doch nicht mit mir sprechen, oder?«

»Ich bewundere deinen scharfen Verstand, sista. Der Zeitungsartikel ...«

»Was ist mit dem?«

»Du hast ihn gelesen, aber hast du ihn auch verstanden?«

Zara verdrehte die Augen, schaute auf die Uhr und dachte über die arabische Bedeutung ihres Namens nach. Womöglich lag Lia mit ihrer Interpretation nicht so falsch. Faris ist verknallt in mich. Alles nur attitude, mixture aus Rap und orientalischer Männlichkeit. Das fehlte mir gerade noch. Nachher duellieren sich Alexander und Faris um mich.

»Warum lächelst du so tiefgründig?«

»Leg los, erklär mir die genauere Bedeutung von Okkultismus am Hermann-Hesse.«

»Okkult, lateinisch für geheim, verborgen. Du hast gesehen, wie ich mit dem Pressemann gesprochen habe. Nach dem Ereignis nahm er mich nochmal zur Seite.«

Jetzt wird es dramatisch, dachte Zara. »Ja?«

»Er wollte mich schon vorher aushören. Jetzt hakte er nach.«

»Aushorchen.«

»Aushorchen.«

Zara schaute erneut auf die Uhr. »Komm bitte auf den Punkt, Faris. Wir sind hier nicht bei Scheherazade.«

»Ich verneige mich vor deinem interkulturellen Bildungswissen. Immer direkt die deutschen Mädchen. Natürlich habe ich nichts gesagt; Schule ist ja kein öffentlicher Raum und Unterricht schon gar nicht.«

»Und?«

»Er wollte wissen, ob ich die Zahlen verstehen tue und das Blütenblatt.«

»Und, verstehst du beides?«

»Er wollte weiter wissen, ob ich Ahnung hätte, wer das getan haben könnte.«

»Und, hattest du eine Ahnung?«

»Am Ende wollte er wissen, was du so für ein Typ bist, ob du dich interessant machen willst und ob ich dir zutraue, dein eigenes Bild zu zerstören?«

»Und, traust du mir das zu?«

»Erst habe ich ihm gesagt, dass ich leider von Zahlenmystik keine Ahnung hätte, aber wenn der Kurs von Diekmann nicht zeitgleich mit unserem Kunstkurs gelegen hätte, und den Kunstkurs habe ich belegt, weil ich mich einmal auf andere Art und Weise kreativ ausdrücken wollte als immer nur über Rap, hätte ich den Kurs von Diekmann besucht und hätte ihm vielleicht deshalb heute eine Antwort darauf geben können. Dann habe ich ihm erklärt, dass ich in Biologie, besonders in Botanik, nie gut war, schon auf meiner Schule in Beirut nicht, dass ich aber erkannt habe, dass es sich bei dem Blütenblatt auf deinem Bild um ein Rosenblatt handelt. Zum Schluss habe ich ihm gesagt, dass ich sicher bin, auch wenn ich dich nicht sehr gut kenne, weil du ja erst seit Ostern auf Hermann bist, dass du dein Bild nicht selbst zerstört hast, und dass ich ebenfalls sicher bin, dazu reichte die Zeit seit Ostern aus, dass du dich nicht interessant machen willst – da hat er laut gelacht.«

»Warum?«

»Ich habe noch gesagt, du musst dich nicht interessant machen, denn du bist interessant. Dann ist er gegangen.«

»Und?«

»Und nun hat der Idiot das doch so geschrieben.«

»Tja, so ist die Presse eben. Die interviewen die Leute und drehen das dann so, wie es ihnen passt. Ich muss los.«

»Ich auch.«

Inzwischen

»Danke für dieses schöne Fest.

Danke für den kreativen Eklat.

Danke für den Zeitungsmann.

Danke für den Zahlensalat.

Danke für den Rosenspieß.

Und den Kuchen und Kaffee.

Mal ganz schwarz und mal au lait.

Und die ganze Philosophiererei.

War mit Begeisterung auch dabei.

Hermann wäre stolz auf uns.

Danke für den Okkultismus.

Führt zum Faschismus.

Okkultismus muss weg.

So habe ich es nicht gemeint.«

Die vier Jungen beendeten ihr Pinkelgespräch, knöpften sich die Hosenschlitze zu, öffneten die Wasserhähne der Waschbecken und spülten ordentlich die restlichen Urin-spritzer vom Porzellan.

Dienstagvormittag

»Guten Tag, Faris, kommen Sie doch bitte herein.« Dr. Breitenbach hielt dem Schüler die Tür seines Büros auf.

»Danke«, sagte Faris und setzte sich auf den angebotenen Stuhl.

»Darf ich Ihnen etwas zu trinken anbieten? Einen Kaffee oder ein Wasser?«

»Danke bestens, nein.«

Der Schulleiter setzte sich Faris gegenüber.

»Sie wissen, warum ich Sie hergebeten habe?«

»Noch weniger als das letzte Mal, Dr. Breitenbach.«

Der Schulleiter schmunzelte.

»Ich möchte gerne wissen, wie Sie sich an unserer Schule fühlen. Wie es Ihnen mit den Mitschülern und den Lehrerinnen und Lehrern geht.«

Was soll das denn jetzt, dachte Faris misstrauisch. Soll das wieder eine der üblichen pädagogischen Fallen des Schulleiters sein?

»Gut«, nickte er. »Mir geht es gut an der Hermann.«

»Sie haben überall gute Leistungen, in einigen Fächern überdurchschnittlich gute sogar.«

»Ich lerne gern.«

»Das freut mich zu hören. Was mich weniger freut zu hören, ist, dass Sie auf manche Ihrer Mitschüler aggressiv wirken.«

»Aggressiv? Ich?«, fragte Faris erstaunt. »Das muss ein Missverständnis sein.«

»Ein Missverständnis?«

»Ja, wie Sie selber schon sagten, Dr. Breitenbach. Ich wirke aggressiv, aber ich bin nicht aggressiv. Es ist die unterschiedliche Kultur, das andere Temperament, verstehen Sie. Da kann es viele Missverständnisse geben. Gegenseitig übrigens.«

»So, Sie wirken aggressiv, aber Sie sind nicht aggressiv«, wiederholte der Schulleiter.

»Genau.« Die battle kann beginnen, freute sich Faris innerlich.

Es entstand eine kleine Pause. Dr. Breitenbach und Faris musterten sich gegenseitig. Mittelbraune Chinos, ein dunkelblaues Hemd mit leicht hochgekrempelten Ärmeln und eine lose gebundene, blau-violette Seidenkrawatte – auf der einen Seite. Schwarze Hosen und ein weißes Hemd lose darüber – auf der anderen Seite.

»Sie verstehen also Wirkung im Sinne von Schein, Illusion, wie zum Beispiel in der Trompe-l'œil-Malerei?«

»Genau.«

»Aber Wirkung kann auch anders verstanden werden.«

»Genau.«

»Im Sinne von Sein, wie zum Beispiel in der Medizin; ein Medikament zeigt Wirkung.«

»Manchmal gibt es auch so Nebenwirkungen.«

»Auch Bilder haben eine Wirkung. Also, um auf Ihr Verhalten zurückzukommen, drücke ich mich folgendermaßen aus: Sie wirken nicht aggressiv, sondern Ihr aggressives Verhalten hat eine Wirkung, leider eine negative. Das ist Wirklichkeit. Das ist Dasein im Gegensatz zum Schein.«

»Ich sehe mein Sprechen oft eher wie eine surrealistische Kommunikation. Ich vermenge, angelehnt an André Breton, assoziativ sich eigentlich fremde Elemente. Das löst, ähnlich wie bei einer Bildbetrachtung, neue Seherfahrungen aus.

Und im Gespräch neue Hörerfahrungen. Das ist so die Herausforderung.«

Was soll das hier werden, überlegte der Schulleiter. Er schaute an Faris vorbei aus dem Fenster und betrachtete die Bäume, deren Blätter der Herbst berührte. Faris schaute am Schulleiter vorbei an die Wand und sah auf den Siebdruck *Marilyn Monroe* von Andy Warhol.

»Ach, Faris, das ist ja alles sehr aufschlussreich, wie Sie Kunst betrachten und benutzen. Aber es geht hier nicht um einen kunstimmanenten Diskurs, ob eine Person sich frei mit einem Bild und dessen Aussage beschäftigt, sondern dass eine Person unfrei sich einem Verhalten von Ihnen aussetzen muss und sich dadurch verletzt sieht.«

»Meinen Sie Freiheit als Grundbedürfnis oder als anthropologische Eigenschaft?«

Verdammt, es läuft aus dem Ruder. Ich muss gegensteuern.

»Wir sollten uns beide nicht auf eine philosophische Exkursion durch den Urwald des Begriffes Freiheit begeben. Die äußere negative Freiheit, für die zum Beispiel Aristoteles und Voltaire stehen, und die äußere positive Freiheit, etwa im Sinne von Spinoza sind ebenso interessant, wie die innere negative Freiheit eines Schopenhauers oder die innere positive Freiheit nach Kant. Welche Wege man auch beschreitet, alle enden sie bei der Verantwortung. Ob Sie, Faris, symbolisch, surreal oder real handeln, und sprechen ist auch handeln – John Langshaw Austin hat zum Beispiel darauf hingewiesen –, Sie müssen als eine einer sittlichen Handlung fähige Person Verantwortung übernehmen. Und ob man einen freien Willen hat, um Ihren möglichen Einwand vorwegzunehmen, können Sie im Unterricht mit Herrn Grundmann diskutieren.«

Der Mann redet zu viel, dachte Faris, genauso wie er uns früher in seinem Unterricht immer zutextete. Niemand hat ihn verstanden, aber alle haben so getan als ob. Das ist Wirklichkeit, Lan, aber das hast du nie mitgekriegt. Motherfucker.

»Ich bleibe bei meinen Missverständnissen, auch ohne mein Gesprächsverhalten künstlerisch zu überhöhen«, sagte Faris gelassen, lehnte sich zurück und verschränkte die Arme vor der Brust. Sein Mund bekam einen spöttischen Zug von Selbstsicherheit.

Dr. Breitenbach holte tief Luft. Er war froh, diesmal für das Gespräch mit Faris mehr Zeit eingeplant zu haben. Vorher hatte er sich ausführlich mit Ulrike Vogel ausgetauscht, über das Bild von Faris und seinen Äußerungen dazu, und die Kunstlehrerin hatte ihn mit Literatur über Symbolismus und Bréton versorgt. Und sein Gespräch mit Faris vor den Sommerferien und seine Erfahrungen mit ihm aus dem Philosophieunterricht halfen ihm zusätzlich, diese Situation zu steuern – glaubte er.

»Hm, ja, das verstehe ich. Können Sie mir dennoch ein Beispiel geben?«

Faris überlegte, schaute nach unten und verglich seine schwarzen Sneaker mit den dunkelbraunen Tod's Leder-Mokassins des Schulleiters. »Ich mache gern Wortspiele, Andeutigkeiten und so. Meistens in meinen Raptexten, aber auch so, manchmal, in Gesprächen untereinander. Die meisten verstehen mich und lachen.«

»Die meisten Jungen vermutlich.«

»Auch einige Mädchen.«

»Einige, und die anderen?«

»Manche von den anderen verstehen mich nicht.«

»Und das sind die Missverständnisse?«

»Nein, das sind die Übrigen. Also – einige Mädchen verstehen mich, einige verstehen mich nicht, und die übrigen verstehen mich falsch. Das sind die Missverständnisse.«

»Hm.« Der Schulleiter fand Faris' Antwort originell. Der Junge ist nicht nur ein guter Schüler, kreiert nicht nur außerordentliche Texte, wie ihm Dr. Goedel versichert hatte, er ist auch genial schlagfertig. Wollen mal sehen, wie diese battle weitergeht. Er schmunzelte innerlich, als er dieses Wort dachte. So weit ist es schon mit mir. Ich denke im Rapjargon.

»Herr Diekmann würde sagen, das kann man statisch vernachlässigen.«

»Es geht nicht um Statistik, sondern darum, dass sich einige Schülerinnen durch Sie verletzt fühlen. Manche sagen, Sie würden sie regelrecht mobben.«

»Mobben?« Faris erhob seine Stimme. »Mobben ist ein zu großes Wort für kleine Missverständnisse.«

»Das ist ein schwerer Vorwurf, ich weiß. Aber ich muss ihm nachgehen. Mobbing muss dem Schulamt gemeldet werden.«

Faris nickte verständnisvoll. Man sollte dem Schulamt ganz andere Sachen melden. Die sollten besser die Rocklänge von bitch Birdie messen.

»Und selbst wenn es nur einige Mädchen sind, jedes ist eins zu viel. Und bei unserem Anspruch an gewaltfreie Kommunikation sowieso.«

Gewaltfrei, dass ich nicht lache. Schule kann überhaupt nicht gewaltfrei sein. Das ist Wirklichkeit. Stupid.

»Wer behauptet denn, dass ich ihn mobbe?«, wollte Faris wissen.

»Das spielt im Augenblick keine Rolle, und ich hoffe, es wird auch zukünftig keine Rolle spielen. Deswegen spreche ich ja mit Ihnen.«

»Aber wenn ich nicht weiß, wer mich falsch versteht und sich deshalb gemobbt fühlt.«

»Faris, kommen Sie. Mir haben nicht nur einige Mädchen von Ihren sogenannten Missverständnissen berichtet, im Kollegium gibt es ebenfalls vergleichbare Erfahrungen mit Ihnen. Zwar nicht Mobbing, das wäre zu hoch gegriffen, aber doch mit einem Verhalten, das nicht zu dulden ist.«

»Ich weiß nicht, was Sie meinen.« Bestimmt hat sich bitch Birdie beschwert.

»Ich glaube, Sie wissen schon, was ich meine. Vor den Ferien hatten wir beide ein Gespräch über Ihre grenzwertigen oder grenzüberschreitenden Raptexte.«

»So muss Rap sein: Grenzen überwindend. Habe ich Ihnen ja ausführlich erklärt. Ein Manifest gegen die Gewöhnlichkeit.«

»Ja, auf der Bühne. Aber nicht in der Schule. Ich dulde nicht, um es deutlich zu sagen, weder in Raptexten auf Schulveranstaltungen, noch in Ihrem Verhalten den Mitschülern, Lehrerinnen und Lehrern gegenüber, dass eine verletzende Sprache benutzt wird. Von Handlungen ganz zu schweigen. Kein Dissen.«

»Ja.« Faris hatte Mühe, sein Lachen zurückzuhalten. Wenn der Schulleiter schon Hip-Hop spricht, muss ich mir was Neues einfallen lassen.

»Mich interessiert noch, wie Sie Ihr Bild verstehen.«

Oh, dachte Faris, das ist ein schneller Taktikwechsel. Achtung! Schleimnummer! Lehrer möchte Schüler besser verstehen. »Ach ja, die Kunst ...« Faris schob die Unterlippe vor und nickte.

»Und Ihr Text dazu: Opfer, Sehnsucht, Kampf – auf Englisch, Französisch und Arabisch.«

»Was Sie alles wissen möchten. Unterliegt das nicht dem Datenschutz? Also, in der Mitte des Bildes ist eine Zeder. Sie symbolisiert im Libanon Frieden und Einigkeit. Für die Sonne habe ich Weiß und Rot benutzt, das sind die Farben unserer Nationalflagge.«

»Weiß ist der Schnee auf den Berggipfeln des Libanon-Gebirges, nicht wahr?«

»Im Winter. Rot steht für das Blut der Märtyrer.«

»Und der Text?«

»Die Mehrsprachigkeit lehnt sich an die vielen Sprachen im Libanon an. Wir Libanesen switchen oft mitten im Satz vom Arabischen ins Englische oder Französische.«

»Und die Worte: Opfer, Sehnsucht und Kampf?«

»Hm.«

»Fühlen Sie sich als Opfer, haben Sie Sehnsucht nach Ihrer Heimat und wollen dafür in Lohneburg kämpfen?«

»Respect, Herr Dr. Breitenbach. Respect. Eine tiefgründige Interpretation.« Was für ein Scheiß du redest, Lan. »Aber wie das bei Kunst häufig so ist ... Haben Sie mal das Bild von Zara Völkel gesehen und den Text dazu gelesen? Ich habe gehört, was der Pressemann dazu gesagt hat.«

Der Schulleiter betrachtete seine Fingernägel. An Roeder vom Tagesecho durfte er momentan gar nicht denken. Der Reporter bereitete ihm große Bauchschmerzen. »Und, was sagte er?«

»Er würde zwar improvisieren ...«

»Ja.«

»Das Amerikanische würde auf das Asiatische treffen. Also die Lyrics der Doors auf Vogel und Blütenzweig. Die Kultur der Amis würde die Kultur der Asiaten unterdrücken. Und jetzt kommt es grandios: die USA bombardieren Vietnam. Da staunen Sie, oder?«

»Ich staune, in der Tat.« Dr. Breitenbach nickte und tippte seinen Zeigefinger gegen das Kinn. Roeder muss ich im Auge behalten. Der hat zu viel Fantasie.

»Also, Kunst ist sowas von vielseitig. Jeder sieht, was er sehen möchte«, sagte Faris leicht theatralisch.

»Nun, die völlige Subjektivität sehe ich nicht. Einen gewissen Spielraum schon. Die meisten interpretieren etwas in ein Bild hinein. Interpretation heißt jedoch Ausdeuten von Kunst. Es ist informativ, was der Reporter zu Zara Völkels Bild gesagt hat. Aber wie würden Sie denn das Bild Ihrer Mitschülerin deuten, vor allem die Veränderung, die es erfahren hat.« Der Schulleiter freute sich innerlich, unverfänglich endlich den Punkt ansprechen zu können, der der Grund seines Gesprächs mit Faris war: die Bildzerstörung.

»Wenn man davon ausgeht, dass in jedem Kunstwerk etwas Biografisches steckt, der Pressemann hatte danach gesucht, würde ich sagen, dass Zara, die ja dünn, äh, zart konstruiert ist, nicht zufällig diesen japanischen Malstil zum Vorbild genommen hat. In ihrer Familie, also ihr Vater dichtete japanisch.«

»Und die englischen Wortfragmente aus Songs der Doors?«

»Das Angebot des Pressemanns hat etwas für sich, finde ich. Aber ich bleibe beim Biografischen.« Er senkte seine Stimme und beugte sich leicht vor. »Zara ist selbstmordgefährdet.« Er lehnte sich wieder zurück und nickte wissend.

»Wie kommen Sie denn darauf?«

»This is the end ... of our elaborate plans ... no safety ... laughter and soft lies ...«

»Ich weiß nicht. Vielleicht will sie nur einen starken Kontrast kreieren.«

»Wie Sie meinen. Wir haben schon vorher im Kurs darüber spekuliert, einige von uns, die sehen das so.«

Dem Schulleiter wurde das Gespräch zu persönlich. Ich muss unbedingt mit Ulrike Vogel über Zara sprechen. Erst Lia und ihre hysterische Mutter. Jetzt Zara. Zwei Suizidversuche innerhalb weniger Monate. Und Roeder lauert hinter jeder Ecke für eine Schlagzeile. »Und die Veränderung des Bildes?«

»Sie meinen das Blütenblatt?«

»Das auch, sowie die Zahlen und die rot markierten Stellen in Zaras Text.«

»Ich müsste improvisieren.«

»Manchmal ist das die einzige Möglichkeit auf der Suche nach Wahrheit.«

»Nun, der rot unterstrichene Satz, ich weiß nicht mehr genau, wie er lautet, wird in seiner Aussage entweder betont, so als Lesehilfe, oder, wenn man enger schulisch denkt, als fragwürdig, falsch gesehen. Lehrer benutzen rote Tinte für ihre Anmerkungen. Zu den Zahlen kann ich nichts sagen, aber bestimmt Herr Diekmann, der bietet einen Kurs an, in dem es um Zahlen geht. Haben Sie auf dem Erntedank die Station des Kurses gesehen? Diese kabbalistischen Formeln. Okay, und das Blütenblatt – Zaras Name bedeutet auf Arabisch ‚schöne Blume‘. Ich glaube, Alexander aus der Parallel flirtet Zara. Ende der Improvisation.«

»Danke, Faris. Kunstdeutung ist eine Kunst. Politisch, biografisch, psychologisch und so weiter. Aber ich möchte noch gerne wissen, wie Sie Ihren Bildtext verstanden haben möchten.«

»Die drei Wörter sind Angebote. Schüler sehen sich manchmal als Opfer der Lehrer. Hermann Hesse hat als Schüler gelitten und ist aus seiner Klosterschule geflohen. Es kann auch ein Hinweis auf die vielen Märtyrer der beiden Kriege im Libanon sein, oder der Rabi' el Arz, der Révolution du Cèdre vor einigen Jahren.«

Sie schwiegen einen Moment.

»Kampf. Hermann Hesse hat für Frieden gekämpft. Und irgendwie ist das ganze Leben ein einziger Kampf. In der Schule der Kampf um gute Zensuren, in der Gesellschaft der Kampf um einen guten Arbeitsplatz, eine gute Position. Auch in meiner Heimat wird gekämpft, solange ich denken kann. Und ein Ende ist nicht zu sehen.«

»Und die Sehnsucht?«

»Wer hat sie nicht, Dr. Breitenbach. Nach irgendetwas sehnen wir uns doch alle. Nicht zuletzt nach Anerkennung und Liebe.«

Der Schulleiter stand auf, Faris ebenfalls.

»Es war für mich interessant, Ihnen zuzuhören, Faris. Das letzte Mal endete unser Gespräch mit meinem Hinweis auf den Verstand. Heute endet unser Gespräch mit Ihrem Hinweis auf die Liebe. Dabei sollten wir es belassen. Danke.«

»Ja, danke.«

Mittwochmittag

Sie waren im Kunstraum unter dem Dach verabredet, um ungestört reden zu können.

»Bei dir sieht es immer wunderbar chaotisch aus«, sagte Susanne Behrend und begrüßte Ulrike Vogel mit Wangenküsschen.

»Ja, aufräumen hat im Kunstraum wenig Sinn. Die Materialien müssen schon in Ordnung sein, Pinsel gewaschen, Farbtuben geschlossen und so. Aber sonst ...«

»Inspirierend eben.« Sie lachten sich an.

»Na ja. Komm, setz dich hierauf, das ist einer der wenigen sauberen Stühle. Nicht, dass Farbe an deine Kleidung kommt. Steht dir übrigens gut, die weite grüne Hose und das blaue Top.«

»Danke. Und, passen meine neuen roten Sandalen dazu?« Sie streckte einen Fuß vor.

»Absolut. Du hast einen ausgezeichneten Geschmack, Kollegin«, lachte die Kunstlehrerin.

»Thank you, but you too«, lachte die Englischlehrerin zurück.

»Magst du einen Kaffee? Es gibt aber nur Nescafé. Cappuccino müsstest du dir unten aus dem Lehrerzimmer holen.«

»Danke, Nescafé ist in Ordnung.«

Ulrike stellte den Wasserkocher an und füllte zwei Tassen mit Kaffeepulver. »Milch oder Zucker?«

»Weder noch. Tja, unsere beiden Problemmädchen Zara und Lia«, begann Susanne, »etwas zu dünn und etwas zu dick. Jungen sind da einfacher, oder?«

»Sie sind anders schwierig. Faris zum Beispiel. Du glaubst gar nicht, wie der mich neulich im Unterricht vor der ganzen Klasse angegriffen hat. Aber lassen wir das. Meine Erfahrung ist, dass das Verhalten von Jungen eher akzeptiert wird, das ist eben die typisch männliche Aggressivität. Und die Mädchen sind still, das wird auch akzeptiert. Sie sind aggressiv nach innen, dabei wird häufig übersehen ...«

»Aber das ist doch heute nicht mehr so. Selbst in unserem Jugendfreizeitheim gibt es Mädchengruppen.«

»Es sollte Jungengruppen geben, neue Männer braucht das Land. Und mehr Männer in der Pädagogik, rein in die Kitas! Das ist wichtiger als Frauen in die Aufsichtsräte.«

Beide lachten.

»Stört es dich, wenn ich rauche«, fragte Ulrike. »Ab und zu ist mir danach. Aufhören ist nicht so einfach, wie ich dachte. Hast du mal geraucht?«

»Nein, passt schon. Als Jugendliche, die übliche Ich-will-dabei-sein-Attitüde. Aber so richtig geraucht habe ich nie.«

»Sei froh. Ich hab zu lange geraucht. Zigaretten, später an der Kunstschule Hasch. Meine wilde Phase eben.«

»Und billigen Rotwein.«

»Genau. Wie es das Künstlerklischee verlangte.«

»Und heute sind wir bei teurem Rotwein angekommen und Café Latte.« Sie zeigte lächelnd auf die Dose Nescafé.

Ulrike steckte sich eine Zigarette an, zog kurz daran und legte sie auf einer Untertasse ab. »Erzähl mal, wie verlief dein Gespräch mit Lia?«

»Ich hatte im Dienstgespräch spontan zugesagt, mit Lia zu reden. Aber schon im Auto zweifelte ich, warum ich mir das antue. Lias Vater hatte mich in den Sommerferien genervt, und ich bin keine Psychologin. Meinen Helferkomplex kann ich bestens bei meinen alten Eltern ausleben. Schule, Eltern, keine Liebe, keine Zärtlichkeiten. Das ist auf Dauer ungesund.«

Die Kunstlehrerin stellte die beiden Tassen auf den Tisch und verrührte das Kaffeepulver. Sie dachte kurz über ihren Helferkomplex und die Liebe nach. Ihre Eltern waren gesund und lebten in einer anderen Stadt. Und dass sie alleine lebte, störte sie überhaupt nicht. Die letzte Beziehung hatte sie nur runtergezogen.

»Ich muss sehen, dass ich da wieder rauskomme. Lehrer sollten nicht Therapeuten spielen. Wir sollten zuhören und dann Adressen verteilen.« Susanne nippte am heißen Kaffee.

»Lia bekommt doch bestimmt professionelle Hilfe nach dem Klinikaufenthalt.«

»Wie dem auch sei. Ich nahm mir Lia zur Seite, knüpfte an unser Gespräch von vor den Sommerferien an, zeigte Interesse, sprach von meinen Sorgen um sie und verabredete mich wieder in der Bäckerei. Lia mochte die Sommertörtchen so. Leider gab es sie nicht mehr. Und du?«

»Zara ist ja recht spröde. Einerseits selbstbewusst bis in die Haarspitzen, andererseits empfindlich wie ...« Sie suchte kurz vergeblich nach einem treffenden Vergleich. »Ich plante den Zugang über ihr Bild, hatte vorher etwas zu Sumi-E-Technik recherchiert und über Zaras Japangehabe nachgedacht. Wir haben uns im Park an der Burg getroffen. Ich habe nicht lange drumherum geredet, damit sie nicht misstrauisch wird. Habe vom Dienstgespräch berichtet. Es war kein Geheimnis für die Schüler, dass wir uns nach dem Eklat auf dem Erntedankfest gleich am Sonntag getroffen hatten. Ohne Namen zu nennen, habe ich von diversen Vermutungen berichtet, die mit der Bildzerstörung zusammenhängen könnten. An der Zahlenmystik war Zara sehr interessiert.«

»Und Grundmanns Deutung des Blütenblatts? Wie hat sie das Hymen aufgenommen?«, kicherte Susanne.

»Gelassen. Abgeklärt. Das erstaunte mich. Entweder ist sie so cool, schauspielert gut oder wusste Bescheid.«

»Bescheid? Woher denn?«

Ulrike wollte ihrer Kollegin nichts davon sagen, dass sie mit Cindy vertraulich gesprochen hatte. Das könnte nur falsch verstanden werden. Manche Lehrerinnen geben mit ihren guten Kontakten zu den Mädchen an und es entsteht Neid.

»Weiß ich nicht. Aber Lehrergespräche bleiben nicht immer Lehrergespräche. Ist aber egal. Ich fragte, wie es ihr mit der Bildzerstörung gehe. Da sagte sie mir, sie sehe das gar nicht als Zerstörung, sondern als Kommunikation, als battle.«

»Battle? Vergiss deine Zigarette nicht.« Susanne nickte in Richtung Untertasse, wo sich die Asche einer halben Zigarette häufte.

»Danke. Manchmal nehme ich nur einen Zug und dann dämmert sie glimmend vor sich hin.« Die Kunstlehrerin drückte den Zigarettenrest aus. »Battle ist Hip-Hop-Sprache. Eine battle hatte Zara vor den Ferien mit Faris. Man bekämpft sich künstlerisch. Mal mit Worten und Musik und neulich mit Filzer und Blütenblatt.«

»Wie? Dafür hocken wir sonntags im Lehrerzimmer und spekulieren ungeahnte Verschwörungstheorien?« Sie nahm hastig einen Schluck Kaffee. »Und alles ist nur eine battle?

Und Dr. Breitenbach gerät in Panik und sieht die Schule vom Tagesecho in den Dreck gezogen? Ich glaub's nicht.«

»Er sieht das in einem größeren Zusammenhang. Und außerdem ist das nur Zaras Ansicht.«

»Eben, wenn nicht mal Zara daran etwas verdächtig findet, wieso dann wir? Eine battle. Früher hätte man das einen Schülerstreich genannt. Und das soll ein Risiko für den Ruf unserer Schule sein? Man muss es dem Tagesecho doch nur richtig vermitteln. Schülerstreiche, so alt wie die Schule selbst.« Sie schüttelte unverständlich den Kopf.

»Und hast du von Lia etwas über die Muslima herausgefunden?«

»Völlig unspektakulär«, sagte die Englischlehrerin. »Es ist eine Bekannte von ihr, der sie mal die Schule zeigen wollte. Und da fand sie das Erntedankfest geeignet. Macht Sinn, oder? Ich glaube, der Verdacht, dass dieses Kopftuchmädchen etwas mit der Bildzerstörung zu tun haben könnte, hat sich erledigt.«

»Hm. Und wie geht's Lia sonst so?«

»Sie machte auf mich einen etwas ruhigeren Eindruck als im Sommer. Aber das ist verständlich. Klinik, Therapie, nicht mehr so heiß.«

»Hoffentlich bleibt das so. Es wäre zu schön, wenn Lia wieder an ihre alten Leistungen anknüpfen könnte und gut durchs Abitur kommen würde.«

»Ich bin nicht so optimistisch. Ihre Familiensituation ist nach wie vor fragil. Sie erzählte zwar nichts ausführlicher, aber ich bin sicher, es belastet sie schon, dass ihre Mutter ein Baby bekommt und ihr Vater anscheinend eine polnische Freundin hat, die im Hasenstall bedient. Kennst du den Laden?«

»Ich komme ab und zu daran vorbei, wenn ich zur Bank muss. Scheint nachgefragt zu sein, besonders mittags.«

»Und in der Schule – glaubst du ehrlich, die Schüler hören auf, sie zu mobben?«

»Nein, glaube ich nicht. Das ist ja das Verrückte. Auch am ersten Gymnasium einer Kleinstadt kann gemobbt werden. Es gab sogar Amokläufe an kleinstädtischen Schulen. Und unser Selbstverständnis nach gewaltfreier Kommunikation, na ja, im Schulprofil macht es sich gut, und für das Sponsoring. Womöglich bringt es etwas für die Kommunikation zwischen den Schülern, das meiste bekommen wir sowieso nicht mit. Und selbst im Unterricht … Hast du etwas Zeit, dann würde ich dir von der Situation neulich im Kunstkurs mit Faris erzählen und gern wissen, was du davon hältst?«

»Ja, ich habe Zeit. Erzähl.«

Ulrike trank ihren lauwarmen Kaffee zu Ende. Vielleicht fände sie bei Susanne mehr Verständnis für ihre Probleme mit Faris. Bettina und Jürgen hatten ihn zum verkannten Künstler mit Migrationshintergrund hochstilisiert. Lächerlich.

Nun, da sie sich an die Kunststunde erinnerte, zitterten ihre Nasenflügel.

»Die Schüler präsentierten ihre Arbeiten. Es war ein lebendiger Austausch. Ich lasse viel laufen und kommentiere nur ab und zu, sonst wäre ich zu dominant. Das Thema war Kunst als Selbstausdruck.«

»Klingt recht anspruchsvoll.«

»Könnte man meinen. Aber die Schüler haben das gut umgesetzt, manche sehr gut sogar. Du hast die Bilder ja gesehen.«

»Ja. Außergewöhnliche Ergebnisse.«

»Und Faris, ich kann ihn nicht einordnen. Einerseits ist er sprachbegabt, und das in einer für ihn doch fremden Sprache. Andererseits dieses ewige Machogehabe, aggressiv teilweise. Sexistisch und verletzend gegenüber Zara und Lia, und Cindy. Wo die anderen lästern, geht er immer einen Schritt weiter. Dann benutzte Zara einen Begriff, den ich nicht verstanden habe – emanzipatorische Fluktuationskonzeption –, und Faris war nicht mehr zu halten. Er sprang auf, rief scheiße, schrie Zara an, sie verarsche uns. Zara blieb bewundernswert ruhig, ein tolles Mädchen. Ich habe dann etwas Allgemeines zu Kunst und Selbstausdruck gesagt und gehofft, damit die Situation zu beruhigen. Faris setzte noch einen drauf, widersprach mir, womit ich normalerweise keine Probleme habe, aber die Art und Weise.« Sie stutzte einen Moment. »Jetzt, wo ich mit dir darüber spreche, wird es mir klar. Er stand und sprach fest und deutlich und selbstbewusst, fast überheblich. Eine battle, er kämpfte mit mir. Das ist es. Er war innerlich auf einer Bühne und rappte gegen mich. So war es. Wie in der Aula vor den Sommerferien. Die Kursteilnehmer waren seine Zuschauer und ich war seine Gegnerin. Jürgen meinte neulich, es sei eine battle freestyle zwischen Faris und Zara gewesen. Falsch! Es war ein Kampf zwischen Faris und mir.«

»Aber wieso sollte er gegen dich kämpfen. Und überhaupt: kämpfen, Ulrike. Deutest du da nicht etwas zu viel hinein. In ein zwar aggressives, aber, besonders für einen arabischen Jungen, doch normales Verhalten?«

Ulrike zögerte kurz. »Glaube ich nicht. Du müsstest sehen, wie er mich manchmal ansieht. Ich sage nur: Frauenbild.«

»Und warum gerade du?« Susannes Finger spielten am Henkel des Kaffeebechers.

170

»Weiß ich nicht. Wie ist er denn bei dir?«

»Auffällig ohne zu stören.«

»Vielleicht sollten wir Frauen uns darüber einmal austauschen.« Die Idee verschwand so schnell, wie sie gekommen war. »Aber ich sehe schon die Bedenken: Diskriminierung, Ruf der Schule und so weiter. Vergiss es! Am Ende des Tages ist jeder alleine vor der Klasse.« Sie musterte den Boden der leeren Tasse.

Susanne stimmte ihrer Kollegin innerlich zu. »Und, bist du auf den Begriff von Zara eingegangen, obwohl du ihn nicht verstanden hast. War doch genial von ihr, oder?«

»Sagte Jürgen auch. Zara sei eine geniale Fluxuskünstlerin. Diesen Begriff könne man sich nicht spontan ausdenken. Ich glaube, Zara kann das. Sie ist verbal ähnlich kreativ wie Faris und hat mindestens so viel Selbstbewusstsein wie er.«

»Und, hast du etwas zu diesem Begriff gesagt?«, hakte Susanne nach. Ihr war es egal, ob Zara Wörter erfindet oder sonst woher hat.

»Ich weiß nicht mehr genau, was ich gesagt habe; intuitiv etwas über die Emanzipation in der Malerei. Am Ende war ich erleichtert, als ich die Klingel hörte und die Schüler endlich abhauten. Danach war mir schlecht und ich war froh, keinen Unterricht mehr zu haben. Zu Hause habe ich dann zu viel Rotwein getrunken.«

Susanne stand auf, hockte sich vor ihre Kollegin, nahm sanft Ulrikes Gesicht zwischen ihre Hände und küsste sie sanft auf die Nasenspitze.

Ulrike begann still zu weinen.

Inzwischen

Die Redaktion des Tagesechos befand sich in einem schmucklosen Funktionsbau aus der Nachkriegszeit in der Nähe der Fußgängerzone. Über zwei Stockwerke waren die Büroräume verteilt. Klaus Roeder und sein Kollege brüteten vor ihren Bildschirmen in einem Raum, der vollgestellt war mit zwei Schreibtischen, vielen Regalen und Ablageflächen.

Roeder hatte alles herausgesucht, was in den letzten beiden Jahren über das Hermann-Hesse-Gymnasium in der Zeitung veröffentlicht worden war, hatte sich die Polizeihinweise dieses Jahres über Brände und Ähnliches geben lassen und versuchte sich ein klares Bild zu machen von den Vorgängen an der Schule und den für ihn wichtigsten Personen.

Zeitung:
Artikel letztes Jahr: Abiturientenball, Sommersportfest, Erntedankfest.
Artikel dieses Jahr: Abiturientenball, Basketball HHG – SSO, Sommersportfest, Erntedankfest.

Polizei:
Hausflurbrand in der Goethestraße; Ursache Brandstiftung Kinderwagen, Täter unbekannt.
Schwelbrand im HHG; Ursache Brandstiftung, Täter unbekannt.

Sonstiges:

Erntedankfest: Schüler F. spricht beide Brände an und macht Bemerkung, ob mehr passieren müsste. Anonymer Telefonanruf. Wer und warum.

Schülerin L.: Suizidversuch (?) wegen Mobbing (?).

Schülerin Z.: Bild wird zerstört.

Weiteres Vorgehen:

Suizid prüfen / Klinik / Brände nachhaken / F. ist eitel – abschöpfen / Z. ist dünn und eingebildet – Familienhintergrund checken, Umzugsgrund / Schülerumfeld beobachten – Café Cebra.

Donnerstagnachmittag

Cindys Mutter war noch in Nigeria, ihr Vater in seinem Büro und ihre beiden Geschwister in der Uni. So begrüßte niemand aus der Familie Schröder Zara, deren Name in diesem Haus schon so oft genannt worden war.

Beide Mädchen standen in der Küche und Cindy bereitete zwei Tassen Espresso vor. Auf ein kleines schwarzes Lacktablett stellte sie einen Teller mit Schokoladenteilchen, zwei Gläser Wasser, ein Schnapsglas voller Zuckerschläuche aus dem Waldorf Astoria New York und zwei kleine silberne Kaffeelöffel aus dem selben Hotel. Als sie Zaras Blick auf das Tablett bemerkte, nahm sie alles runter, sodass die stilisierten Vögel und Wolken zu erkennen waren. »Ich kann mir vorstellen, dass es dir gefällt; bei deiner Vorliebe für Asien. Das ist Chinesisch, nichts Wertvolles, das haben meine Eltern einmal aus Hongkong mitgebracht.«

»Hübsch, diese Rotlackmalerei auf dem schwarzen Lack. Ja, es gefällt mir.«

Zara folgte Cindy in den ersten Stock.

Das Zimmer war groß und hell, die hohen Fenster ließen viel Licht hinein. Zwei verblichene Korbstühle waren in einem Erker stilvoll in Szene gesetzt. Ansonsten wirkten der bemalte Bauernschrank, das weiß lasierte Bett, der Schreibtisch mit seiner Glasplatte auf zwei Bisley-Elementen, das weiße Billy-Regal, der kleine Couchtisch aus den Fünfzigerjahren, die maurischen Sitzkissen und der ziegelrote Abadeh-Teppich lässig zusammengewürfelt. Kein Mädchen-

174

Rosa. Hellblau nahm eine ganze Wand ein in dem sonst weißen Raum. Keine Pferdeposter verrieten Cindys Leidenschaft für das Reiten. An den Wänden hingen drei gerahmte farbige Druckgrafiken von Ernst Ludwig Kirchner; sie zeigten empfindsam zarte Landschaften. Cindy stellte das Tablett auf den Couchtisch und beide setzten sich auf die maurischen Sitzkissen.

»In knapp zwei Jahren ist die Schule endlich vorbei«, sagte Cindy und schlürfte kurz von ihrem Espresso.

»Und ich muss mich nicht mehr mit Idioten herumschlagen.« Zara nahm einen Schluck Wasser.

»Ja, manchmal sind die Mitschüler anstrengend. Aber ich habe mich daran gewöhnt.« Cindy verrührte etwas Zucker.

»Ich werde mich nie an Idioten gewöhnen. Ich finde, das sollte man nicht machen.« Zara sog den Espresso förmlich aus der Tasse.

»Jeder setzt eben andere Schwerpunkte in seinem Leben.«

»Und, wie schwer sind deine Punkte«, fragte Zara leicht überheblich.

Cindy ließ sich nicht aus der Ruhe bringen. Ihr war die feine Arroganz von Zara inzwischen vertraut. Sie mochte das. »Schule weiter mit guten Noten, Dressurtraining mit neuem Pferd. Meine Mutter kauft mir ein echtes Dressurpferd, stell dir vor. Im nächsten Jahr Schüleraustausch in New York, da kommst du mich besuchen. Natürlich nur, wenn du möchtest. Abitur mit guten Durchschnitt. Studium in England, Oxford oder Cambridge vielleicht, muss aber nicht sein.«

Oxford oder Cambridge vielleicht, muss aber nicht sein. Deine Pläne sind so spießig wie dein Name. Studier doch im Buckingham Palace. Natürlich nur, wenn du möchtest. Ich scheiß auf New York. Und diese dämlichen Kaffeelöffelchen. Geklaut, um später anzugeben.

»Und du?«, unterbrach Cindy Zaras Gedanken.

»Ich habe keine Pläne, die Gelegenheit ist mein Plan.«

»Ich könnte nicht so leben.«

»Lohneburg durchstehen und dann weg.«

»Und wohin?«

»Hauptsache weg.«

»Ich muss immer alles genau planen.«

»Pläne, Träume – und plötzlich eine Biegung im Weg. Nathan Zach«, zitierte Zara und dachte, von wegen ich, bei euch plant doch alles deine Mutter. »Okay, wie sieht die Gegenwart aus? Zukunft ist nicht alles.« Zara schlürfte laut ihre Tasse leer und krachte sie auf die Untertasse. »In der Situation, in der du jetzt bist, ist Wahrheit zu finden – oder gar nicht.«

»Ist das japanische Philosophie?«, fragte Cindy angedeutet ernsthaft.

»Ist meine Erfahrung.«

Angeberin, dachte Cindy. Wenn du wüsstest, wie gekünstelt du manchmal wirkst, so strapazierend aufgesetzt.

»Also, ich habe mit Ulrike Vogel gesprochen, über unsere Bilder, wie es so weitergeht im Kunstkurs. Wir könnten unsere Bilder in der Sparkasse aufhängen, stell dir vor. Das wäre super. Und jemand würde sie kaufen.« Sie strahlte Zara an. »Wir haben auch über die Zerstörung deines Bildes auf dem Erntedank gesprochen und überlegt, was die Zahlen und das Blütenblatt bedeuten könnten.«

»Und? Was könnten sie so bedeuten?«, fragte Zara lakonisch.

»Zu den Zahlen, also die Lehrer hatten ein Dienstgespräch. Stell dir vor, noch am Sonntag. Die Ärmsten, so ernst nehmen sie die Sache. Also, aber das muss jetzt absolut unter uns bleiben.«

»Wofür hältst du mich denn?« Zara reagierte leicht entrüstet.

»Ich sag ja nur, weil Frau Vogel mir das so anvertraut hat. Ich glaube, sie wollte mir, also uns damit helfen. So indirekt. Sie ist nett, finde ich.«

»Schon gut. Was bedeuten die Zahlen?«

»Diekmann hat sich im Dienstgespräch dazu geäußert, aber Frau Vogel hat das nicht verstanden, jedenfalls nicht die Einzelheiten. Aber so allgemein, meinte sie, dass die Zahlen auch Wörter sind, und die Zahlen auf deinem Bild, also die Wörter etwas über Tugenden von Gott aussagen, und es ging immer um Strafe, Rache und so.«

»Ich sollte bestraft werden?« Zara riss die Augen auf.

»Ich weiß nicht, ob man das so direkt sagen kann.«

»Ich sage es aber so direkt. Ich frage Diekmann nochmal selber. Gottes Strafe, das gibt's doch nicht. Sollte in Lohneburg nicht nur die Burg aus dem Mittelalter stammen?«

»Auf keinen Fall, Zara. Ich musste Ulrike Vogel hoch und heilig versprechen, nichts davon weiterzusagen. Sie vertraut mir, verstehst du. Ich muss mich auf dich verlassen können.«

»Ist ja gut.«

»Außerdem ist das arabische Zahlenmystik, hat Diekmann gesagt. Nichts mit Mittelalter.«

»Es geht um das Bewusstsein, meine Liebe, mittelalterliches Bewusstsein.«

Cindy nickte, verstand aber nichts.

»Schon gut, ich verrate deine Ulrike Vogel nicht. Ich frage Diekmann als Kursleiter. Ist doch naheliegend, oder?«

»Meinetwegen.«

»Und, hat deine Ulrike auch für das Rosenblatt eine Interpretation parat?«

»Hör doch auf, von meiner Ulrike zu sprechen. Also – das ist jetzt intim.«

»Intim?«

»Im Dienstgespräch hat sich Grundmann dazu geäußert. Er sagte …«

»Mach es doch nicht so dramatisch. Was soll denn an einem Rosenblatt intim sein. Lia meinte, Faris sei in mich verknallt und würde das auf diese Art zeigen.«

Cindy kicherte. »Das ist auch eine Interpretationsmöglichkeit.«

»Und was sagte Ulrike Vogel, was Richard Grundmann intim sagte?«

»Er sagte etwas von Hymen.«

»Wie bitte?« Zara schnappte nach Luft.

»Von Jungfernhäutchen.«

»Ich weiß, was Hymen heißt«, entgegnete sie gereizt.

»Das aufgespießte Blütenblatt sei ein Symbol für ein durchstoßendes Jungfernhäutchen.« Jetzt ist es raus, dachte Cindy erleichtert. Sie griff zur Espressotasse, merkte, dass sie ausgetrunken war, und schüttete dann das Glas Wasser in sich hinein.

Zaras Lachen rollte von den Füßen bis zum Mund und schoss heraus wie ein Wasserstrahl. »Ein beschissenes Rosenblatt soll … Nein, ich krieg mich nicht mehr ein«, prustete sie und sprang auf. »Glaubt der das wirklich? Und die Vogel?! Und das ganze Kollegium?! Und der Schulleiter?! Und die Sekretärin?! Und der Hausmeister?! Und die Putzfrau?! Ein durchstoßendes Jungfernhäutchen. Ich glaube, ich ziehe doch früher aus Lohneburg weg.« Sie tigerte laut lachend in Cindys Zimmer auf und ab.

»Beruhige dich doch.« Cindy war das alles peinlich. Nicht, dass sie prüde war. Aber schon als Ulrike Vogel von Hymen sprach, fühlte sie sich unwohl. Und als es dann noch weiter ging und jetzt im Gespräch mit Zara. Sie waren zwar miteinander befreundet, glaubte sie jedenfalls. Aber so vertraut waren sie auch wieder nicht. Vielleicht ist es nur Sympathie auf Widerruf. Und regt sich Zara so auf, weil sie noch Jungfrau ist? Aber sie wollte doch wissen, was dieses blöde Blütenblatt bedeuten könnte. Da kann ich doch nichts für, wenn die Lehrer so viel Fantasie haben.

»Setz dich doch wieder hin. Möchtest du noch einen Espresso?«

»Ich sage dir eins.« Zara riss den Stuhl zu sich heran, stützte sich mit beiden Händen auf die Lehne und beugte sich zu Cindy. »Ich werde herausfinden, was die Zahlen bedeuten, ich werde herausfinden, was das Rosenblatt bedeutet, ich werde herausfinden, wer das getan hat, und dann werde ich …« Sie setzte sich theatralisch auf den Stuhl zurück, steckte sich die verrutschten roten Locken mit einem Bleistift hoch. »Ja gerne, noch einen Espresso; einen doppelten bitte.«

Cindy, froh über diesen raschen Stimmungswechsel, flüchtete in die Küche.

Zara stand auf und schaute in den gepflegten Garten der Schröders. Sollte ich bestraft werden oder kommt die Strafe noch. War die Zerstörung des Bildes bereits Gottes Strafe oder werde ich seinen Zorn später zu spüren bekommen? Wer hätte gedacht, dass in diesem kleinen Lohneburg so viele Geheimnisse warten. Meine Mutter wühlt in der Erde und fördert das alte Lohneburg zutage, und ich wühle in den tiefsten Windungen kranker Gehirne meiner Mitschüler am Hesse. Und was finde ich?

Cindy kam zurück mit zwei Espresso.

»Einen schönen Garten habt ihr, da kann man den Sommer bestimmt aushalten. Auf der Terrasse oder unter den Bäumen dahinten. Und alles so gepflegt. Englischer Rasen?«

»Ja, das stimmt. Der Gärtner hat viel Arbeit. Früher nutzten wir den Garten mehr gemeinsam. Jetzt lese ich manchmal draußen oder trinke mit meinen Geschwistern einen Kaffee und wir reden über Schule und Uni. Wir könnten uns in den Garten setzen, solange das Wetter schön ist. Und überhaupt, meine Eltern möchten dich immer noch kennenlernen. Komm doch mal zum Kaffee, wenigstens, wenn meine Mutter wieder da ist. Die hat bestimmt eine Menge zu erzählen. Pass auf, der Espresso wird kalt.«

Zara wandte sich vom Fenster weg und schaute Cindy an.

»Ach ja, Nigeria. Viel Elend.«

»Du hast recht. Es gibt viel Schlechtes auf der Welt. Aber auch viel Schönes. Manchmal sogar dicht beieinander. Und man kann nicht allen helfen.«

Beide setzten sich wieder auf die Sitzkissen.

»Zurück zum Hesse. Da gibt es auch Elend und Schönheit dicht nebeneinander. Ich wollte dich immer mal fragen, ob du Maike und Rosalie kennst. Die haben mich zweimal auf dem Flur angesprochen; eigentlich zischten sie mehr als zu sprechen.«

»Ja, die kenne ich. Die gehen in die 12a. Was zischten sie dir denn zu?«

»Sie warnten mich vor Alexander. Sie nennen ihn Alexander den Großen und behaupten, er wäre hinter jedem neuen Mädchen an der Schule her. Vor allem, wenn sie noch … Nein!«, rief sie plötzlich und schlug sich an die Stirn. Cindy sah sie erschrocken an. »Das darf nicht wahr sein!«

»Wenn sie noch? Was ist denn?«

»Du glaubst es nicht, nein, du glaubst es nicht, das ist irre, absolut irre ist das!« Zara sprang auf.

»Was denn, sag doch endlich.« Cindy konnte sich vor Neugier kaum beherrschen.

»Als die beiden Nornen, so heißen sie bei mir, als sie mich das erste Mal auf dem Flur anzischten, ging es um ... nein, das kann nicht wahr sein.« Sie schüttelte den Kopf, der Bleistift flog aus dem Haarkranz und die roten Locken gingen wieder ihre Wege.

»Ach Zara, komm, sag doch endlich, was die Nornen zischten.«

»Sie quatschten was von Jungfräulichkeit. Alex wäre hinter Jungfrauen her.«

»Uff.«

»Ja uff. Das Blütenblatt, kapierst du? Das aufgespießte Rosenblatt auf meinem Bild!« Zara verschnaufte kurz. »Das waren die Nornen. Maike und Rosalie haben das getan.«

»Bist du sicher?«

»Wie kann man sicher sein? Und Grundmann sieht es auch so. Aber es macht Sinn. Absolut. Ich wette, in den nächsten Tagen wird wieder gezischt auf dem Flur.«

»Und die Zahlen?«

»Waren schon vorher da oder danach.«

»Du meinst, es war nicht eine einzige Person, die dein Bild zerstört hat, sondern mehrere?«

»Ist möglich.«

»Das glaube ich nicht. Überleg mal. In der kurzen Zeit während der Agora Vorstellung, unabhängig voreinander, und man durfte nicht gesehen werden. Das ist unwahrscheinlich. Das war eine Person oder mehrere gleichzeitig meinetwegen. Aber ich tippe auf eine, nämlich Faris. Da kommt alles zusammen.«

Zara hatte Cindy aufmerksam zugehört und sich wieder beruhigt hingesetzt. »Okay: Die Nornen kennen Alex, sehen mich mit ihm reden und reimen sich etwas zusammen, was entweder ihrer Erfahrung mit Alex entspricht oder ihrer Fantasie. Woher wollen sie wissen, mit wem Alex das Laken zerwühlt.? Also: Fantasie plus x. Faris könnte arabische Zahlenmystik kennen, weiß die arabische Bedeutung meines Namens.«

»Wie ist die denn?«

»Schöne Blume.«

»Gefällt mir.«

»Mir nicht.«

»Hm.«

»… und verhält sich mir gegenüber von Anfang an aggressiv. Kommt dann, laut Lia, schüchterne Liebe hinzu, spricht vieles für ihn.«

»Und Faris, angenommen er war es, ist clever. Meine Mutter war mal in Bagdad und hat erlebt, wie Araber, die denken anders als wir, nicht nur beim Teppichhandel und Frauen gegenüber, ich weiß nicht, wie ich sagen soll … du verstehst, was ich meine.«

»Nein. Wie denken die Araber denn?«

Cindy überlegte einen Moment. »Ach, anders eben.«

»Hm.« Zara schlürfte ihren Espresso.

»Eine arabisch beeinflusste Bildzerstörung führt zu einer deutschen Gedankenverstörung. Geht man davon aus, dass eine Bildzerstörung, selbst ein aufgeschlitzter Rembrandt oder mit Säure verätzter Monet im Museum, immer eine Botschaft birgt, wird es in deinem Fall doppelt kompliziert.

Selbst wenn der Zerstörer kreativ ist und das Bild nicht im herkömmlichen Sinn zerstört, sondern eher, vorsichtig ausgedrückt, kreativ verändert, muss er doch wollen, dass seine Botschaft verstanden wird. Ist das nicht der Fall, kann er sich seine kreative Veränderung an den Hut stecken.«

»Genial.«

»Danke.«

»Dass ich da nicht selber drauf gekommen bin.«

»Hm.« Cindy verdrehte leicht die Augen.

»Entschuldige, so war es nicht gemeint. Das war nur so dahin gesagt. Komm. Ich bin doch nicht so eingebildet, dass nur ich gute Ideen habe.«

»Du wirkst aber oft so«, traute sich Cindy zu sagen.

»Ich weiß.« Zara senkte ihre Stimme. »Aber ich weiß auch, dass ich nicht so bin und nicht so wirken möchte. Ich mache es nicht absichtlich.«

Cindy beugte sich auf ihrem Sitzkissen nach vorn und legte Zara die Hand auf die Schulter.

»Da sind wir beide Schwestern im Leid. Ich wirke auf viele wie die übliche Blondine mit Pferd und wohlhabendem Elternhaus. Was glaubst du, warum ich in der Schule so ehrgeizig bin. Zwei kluge Geschwister, ein kluger Vater und eine kluge und dominante Mutter können ein schwieriges Umfeld sein, wenn das Nesthäkchen nicht mithalten kann.«

Zara legte ihre Hand auf Cindys.

»Komm, lass uns weiter spekulieren, bitte.«

»Gut, das Problem der nicht zu verstehenden Botschaft.«

Zara nahm ein Schokoladenteilchen, wickelte es nachdenklich aus und lutschte daran.

»Hoffentlich ist sie dir nicht zu bitter. Vollmilch mag ich nicht, ist mir zu süß. Aber Bitterschoko und einen Espresso, hm lecker, habe ich das erste Mal in Venedig kennengelernt.«

»Schmeckt. Aber wenn die Botschaft gar nicht mir gilt, muss ich sie auch nicht verstehen.«

»Sondern?«

»Sie gilt jemanden, der sie sofort versteht. Mein Bild war nur das Medium. Es hätte dein Bild sein können, oder Lias, oder irgendeins.«

»Du meinst, jetzt kapiere ich gar nichts mehr. Du meinst, dein Bild war entweder zufällig geeignet, wegen der großen Fläche, oder weil es günstig hing, von vielen sofort gesehen werden konnte? Oder es war aufgrund deiner Aussage, der Vogel und … Nein, das halte ich jetzt für weit hergeholt.«

»Soweit wieder nicht. Nimm Graffiti zum Beispiel. Die Botschaften sind nicht für den Hausbesitzer gedacht, das ist Kommunikation innerhalb der Szene. Das writing verstehen nur die Insider. Und außerdem spielt Eitelkeit eine Rolle; was bin ich für ein toller Sprayer, dass ich gerade an diesem Ort meinen style ausgedrückt habe. Das bringt fame. Und wenn du bedenkst, dass Graffiti ein Teil der Hip-Hop-Kultur ist, und Faris ein Hip-Hopper ist, kann man schließen, dass Faris sein writing auf mein Bild setzte. Wir sollten uns nicht den Kopf zerbrechen, die Botschaft ist gar nicht für mich, sondern für andere.«

»Und für wen? Und warum?«

»Das ist für mich nicht wichtig.«

»Aber vorhin hast du doch gesagt …«

»Dabei bleibe ich auch. Ich möchte wissen und verstehen.«

Cindy nahm sich ein Schokoladenteil, wickelte es aus und tauchte es in ihren Espresso.

»Und Alexander? Könnte er infrage kommen?«

»Nein.«

»Aber du hast doch eben selbst von deinen Nornen erzählt, was die dir über Alex zutragen.«

Du wirst mit ihm Kaffee trinken ... Interesse an der Person ... ein vielseitiger Spieler ... blitzte es Zara durch den Kopf.

»Ach, die beiden Schicksalsgöttinnen. Meinst du, ich sollte die ernst nehmen? Vielleicht hatten sie selbst mal was mit Alex und wollen sich rächen?«

»Oder sie wollen dich wirklich warnen? Die Methode ist zwar gewöhnungsbedürftig, aber sie kennen dich nicht. Sie können dir auf dem Flur schlecht sagen, nimm dich vor Alexander in acht, einfach so. Wie oft haben sie dich denn angesprochen und was haben sie dir genau gesagt?«

»Sie haben zweimal gezischt, einmal vor den Ferien und neulich. Vor den Ferien war das mit den Jungfrauen, und neulich, sie redeten von einem Schachspiel. Als würde Alex Schach mit mir spielen. Es ging um Eröffnungen, italienische, spanische, um Mittelspiel, Strategie und Taktik. Spielst du Schach?«

»Ja.«

»Wow, du kannst Schach spielen. Und spielst du gut?«

»Wozu ist das wichtig?«

»Du hast recht. Ist nicht wichtig. Aber diese Eröffnungen?«

»Das sind gängige Methoden ein Spiel zu beginnen, zu eröffnen. Irgendwann hat irgendjemand so angefangen, und dann hat sich das etabliert. Haben die Nornen noch was anderes gesagt, irgendetwas, was konkreter ist? Irgendwelche Beispiele?«

»Haben sie, jetzt wo wir darüber sprechen, fallen sie mir wieder ein. Interesse zeigen, Kaffee trinken, Eis essen, sich unterhalten.«

»Das ist Standard, wenn ein Junge sich für ein Mädchen interessiert, und im Sommer wird es, statistisch betrachtet, sicher um Eis und Kaffee gehen, und selbstverständlich muss man miteinander sprechen.«

»Stimmt.«

»Und Alex, was macht er sonst so, außer dass er heftig mit dir flirtet?«

»Er hat gefragt, ob wir mal wieder einen Kaffee zusammentrinken ...«

»... Standard.«

»... und einen verunglückten Haiku aufgesagt über Kaffeetrinken.«

»Das ist schon etwas spezieller. Er knüpft an deiner Persönlichkeit an.«

»Hm.« *Er zeigt Interesse an deiner Person.*

»Sonst noch was?«

»Er hat mich Misaki genannt.«

»Misaki? Klingt Japanisch.«

»Ist Japanisch. Heißt schöne Blüte.«

»Wow! Das nenne ich eine kluge Taktik. Alexander der Große. Die Nornen kennen ihn wirklich gut. Ich glaube, du musst sehr genau wissen, wie weit du Alex an dich ranlässt. Die Nornen werden immer aufregender, findest du nicht?«

»Kann ich noch nicht sagen. Okay, das Blütenblatt könnte von Alex stammen, das rot Unterstreichen auch. Und die Zahlen?«

»Sein bester Freund Carsten ist in Diekmanns Kurs über Zahlenzauberei. Und Diekmann hat auf der Lehrerkonferenz selber eine Deutung angeboten. Frau Vogel hat sie nur nicht verstanden.«

»Also werde ich Diekmann fragen müssen.«

Freitagnachmittag

Fida und Lia saßen an einem Tisch etwas abseits, als Zara das Café betrat und sich suchend umblickte. Das Cebra war voll. Lia winkte ihr. Zara zog viele Blicke auf sich, wie sie selbstbewusst mit hochgesteckten roten Locken, roter Wickelbluse, grünen Pumphosen und roten Turnschuhen zwischen den Tischen den gesamten Raum durchquerte.

»Ihr müsst euch doch nicht verstecken. Hallo.«

»Ist etwas ruhiger hier, hofften wir. Hallo Zara, ich bin Fida.«

»Hallo Fida.« Sie gaben sich die Hand und Zara setzte sich. Sie hatte Fida auf dem Erntedankfest flüchtig gesehen und erinnerte sich nur an das Kopftuch. Heute trug Fida einen dezent gemusterten Seidenschal lose über ihrem schwarzen Haar, enge Jeans und einen Pulli, der ihre Figur betonte. Lena kam und fragte nach den Getränken.

»Wir haben heute einen Gyokuro neu rein bekommen«, wandte sie sich an Zara.

»Danke, heute nur einen Espresso bitte und ein Glas Wasser dazu.«

»Gyokuro hat auch viel Koffein.« Lena blieb hartnäckig.

»Ich weiß, aber ich bleibe bei Espresso.«

Lia und Fida bestellten das Gleiche.

Einen Moment lang herrschte Schweigen. Lächelnd musterten sie sich unauffällig.

»Gefällt es dir hier im Cebra«, begann Zara.

Fida schaute sich kurz um. »Das viele Schwarz-Weiß ist gewöhnungsbedürftig. Und die Fotos ... Frauenpower. Aber sonst ...« Sie zuckte kurz die Schultern.

»Wir wollten uns woanders treffen«, sagte Lia. »Aber Fida meinte, sie möchte mal im Szene-Café von Lohneburg sitzen.«

»Szene-Café, in der Tat, hier setzt man sich in Szene.«

Lena brachte die drei Espressos, drei Gläser Wasser und eine kleine Schale mit drei Pralinen. »Truffes du Jour. Alles geht aufs Haus«, sagte sie. »Von der Geschäftsleitung.«

»Danke«, sagten sie gleichzeitig.

Nach dem ersten Schluck und dem Geschmack von Bitterschokolade auf der Zunge meinte Fida:

»Eure beiden Bilder fand ich sehr schön. Dein Aquarell Lia, das Motiv so deutlich undeutlich, maltechnisch so professionell, guter Bildaufbau, ehrlich, wunderschön. Und dein Bild Zara, diese Kombination von Bild und englischem Text, maltechnisch professionell und vom Motiv her kreativ. Ihr seid Künstlerinnen.«

»Danke«, sagte Lia.

»Na ja«, sagte Zara. »Danke für das Kompliment. Malst du auch?«

»Nicht so gut wie ihr. Also, eigentlich gar nicht.«

»Nur Schule?«

»Ich fotografiere gerne.«

»Toll«, meinte Lia.

»Schön«, ergänzte Zara.

»Schade, dass dein Bild so zerstört wurde.«

»Verändert.«

»Verstört. Zerändert.«

»Lia meinte, du könntest etwas zu den Zahlen und dem Blütenblatt sagen.«

»Das Rosenblatt. Es kann Zufall sein, dass kein anderes Blatt zur Verfügung stand. Falls die Entscheidung spontan gefallen war. Aber es ist egal. Das Blütenblatt könnte als Jungfernhäutchen gedeutet werden. Das Aufspießen ist die Entjungferung.«

»Hm«, machte Zara. Grundmann hatte also gar nicht so falsch gelegen. Ob Fida Jungfrau ist? Wenn sie Kopftuch trägt, bestimmt. Wie unbefangen sie spricht.

»La rose meint im Französischen umgangssprachlich Jungfräulichkeit.«

Lia schluckte. Mich hat ein Junge nicht mal geküsst. »Und die Zahlen?«

»Zahlen-Kryptografie gab es schon im alten Babylon. Viele Götter wurden damals durch Keilschrift-Ziffern bezeichnet. Juden, Griechen und Muslime benutzten die Gleichsetzung von Zahlen und Buchstaben und deuteten die Ergebnisse religiös. Das arabische Zahlenalphabet ordnet den Zahlenwerten Eigenschaften Gottes, also Allahs zu. Allah hat den Zahlenwert 66, die Eigenschaften …«

»Hm«, unterbrach Zara Fidas Ausführungen, »schon verstanden.«

Fida lächelte. »Wirklich?«

»Soweit, so klar. Nicht dies, nicht das, nicht irgendetwas. Jeder glaubt, was seine Seele braucht.«

»Und was braucht deine Seele?« Fida lächelte immer noch.

Lia fummelte an ihrer Tasse. Bitte keinen Streit zwischen den beiden.

»Du kannst den Pfad nicht beschreiten, solange du nicht selbst der Pfad geworden bist.«

»Das klingt hübsch. Der Pfad muss sich also selbst beschreiten?«

»Denk darüber nach, und du verfehlst es.«

»Absichtslos trinke ich meinen Espresso und der Tag fließt.« Fidas Augen blitzten schelmisch.

»Und, wie ist die Zerstörung des Bildes zu deuten?« Lia ärgerte sich, wie schnell die beiden miteinander vertraut wurden.

»Das Blütenblatt kann zufällig ein Rosenblatt sein oder absichtlich. Dass es an dein Bild geheftet wurde, kann eine Aussage haben oder nicht.«

»Das hilft mir nicht weiter.«

»Ich fokussiere: Die Bedrohung einer Jungfräulichkeit kann nur durch einen Mann kommen, arabische Zahlenmystik kann nur von einem Kenner dieses Themas kommen.«

»So sehe ich es auch.« Fida schaute Zara direkt in die braunen Augen. »Ich kenne dich nicht, aber Lia hat etwas von deinen Auftritten in der Schule erzählt. Ich kann mir vorstellen, dass du provozierend wirkst. Besonders auf arabische Jungen. Ich habe Faris einmal kurz gesprochen. Ich glaube, er hat eine aggressive Vorstellung von Ehre. Pass auf dich auf, Zara. Es kann auch als angedrohte Vergewaltigung interpretiert werden. Rap und Rape liegen nicht nur sprachlich eng beieinander. Auch das Denken über Frauen ist ähnlich. Alle Zahlen bezeichnen strafende Wörter.« Sie legte ihre Hand auf Zaras.

Zara genoss die Wärme von Fidas Hand und hielt ihrem Blick stand. Lia fühlte sich bei so viel körperlicher Nähe der beiden unwohl und ärgerte sich, sie zusammengebracht zu haben. Sie wurde eifersüchtig.

»Ich muss jetzt los«, haute sie dazwischen, stand abrupt auf und hastete aus dem Café.

»Lia ist manchmal sehr emotional.«

»Sie leidet.«

»Ich weiß.«

»Was willst du jetzt tun?« Fida zog ihre Hand zurück.

»Ich möchte mich eigentlich nicht mehr damit beschäftigen.«

»Eigentlich?«

»Es ist nur ein Bild.«

»Es ging um dich.«

»Ich glaube, es war Faris, und der nervt sowieso. Ich muss auf Faris achten.«

»Du musst auf dich achten.«

»Und du, musst du auch auf dich achten?«

»Sehr sogar.«

»Dann haben wir ja etwas gemeinsam. Komm, lass uns gehen.«

Sie gingen beide zum Tresen, hinter dem Lena und die Geschäftsführerin sich unterhielten.

»Vielen Dank für die Einladung.«

»Kahve için teşekkürler, danke für den Kaffee.«

Auf der Straße stießen sie auf Lia und nahmen sie in ihre Mitte.

Freitagabend

Zara stülpte sich die Kopfhörer über die Ohren ... *Well, I been down so God-damm long, that it looks like up to me ... why don't one of you people c'mon and set me free ...* und wippte nach der Musik von Jim Morrison. Es war schön gewesen, Fidas Hand zu spüren. Sie klappte ihr Notebook auf, zögerte einen Moment und klappte es wieder zu. Soll ich oder soll ich nicht, überlegte sie. Sie nahm den Bleistift aus dem Haar und schüttelte die roten Locken. »Möchte ich hören, wie es Tinker Bell geht? Muss ich wissen, was Scheherazade in letzter Zeit gemacht hat? Ist es wichtig für mich zu erfahren, jetzt hier und heute, was sie denken, fühlen und sagen«, sprach sie halblaut zu sich selber. »Fida ist schön.«

Sie machte die Musik aus und nahm die Kopfhörer ab. Ruhe. Von außen. Allein. Sie setzte sich auf den Futon, lehnte den Rücken an die Wand und schloss die Augen.

Bilder rasen vorbei ... Rolf Irene Lia Faris Alexander Cindy ... Unmöglich, eins davon festzuhalten. Wie möchte ich damit umgehen?

Was würde Rolf mir raten? Oder würde er mit mir so sprechen, dass ich die Antwort selber finde? Bestimmt. Er hat mir nie raten wollen, hat mich nie wie ein kleines Kind behandelt. Die Therapeutin spricht immer davon, der inneren Stimme zu lauschen. Den Fluss der Gefühle und Gedanken zu beobachten. Nimm sie wahr, sei achtsam, bewerte nicht. Doch Fantasien durchkreuzten ihre Gedanken und die Gefühle torkelten.

Sie öffnete die Augen und schaute sich im Zimmer um; ihr Blick blieb an Kate Moss hängen.

Du bist jetzt Anfang vierzig und bist deinen Weg gegangen. Dein Stil ist nicht mein Stil. Deine bösen Jungs sind nicht meine bösen Jungs. Du bist nicht mehr das junge Mädchen mit dem kleinen Busen. Ich werde meinen Weg gehen.

Zara stand auf, nahm die nackte Kate Moss von der Wand und zerriss sie intuitiv.

Sie setzte sich wieder hin und betrachtete Jim Morrison. Du bist nur siebenundzwanzig Jahre alt geworden. Eine Wegstrecke ist Rolf mit dir gegangen. Er wurde nur achtunddreißig Jahre alt.

Komm Flamingo, lass uns die Welt im Wald finden. Dann waren sie in den nahen Forst gegangen und ihr Vater erklärte Bäume und Pflanzen. Manchmal hockten beide auf dem Boden, nahmen eine Hand voll Humus und betrachteten, was dort alles wimmelte.

Komm Flamingo, wir machen ein Feuer und verbrennen das Negative dieser Welt. Dann standen sie auf der Wiese hinter dem Haus und verbrannten Zeitungen.

Die Tränen schlichen aus ihren Augen.

Warum hast du dich aus dem Staub gemacht Irene einfach so alleine zu lassen warum hast du mich verraten ich will keine Erinnerungen ich brauche dich! Jetzt! Hier!

Zara sprang auf und riss Jim Morrison von der Wand, zerknüllte ihn, trampelte auf ihm herum und kickte ihn in die Gegend. »Verpiss dich!« Sie zerrte die Schulhefte mit Rolfs Gedichten aus der Schublade und schleuderte sie in den Raum. Die alten Hefte, die ihr bisher immer Halt gaben, flatterten wie ängstliche Vögel, bevor sie auf den Boden stürzten. Weisheiten? Pah! Worte! Worte! Alle Dämme von therapeutischen Hinweisen und sonstiger Besserwisserei brachen. Sie warf sich auf ihrer Matratze hin und her und heulte ebenso hemmungslos wie sie lachte. Lachen und Heulen gerieten durcheinander, bis der Tränenstrom langsam abebbte, und das Lachen befreiend die Oberhand gewann.

Sie schnellte hoch, riss sich Rolfs Hemd vom Körper, schleuderte es wild über ihrem Kopf, bis ihr fast schwindlig wurde, lockerte ihren Griff und öffnete schließlich die Hand. Das Hemd klatschte hoch gegen die Wand, rutschte langsam hinunter und blieb zerknautscht auf dem Boden liegen.

Zara trampelte auf dem Hemd herum, schrie und lachte und prügelte die Luft. Sie umtänzelte ihren unsichtbaren Gegner und spuckte ihm die Worte tief aus der Seele emporschießend direkt ins Gesicht.

»Verschwindet! Alle! Haut ab! Ich brauche euch nicht! Ich bin kein Kind mehr! Auch kein Flamingo! Ich brauche keine Schule, kein Abi und kein Studium! Ich will keine Glucke in der Wohnung und keine Seelenhexe in meinem Kopf. Weg! Weg! Alle weg!«

Sie kämpfte und lachte schrill, und ihre Locken tanzten, ihre Fäuste durchschnitten die Luft; jeder Schlag ein Treffer. »Bilder … Zahlen … Blüten … Faris … Alex … Lia … Grundmann … Hymen.« Es war eine lange Runde und ihre Kräfte ließen langsam nach. Sie hielt inne. Ihr Atem ging stoßweise, flachte ab. Zara verharrte einen Moment, atmete tief ein und aus und gab sich einen Ruck. Sie klappte das Notebook wieder auf und ging zu den Gazellen. Passwort: Rolfs Todestag. Das brauche ich nicht mehr – zu ändern, dachte sie. Sie verfolgte eine Weile den Chat, manche Namen waren neu.

»Ach, ich glaub, ich sehe nicht richtig. Bist du es wirklich Flamingo, oder ist es dein Geist?«, lästerte Tinker Bell.

»Dich gibt es noch? Ich dachte, du hättest dich schon aufgelöst«, sagte Scheherazade.

»Hallo, ja, ich habe mich lange nicht gemeldet – nicht entschuldigen, dachte Zara – es gab viel Stress in der Schule.«

»Aber es gab doch Sommerferien; sechs stressfreie Wochen.«

»Ich musste einiges klären – verdammt, nicht rechtfertigen, dachte Zara – in letzter Zeit.«

»Wir haben auch viel zu klären. Jeden Tag. Und trotzdem haben wir Zeit für unsere Freundinnen.«

»Du bist untreu!« Ein Satz wie ein Fallbeil. Das war Gazellina. Zara wusste es, bevor sie ihren Chatnamen las. »Ich hoffe, du hast eine Erklärung dafür. Du weißt, dass wir zusammenhalten müssen, dass wir uns helfen müssen. Niemand außer uns versteht uns. Wie geht es dir?«

»Ich habe abgenommen«, log Zara.

»Wunderbar, du bist also hübscher geworden. Ich wusste, auf dich können wir uns verlassen.«

»Läufst du denn noch sooft wie im Frühjahr?«

»Ich habe meine Strecke verlängert«, log Zara.

»Es gibt einen neuen Sportdrink mit noch weniger Kalorien.«

»Danke, ich habe meinen Kalorienverbrauch im Blick.«

»Schreib trotzdem«, sagte Barbie. »Ich bin immer offen für Neues, um Kalorien zu senken.«

»In Mathe haben alle neulich gestaunt, dass ich schon zweimal eine Eins geschrieben habe.«

»Wunderbar.«

»Gratuliere.«

»Meine Eltern haben mir meine Waage weggenommen. Was kann ich tun?«

So floss das Gespräch im Chatroom dahin. Die Junggazellen fragten gierig nach Abführmitteln und Kalorien reduzierenden Getränken, wie man sich nervenden Eltern widersetzen und neugierigen Lehrern ausweichen könne. Die Altgazellen teilten ihre Erfahrungen und breiteten souverän ihr Wissen aus. Ihre Sätze über Kontrolle und Traumfigur waren voller Stolz. Alles entsprechend den Clubregeln. Wer aus der Reihe tanzen wollte, dem würde mit den Löwen gedroht, die Tag und Nacht hungrig die Herde umkreisen. Ausschluss aus dem Chat war gleichbedeutend mit Tod.

Zara fühlte sich zunehmend fremd in dieser Herde. Tipps hatte sie auch früher nicht geben können, aber anfangs war es für sie wichtig, sich mit Mädchen auszutauschen, die ähnliche Probleme hatten wie sie. In der Klinik herrschte Internetverbot und später besuchte sie nur sporadisch den Club der Gazellen. Bodyshaping schön und gut. Aber nun hatte sie das Gefühl, es sei Zeit, sich zu verabschieden.

»Bist du noch da Flamingo?«, fragte Gazellina streng. »Was meinst du, sollte Barbie zu ihrer Diät zusätzlich regelmäßig joggen? Du läufst doch auch viel. Welche Erfahrungen hast du damit? Sag mal was dazu.«

Zara überlegte. »Laufen ist gut.«

»Na bitte. Habe ich ihr auch gesagt.«

»Du solltest aber wissen, wohin du läufst.«

»Bei uns gibt es einen kleinen Wald, da würde ich hinlaufen. Der Weg führt über Wiesen, ein schöner Weg«, antwortete Barbie.

»Besser wäre es zu wissen, wovor man wegläuft.«

Abruptes Schweigen. Zara sah sie vor sich, wie sie verblüfft, irritiert, verärgert, erschrocken auf ihre Bildschirme starrten und unruhig mit den Hufen scharrten.

»Am allerbesten ist der innere Lauf.«

Schweigen. Was wohl in ihren hübschen Köpfen vor sich geht? Und Gazellina, wie sie verzweifelt nach einem Ausweg sucht.

»Du startest, indem du dir eingestehst: Ich habe ein Problem.«

»Ich glaube«, unterbrach Gazellina Zara, »wir sollten den Chat abbrechen.«

»Bitte nicht, ich möchte wissen, was Flamingo damit meint.«

»Denkst du nur ans Essen, hast du ein Problem.«

»Flamingo! Ich fordere dich hiermit auf, sofort diesen Chat abzubrechen!«

»Bestimmt die Waage deine Laune, hast du ein Problem.« Zara fühlte sich so gut wie lange nicht in diesem Augenblick.

»Hör auf damit!!!« Zara meinte, Gazellina kreischen zu hören.

»Wenn du denkst, deine Probleme durch Hungern zu lösen, irrst du dich.«

»Ich glaube, du verabschiedest dich jetzt besser«, forderte Gazellina von Zara. »Und zwar für immer. Du verdirbst die guten Sitten und verstößt gegen die Clubregeln.«

Schweigen.

»Ich werde dich umgehend ausschließen!«

»Leben ist mehr als eine Zahl auf der Waage. Ich wünsche euch alles Gute für euren Weg. Sistas! In Liebe, Flamingo.«

Zara verließ den Chatroom und klappte das Notebook zu. Sie stülpte sich wieder die Kopfhörer über.

There is blood in the streets it's up to my ankles ...

Montagnachmittag

Seit dem Erntedankfest waren fast zwei Wochen vergangen und die erste Erregung hatte sich gelegt. Aber es stand bisher nicht fest, wer es gewesen war und warum es geschah, und es blieb eine unterschwellige Spannung in der Schülerschaft, auch, weil der Reporter Roeder vom Tagesecho mit einigen Schülern vor der Schule gesprochen hatte. In der Zeitung konnte man nichts über das Hermann-Hesse-Gymnasium lesen, aber für die Oberstufenschüler lag etwas in der Luft. Die Lehrer beschäftigten sich immer weniger damit, und der Schulleiter verfolgte die Sache nicht mehr intensiv. Das Gespräch mit Faris hatte er genossen. Und nachdem sich seine Ängste, im Tagesecho würde die Schule kritisiert, als unbegründet erwiesen, befasste er sich nicht mehr mit der Bildzerstörung. Man nannte den Vorgang offiziell eine kreative, moderne Form von Schülerstreich. Und da weder eine Sachbeschädigung, geschweige denn Schlimmeres passiert war, ließ man die Sache auf sich beruhen. Das Tagesecho schien sich ebenfalls daran zu halten. Die Bilder waren noch am Sonntag abgehängt worden.

Sie schlenderten im Park nebeneinander und Alexander wollte wissen, was Zara über die Zerstörung ihres Bildes dachte.

»Bilder kommen und gehen.« Sie blieb stehen. »Wieso wird um Bilder so ein Hype gemacht. Die Museen sind voll gestapelt vom Keller bis zum Dachboden, neue werden gebaut, nur um noch mehr Bilder an noch mehr Wände zu hängen. Und die Leute bilden sich ein, etwas Wichtiges in ihrem Leben zu versäumen, wenn sie Picasso oder Rembrandt nicht original gesehen haben. Und die Kunstauktionen … totaler Irrsinn. Der Maler quälte sich mit seinem Werk, stirbt arm, und heute kommen seine Bilder für Millionen unter den Hammer und dann in den Safe. Was man mit dem Geld alles anfangen könnte. Sandpaintings, das ist es. Schaffen, nutzen, zerstören.« Ihr Blick streifte die Bäume und sie schwieg einen Moment. »Der Geist ist frei, still, sich selbst genügend. Er ist über allen Formen.« Sie schaute zur Sonne und dann zu Alexander. »Aber lassen wir das. Es ist gefährlich, die Verdrängungsmauern der Normalität zu überwinden. Man könnte verrückt werden, verstehst du.«

Sie gingen langsam weiter.

»Das verstehe ich.«

»Das glaube ich nicht.« Zaras Stimme klang spöttisch.

»Ich verstehe es so, wie ich es verstehe«, sagte Alexander irritiert.

»Schon gut. Wer was und warum mit meinem Bild veranstaltet hat, ist mir nicht mehr wichtig. Es hat Spaß gemacht, etwas künstlerisch auszuprobieren. So wie es Spaß macht, Basketball zu spielen, zu musizieren, zu kochen und so weiter. Der schöpferische Vorgang. Nichts festzuhalten. Bloß kein sogenanntes Werk schaffen.«

»Und zu dichten.«

»Meinetwegen. Erst war ich verärgert über die Veränderung meines Bildes. Dann wollte ich verstehen; warum diese Veränderung? Dann wollte ich verstehen, warum ich mich ärgere. Und dann habe ich mich befreit.«

»Befreit? Wovon?«

»Ich habe mich geweigert, die Sache persönlich zu nehmen.«

Alexander fand Zara immer interessanter. Er hatte überlegt, wie er ein Gespräch jenseits der üblichen Phrasen beginnen könnte; das Bildthema war naheliegend. Und nun erzählte Zara mehr von sich, als er gehofft hatte. Ob sie Buddhistin ist? Dieses viele Asiatische und Philosophische. Tibetanische Sandmandalas. Faris hatte mal behauptet, sie sei Jüdin, würde Sarah heißen, hätte sich aber aus irgendeinem Grund umbenannt. Eine gewagte Vermutung oder übersprudelnde Phantasie. Und wenn Zara vom Judentum zum Buddhismus konvertiert ist? Oder das alles ist nur Attitüde und sie versteckt ihre Magerkeit hinter asiatischem Gehabe?

»Und, was möchtest du sonst noch von mir wissen?« Zara blieb wieder stehen.

Alles wäre Alexander fast herausgerutscht. Er lachte. »Na hör mal, sollen wir schweigend durch den Park laufen und die Blätter anschauen?«

»Warum nicht? Es gibt Menschen, die schweigend tiefen Austausch haben.«

Er zuckte mit den Schultern. »Trappisten vielleicht. Es ist doch naheliegend, jemanden …«

»Jemanden?« Zaras Augen wurden groß.

»Dich, weil du neu bist …«

»Weil ich neu bin?« Zara lächelte spöttisch.

Alexander begann, sich unwohl zu fühlen. Er hatte nicht geahnt, dass Zara dermaßen kritisch und spitzfindig sein konnte. »Ich möchte dich näher kennen lernen, weil …«

»Weil?«

»Sind wir hier im Märchen, wo die Prinzessin auf das Schlüsselwort wartet, und wenn es nicht kommt, dann wird der Rittersmann geköpft.« Er lachte verlegen.

»Sehr originell, aber oldest school. Erzähl mal was von dir. Wie gehst du mit den Idioten in deiner Klasse um?«

»Welchen Idioten?«

»Ich glaube nicht, dass alle Idioten der Oberstufe ausschließlich in meiner 12c sind.«

»Ach so. Ja, wir haben auch etwas schwierige Mitschüler. Aber wir kommen alle miteinander aus, und die Lehrer mit uns vermutlich ebenfalls. Ich habe nichts Gegenteiliges gehört.«

Zara schüttelte den Kopf. »Schwierige Mitschüler, miteinander auskommen. Man gewöhnt sich an manches im Leben. Meinst du nicht, dass an der Hesse einiges total daneben ist. Gewaltfreie Kommunikation, dass ich nicht lache. In der 12c jedenfalls nicht. Und im Kunstkurs hast du es selber erlebt. Mobbing ist nicht gewaltfrei. Du arbeitest doch bei der Schülerzeitung mit.«

»Ja. Bei Hesses Landboten.«

»Eine Zeitung für die Landjugend?«

»Ist angelehnt an Büchners Hessischen Landboten.«

»Aha, so revolutionär. Dann schreib doch mal dagegen an.«

»Wir haben einmal im Jahr eine Projektwoche zu dem Thema.«

»Mobbing?«

»Nicht direkt.«

»Indirekt?«

»Zur gewaltfreien Kommunikation. Mit Übungen in Empathie, Mediation und so. Einige Lehrer hatten Fortbildungen dazu. Aber es kommen auch Fachleute von außen. Ist immer interessant.«

»Interessant, hm. Und wo sind die Ergebnisse? Bei Lia zum Beispiel. Als sie sich umbringen wollte, wo war da der Mediator?«

»Na hör mal. Das ist doch bei ihr zu Hause passiert, soweit ich weiß.«

»Du weißt genau, wie ich es meine. Wo ist die Empathie bei Jens, Faris und den anderen? Sollen die Pöbeleien mediiert werden? Soll Lia Nachhilfe kriegen, damit sie besser Verantwortung für ihre Gefühle übernehmen könnte? Nach dem Motto: Lerne darüber zu sprechen, Lia. So in der Art?«

Alexander staunte über die Fachkenntnis von Zara. Das Mädchen überraschte ihn immer mehr. Gab es an ihrer alten Schule auch Projektwochen, die sich mit den Thesen von Rosenberg beschäftigten? Oder liest sie das privat? Oder ist es Zufall, dass sie so spricht?

»Das sind selbstverständlich rein rhetorische Fragen.« Zara ging zügig weiter und Alexander eilte ihr hinterher. Fast wollte er sie festhalten. Was sollte er dazu sagen? Warum reagiert sie so heftig. Er kann nichts für das Verhalten seiner Mitschüler. Und wenn die Lehrer das durchgehen lassen, dann ist es deren Verantwortung. Lia kann sich beschweren. Er wusste nicht, was er sagen sollte, und er ahnte, dass Zara etwas anstoßen würde.

Ich habe seine Eröffnung durcheinandergebracht, dachte Zara, als sie Alexanders Gesicht von der Seite beobachtete. Womöglich muss ich mich bei den Nornen bedanken. Welchen Zug wird er demnächst machen? Sie hätte laut lachen können.

»Du könntest doch was für den Landboten schreiben. Ich finde, du hast interessante Ansichten.«

»Interessant scheint dein Lieblingswort zu sein, oder?«

»Hm. Ich glaube, deine Ansichten, soweit ich sie bisher mitbekommen habe, könnten in der Schule interessante, äh, lehrreiche, beachtenswerte Gespräche und Auseinandersetzungen eröffnen. Ein Thema, behandelt von mehreren Autoren. Das brächte frischen Drive in den schulischen Diskurs und vielleicht würden dann mehr Schüler mitarbeiten. Was hältst du davon?«

Zara musste sich das Lachen verkneifen, als Alexander *eröffnen* sagte. »Denk darüber nach, und du verfehlst es. Es wird sich zeigen und ich werde wissen. Komm, wir gehen noch ein bisschen. Mir wird sonst kalt.«

Sie hakte sich bei ihm ein und dachte an die Nornen.

Dienstagvormittag

Sie saßen im Kreis. Grundmann stand hinter seinem Stuhl und stützte die Hände auf die Lehne.

»Wir verlassen heute das Feld philosophisch-kritischer Reflexion über Ethik und Moral in all ihren Spielarten und die unterschiedlichen Wege zur Wahrheit und wenden uns der Gegenwart zu.«

»Ich dachte immer, der Weg sei das Ziel.«

»Endlich«, sagte Markus.

»Abwarten. Die Wahrheit über die Gegenwart kann erschreckend sein«, meinte Jens.

»Genauer gesagt dem Erntedankfest, und auf den Punkt gebracht der Frage: Was ist mit dem Bild von Zara Völkel passiert und wie ist das aus ethischer Sicht zu bewerten.«

»Sie wollen der Sache auf den Grund gehen, stimmt's Herr Grundmann?« Jens boxte Robert in die Seite.

»Genau. Aber es wird ein Aufstieg zum Grund werden, das verspreche ich euch.«

»Verstehst du, was er meint?«

»Ich habe ihn bisher nie verstanden.«

»Sie wollen die Wahrheit herausfinden? Wer Zaras Bild verändert hat, oder?« Marcel lächelte seinen Philosophielehrer an.

»Vielleicht.«

»Im sokratischen Dialog?«

»Im sokratischen Gespräch miteinander, Robert.«

»So wie Sokrates?«

»Sokrates hatte nur jeweils einen Gesprächspartner, den er mit seinen rhetorisch-suggestiv Fragen bedrängte, bis dieser erkannte, dass er ein wissender Nichtwissender ist.«

»Genau. Ich weiß, dass ich nichts weiß, oder?«

»Du weißt sowieso nichts, Marcel.«

»Doch, er weiß alles besser«, sagte Cindy.

Ein Lachen und Kichern machten die Runde.

»Oida ouk eidos. Ich weiß als Nicht-Wissender, lautet die korrekte Übersetzung. Und da wir keine Dialoge führen, sondern ein Gruppengespräch angelehnt an das Denken Sokrates', nenne ich es sokratisches Gespräch.«

»Grundmann traut sich ja was. Wahrheit finden, große Worte. Als wäre es so wichtig herauszufinden, wer Zaras Bild beschädigt hat«, flüsterte Robert zu Jens.

»Mir wurde mal mein Fahrrad beschädigt. Niemand hat das weiter verfolgt«, sagte er laut.

»Genau. Da suchte man auch nicht nach der Wahrheit«, ergänzte Jens.

»Zara kann Anzeige gegen unbekannt erstatten, wegen Sachbeschädigung«, meinte Faris.

»Das hat doch nichts mit Ethik zu tun.«

Faris schaute Cindy verächtlich an.

»Alles schön und gut mit eurer Wortspielerei. Sehr kreativ, wie ihr euch die Sätze zuspielt. Ich könnte stundenlang zuhören. Aber diese Art von Gesprächen meine ich nicht.« Grundmann ließ sich nicht aus der Ruhe bringen. Aber er ahnte, dass es nicht so einfach würde, wie er gedacht hatte. Er musste aufpassen, sich nicht zu verzetteln. »Ich meine, wir transformieren unsere bisherigen Kenntnisse über Ethik von den Höhen der Philosophie zwischen die Mauern des Hermann-Hesse-Gymnasiums und führen ein regelgesteuertes Gespräch konzentriert auf ein Thema. So etwas wie eine verbale Meditation über das eigene ethische Verhalten an der Schule.«

»Ich meditiere nur über den Koran«, sagte Faris, lehnte sich lächelnd zurück und verschränkte die Arme vor der Brust.

»Ich verstehe nicht, was wir machen sollen.«

»Ich auch nicht.«

»Welches Thema denn?«

»Ist das nicht etwas umständlich, die Philosophie zu bemühen, um unsere Meinungen zur Bildzerstörung zu äußern«, fragte Lia.

»Hier geht es nicht um Meinungen, sondern eher um Haltungen. War die Zerstörung von Zaras Bild aus ethisch-moralischer Sicht gut oder schlecht. Es geht um die Übernahme von Verantwortung, um die Reflexion über Entscheidungsfreiheit, Willensfreiheit und Handlungsfreiheit.«

»Ich entscheide mich in einer besonderen Situation nicht abstrakt nach allgemein sittlichen Normen, sondern ich berücksichtige das Einzigartige, vielleicht Unwiederholbare. Ich bin ein Anhänger der Situationsethik.« Faris sah selbstbewusst in die Runde.

»Ich kenne nur Situationskomik, oder?« Marcel lachte gekünstelt.

»Wenn mich jemand beleidigt, meine Würde verletzt, die Ehre meiner Familie beschmutzt, dann ...«

»... handelst du nach den ethischen Normen deiner Religion und Kultur.«

»Das sage ich ja. Danke Jens.«

»Du hast also doch moralische Maßstäbe.«

»Nichts ist widerspruchsfrei.«

»Den Zusammenhang von Ethik und Religion vertiefen wir später. Es geht im Augenblick um angewandte Ethik, Individualethik. Ich erkläre jetzt, was ein regelgesteuertes Gespräch bedeutet und begründe es.«

Richard Grundmann nannte Gesprächsregeln und erklärte deren Sinn. Sage Ich statt Man und Wir / Höre genau zu / Fasse dich kurz / Unterlass Seitengespräche / Sprich von dir - stand auf dem Flipchart.

Er hatte sich gesetzt. »Wer ist der Ansicht, dass er nach irgendwelchen ethischen Vorstellungen, ich möchte nicht von Normen sprechen, handelt. Nicht immer, aber ab und zu. Und sich Gedanken macht, ab und zu, ob er richtig oder falsch gehandelt hat und was daraus folgte?«

»Es gibt dafür mündliche Zensuren, oder?«, wollte Marcel wissen.

»Nein.«

»Du lernst hier für das Leben, stupid.« Cindy verdrehte die Augen.

»Es geht nicht darum, Wissen des bisherigen Philosophieunterrichts wiederzugeben, sondern um das Bewusstsein der ethischen Grundlagen des eigenen Handelns. Selbst wenn das Bewusstsein vage ist und die Grundlagen bruchstückhaft sind. Wer möchte anfangen?« Der Philosophielehrer blickte aufmunternd in die Runde.

Es dauerte einen Moment, bis die Schüler seiner Aufforderung nachkamen.

»Ich finde, dass die Qualität einer Handlung durch die Motivation bestimmt wird. Ist mein Motiv gut, ist die Handlung gut. Logisch, oder?« Faris schaute sich Beifall suchend um. Jens und Robert nickten zustimmend.

»Aber die Folgen des Handelns sind wichtiger«, widersprach Cindy. »Gerade du betonst doch immer deine Würde. Dauernd fühlst du dich in deiner Würde verletzt. Werden die Wertvorstellungen der betroffenen Person verletzt, ist mir die Qualität der Handlung egal.«

»Außerdem musst du unterscheiden, ob dein Handeln legal und nicht nur legitim ist«, warf Lia ein. Faris sah sie groß an und staunte. Was geht denn hier ab? Sollten windy und fatty hier eine battle anfangen? Ausgerechnet in Philo.

»Wenn ein ethisches Leben ein gutes Leben ist, und Nietzsche sagt, dass der Wille zur Macht etwas Gutes ist, dann ist doch nichts dagegen zu sagen, wenn Menschen Macht ausüben«, meinte Robert.

»Also tun Lehrer Gutes«, ergänzte Jens. Faris lächelte. Der Unterrichtsablauf war nach seinem Geschmack.

»Komm mir nicht mit Nietzsche, dem Übermenschen. Ist der nicht im Irrenhaus gelandet?«

»Ist mir doch egal. Macht heißt, den eigenen Willen gegen den Willen anderer durchzusetzen. Womöglich mit Gewalt. Wie kann man sowas gut finden?«, kritisierte Zara.

Grundmann staunte über die vielseitigen Kenntnisse, die sich ihm boten. Die Schüler schwammen sicher im Meer der Philosophie. Aber er wollte persönlicher diskutieren und am Ende herausfinden, wie die Schüler die Bildzerstörung einordnen. Aber vielleicht wollten die Schüler dieses Persönliche gar nicht. Wer war er denn, dass er ihnen dermaßen nahe trat und sie aufforderte, vor dem Hintergrund philosophischer Erkenntnistheorien etwas von sich preiszugeben. Eine Klasse ist keine Selbsterfahrungsgruppe, auch wenn es nicht immer und für alles Zensuren gibt. Schule ist Schule, und Schüler sind Schüler. Er erkannte, den Unterricht zu intellektuell angesetzt und völlig unrealistische Erwartungen hinsichtlich der Offenheit der Schüler zu haben. Sie zeigten ihm dies auf ihre kreative Art deutlich. Er sah den Widerspruch zwischen den Denkschablonen modernen Unterrichts und der schulischen Wirklichkeit. Was tun? Sollte er das Gespräch laufen lassen oder stärker steuern?

»Aber hinter den normativen Ethiken sind die unterschiedlichen Weltanschauungen. Es ist wichtig, die Weltanschauungen zu betrachten, wenn sie die eigentliche Grundlage ethischer Vorstellungen sind.«

»Was genau ist nochmal das Thema?«, fragte Jens ironisch.

»Wer Zaras Bild kompetent emanzipatorisch fluktuiert hat«, lachte Faris und war stolz auf seinen kreativen Bezug zu Zaras Äußerung im Kunstunterricht.

Die Schüler lachten, ihr Lehrer fragte sich warum.

»Im Grunde genommen, haben wir es hier mit einem typischen Fall von Wertrelativismus zu tun. Das, was mit Zaras Bild passierte, wurde von euch bisher beschrieben als: Zerstörung, Veränderung, Übermalung, Beschädigung, Verbesserung. Dieselbe Tatsache wird unterschiedlich bewertet.«

»Sie wird subjektiv unterschiedlich bewertet, es handelt sich daher um Wertesubjektivismus«, sagte Lia.

Fatty hat sich gut erholt in der Klinik, dachte Faris.

»Und ist das nun gut oder schlecht? War es gutes oder schlechtes Handeln?«

»Ich glaube, wir machen es unnötig kompliziert.«

»Du sollst nicht *wir* sagen.«

»Idiot. Da es Zaras Bild ist, kommt es doch nur auf ihre Ansicht an«, meinte Cindy.

»Psychologismus.«

»Selbst wenn jemand meint, ihr Bild verbessert zu haben. Da steht doch, meinetwegen, Subjektivismus gegen Subjektivismus.« Cindy ließ sich nicht aus der Ruhe bringen.

»Man könnte …«

»Du sollst nicht *man* sagen.«

»Idiot. Ich sehe Zaras Bild als Ausdruck ihrer Persönlichkeit. Die Veränderung des Bildes, egal wie ma … wie sie genannt wird, trifft ihre Persönlichkeit, also letztendlich ihre Würde. Und da die Würde des Menschen unantastbar ist, ist die Veränderung des Bildes eine ethisch schlechte Handlung. Quod erat demonstrandum – was zu beweisen war«, schloss sie ihre Argumentation.

»Jetzt muss schon das Grundgesetz herhalten. Geht's noch? Warum nicht die allgemeinen Menschenrechte? Ey. Wir diskutieren über das Bild einer Schülerin. Klar? Ein bisschen Farbe auf Papier. Klar? Es geht nicht um Picasso. Klar?« Faris rutschte an die Stuhlkante. »Ich sage nur eins Cindy: quo vadis?«

»Genau. Außerdem wird hier ausschließlich über die mögliche Würdeverletzung des Produzenten geredet, also des Malers, also Zara. Wie sieht es denn aus mit der Würde des Betrachters? Woher weiß denn der Produzent, dass er mit seinem Bild nicht die Würde anderer verletzt? Vielleicht hat Zara jemanden provoziert? Nicht bewusst, aber vielleicht doch? In der Kunst wird oft provoziert, bewusst verletzt. Ich glaube, Zara könnte das gut.« Faris freute sich über Roberts Äußerung. Eine battle freestyle auf hohem Niveau. Great!

»Nehmen wir einmal an, der Betrachter von Zaras Bild fühlte sich in seiner Würde verletzt. Ich behaupte: Zaras Bild ist das Ergebnis einer ethisch schlechten Handlung.«

Die Schüler sahen Robert an. Er war aufgestanden, als wollte er dadurch mit seinen Gesten und Argumenten überzeugender wirken.

»Nehmen wir weiter an, der Betrachter möchte diese Verletzung heilen. Er hat also ein moralisch wertvolles Motiv. Würde er sich nur rächen wollen, wäre sein Motiv unmoralisch.«

»Aber legitim.«

»Er verändert Zaras Bild und löst damit einen Heilungsprozess bei sich aus. Aber gleichzeitig löst er eine Verletzung bei Zara aus. Ein individualethisches Dilemma. Scheinbar.« Er machte eine Pause, um die Spannung zu steigern. »Man muss den Prozess und nicht nur das Ergebnis sehen. Wie vorhin erwähnt wurde, steht hinter der ethisch guten oder schlechten Handlung eine Weltanschauung. Die Verletzung des Betrachters ist nur scheinbar durch das Bild ausgelöst worden. Selbst wenn es Zara nicht bewusst sein sollte, die eigentliche Tatwaffe, wenn ich mich einmal etwas drastisch ausdrücken darf ...«

»Du darfst.«

»Fasse dich kurz.«

»... ist nicht das Bild, also die Materie, sondern Zaras Handeln, ihr freier Wille zum Handeln, ihr Denken, also ihr Geist. Der Geist wirkt durch die Materie.« Robert setze sich lässig hin.

Einen Moment herrschte verblüfftes Schweigen. Faris bewunderte Roberts Beweisführung. Geist und Materie, philosophischer ging es nicht.

»Der Bildveränderer handelte aus Notwehr? Meinst du das?«, hakte der Philosophielehrer nach.

»Genau. Notwehr. Damit ist sein Handeln ethisch nicht nur legitim, um auf Lia einzugehen, sondern auch legal.«

»Sag ich doch. Legitim, legal, ethisch gut. Er hat seine Würde wieder hergestellt. Pflichtethik, wie Kant schon sagte.« Faris straffte sich und schlug Robert auf die Schulter. »Du hast Philosophieren begriffen, nicht wahr Herr Grundmann.« Er schaute in die Runde. »Ist euch schon mal aufgefallen, dass Roberts Name sechs Buchstaben hat, und fünf davon sich im Namen von Sokrates wiederfinden?«

Einige grinsten, andere machten fragende Gesichter.

»Und es kommt noch besser.« Faris sprang auf. »Roberts Name hat sechs Buchstaben, Sokrates seiner besteht aus acht Buchstaben. Die Addition beider Namen ergibt vierzehn, die Quersumme davon ist fünf. Die Quersumme der Summe beider Namen ist also identisch mit der Anzahl der gleichen Buchstaben in beiden Namen. Wahnsinn!« Er warf sich wieder zurück auf den Stuhl und schüttelte den Kopf, als könnte er selber diese Erkenntnis kaum glauben.

Der Lehrer staunte über diese Fantasie, die Schüler verstanden so gut wie nichts.

»Robert ist also – frei nach Pythagoras – die Wiedergeburt von Sokrates. Willst du das damit sagen«, fragte Jens ernsthaft.

»Zahlen lügen nicht«, sagte Faris ebenso ernst.

Die Schüler schüttelten sich vor Lachen. Selbst ihr Lehrer konnte nicht ernst bleiben. Dann war ein Moment Stille.

»Jenseits von richtig und falsch liegt ein Ort. Dort treffen wir uns. Alte Sufi Weisheit«, warf Zara trocken in den Raum. »Geist, Materie, freier Wille.« Sie zuckte mit den Schultern, als wollte sie ausdrücken: was versteht ihr schon davon.

»Roberts Mutter war bei seiner Geburt verknallt in Robert Redford«, sagte Lia schmunzelnd.

Die Mädchen lachten.

»Diese analytische Innovations-Akzeleration von Robert und Faris ist ja schön und gut. Aber bringt sie uns weiter? Beim Philosophieren geht es um Erkenntnisse, darum etwas begrifflich zu fassen. Auch schön und gut. Aber was ist denn das Eigentliche beim Menschen. Sein Körper, seine Seele, sein Geist?« Faris schaute Cindy überrascht an und versuchte zu verstehen, was sie mit Innovations-Akzeleration meinte. Jens und Robert überlegten ebenfalls. Richard Grundmann wollte sich das Wort merken, um später die Bedeutung im philosophischen Lexikon zu finden.

»Unser bisheriges Gespräch hat doch gezeigt, dass es letztendlich um Gefühle geht«, fuhr Cindy fort. »Und zwar in erster Linie um die Gefühle des Betrachters. Aus der Tatsache, dass er Zaras Bild verändert hat, kann man schließen, dass er sich geärgert hat. Nun haben wir, äh – habe ich in vielen Projekten zu GFK gelernt, dass das Tun anderer Menschen nicht die Ursache für unsere Gefühle ist. Auslöser – ja, Ursache – nein.«

»Wieso sagst du immer er? Wieso gehst du davon aus, dass es ein Schüler war und keine Schülerin, oder?«, wollte Marcel wissen.

»Wow, Marcel setzt sich für die Rechte von Frauen ein.«

»Wahrscheinlichkeit und Psychologie«, antwortete Cindy.

»Willst du etwa behaupten, derjenige, der das Bild verändert hat, hätte, gemäß Marshall Rosenberg, mit seinem Ärger anders umgehen sollen? Meinst du das wirklich?«, wollte Faris wissen.

»Wozu machen wir denn ewig diese Diskussionen über gewaltfreie Kommunikation?«

»Zara ist doch nicht verantwortlich für die Gefühle anderer. Rosenberg spricht von emotionaler Sklaverei. Versteht ihr? Sklaverei!«, ergänzte Lia.

»Ich glaub's nicht. Was sagen Sie denn dazu Herr Grundmann? Jemand fühlt sich durch Zara verletzt, und Zara soll dafür nicht verantwortlich sein? Okay, dann hat niemand Verantwortung für das, was er sagt und tut. Und wieso kritisiert man dann meine Raptexte? Kann mir mal jemand das erklären?« Faris schaute in die Runde und fragte sich, wieso der Schulleiter meinte, er würde seine Mitschüler mobben.

»Genau. Ist dein Problem, wenn du in der Kindheit gelitten hast«, sagte Jens.

»Genau. Du bist selber schuld, wenn du etwas persönlich nimmst«, ergänzte Robert.

»Genau. Durchdringe deinen Ärger und erkenne deine Bedürfnisse«, meinte Faris.

»Genau. Erkenne dich selbst. Hatten schon die alten Griechen in Delphi über dem Tempeltor stehen«, sagte Robert.

»Ich fasse mal etwas zusammen.« Richard Grundmann stand auf.

Doch dann ging es erst richtig los. Es war eine Agora im Kleinen, nur wurde der Verstand nicht durch gewichtige Argumente geschärft. Die Rhetorik diente dazu, sich Begriffe an den Kopf zu werfen. Es war wie eine Schneeballschlacht: Man warf, duckte sich weg, wurde getroffen. Legalität, Legitimität, Geist, Bewusstsein, Unterbewusstsein, Wille, Freiheit, Materie flogen durch den Raum. Richard Grundmann hatte es aufgegeben, dem Gespräch eine Struktur zu geben.

Er setzte sich wieder hin. Vor allem Jens, Robert, Faris, Carsten, Cindy, Lia und Zara behaupteten, begründeten, belegten, bezweifelten, stellten fest und in Frage, wiederholten und widerlegten. Schließlich kreisten sie wieder um die Frage nach der Verantwortung.

»Wenn ich disse, übernehme ich auch Verantwortung dafür.«

»Der Mensch ist vor Gott verantwortlich.«

»Nein, vor dem Gesetz.«

»Verantwortlichkeit ist eine Folge von Willensfreiheit und der damit verbundenen Zurechnungsfähigkeit.«

»Du bist ja selbst nicht zurechnungsfähig.«

»Idiot!«

»Pass auf, was du sagst!«

»Der Mensch trägt Verantwortung nicht nur für sein Handeln. Er ist sogar für seine gesamte Existenz verantwortlich. Sartre lässt grüßen.«

»Sartre ist doch Atheist.«

»Na und. Er begründet das solide.«

»Als ob du Sartre verstündest.«

»Ich habe Sartre im französischen Original gelesen.« Faris blickte stolz in die Runde.

»Sartre du printemps bestimmt«, knallte Zara ihm trocken vor den Latz.

Faris blieb die Spucke weg.

Das Lachen barst zeitgleich aus einundzwanzig Kehlen. Schüler und Lehrer konnten sich nicht halten, und erst die Schulklingel entspannte die Situation.

Ihr Philosophielehrer sollte später sagen, dass er eine solche Stunde bisher nicht erlebt habe. Keine seiner Erwartungen war erfüllt worden.

Am nächsten Tag brannte es in der Schule.

Inzwischen

»Yo sistas, nicht so schnell. Geile Stunde, was?«

»Was gibt's Faris?« Zara und Cindy blieben auf dem Flur stehen.

»Hattet ihr eine Fortbildung in Philosophieren für Kids?«

»Drück dich genauer aus«, sagte Cindy.

»Gemeinsam mit Lia? Ah nein, das ging ja nicht. Die war ja weg-gesperrt wegen sündigen Verhaltens.«

»Was meinst du«, fragte Zara.

»Legal, legitim, subjektiv, relativ, Geist, Materie. Wisst ihr über-haupt, wovon ihr sprecht?«

»Wissen wir, wovon wir sprechen?« Cindy schaute Zara schein-bar fragend an.

»Ja, wissen wir«, sagte Zara.

»Angelesene Sprachhülsen, schlecht kaschierte intellektuelle Leere, sluts.«

»Komm, wir gehen.« Zara fasste Cindy an die Schulter und machte einen Schritt nach vorn.

Faris trat ihnen in den Weg. »Piis leany, piis windy.« Er hob be-schwörend die Hände. »Es war doch eine schöne battle, sistas. Freestyle par excellence, und so ganz ex tempore. Wir sollten Grundmann nicht enttäuschen.«

»Faris, lass uns vorbei.«

Einige Schüler waren stehen geblieben und beobachteten die Situation.

»Sekunde. Lass uns weiter so dissen.«

Zara und Cindy hakten sich unter und drückten sich grinsend an Faris vorbei.

Mittwochvormittag

Der Ton der Sirene jagte pulsierend durch die Gänge. Er drang durch Wände und Türen in die Ohren der Schüler und Lehrer, die in der zweiten Stunde Unterricht hatten. Die Klasse 12c war eben dabei, Dr. Bettina Goedels Notizen-Roman von der Tafel abzuschreiben. Marcel sprang zuerst auf. »Es brennt, oder? Wir müssen raus, oder?« Er sah sich in der Klasse um.

Seine Mitschüler wurden unruhig, die Deutschlehrerin schaute unschlüssig. »Natürlich müssen wir raus«, rief Cindy, »und zwar schnell.« Es gab kein Halten mehr. »Einen Moment noch«, rief die Lehrerin, doch alle stürmten zur Tür, niemand achtete auf ihre Rufe, die Fenster zu schließen. Nach wenigen Sekunden blieb sie allein zurück, schloss die Fenster, betrachtete wehmütig ihren Tafelanschrieb, bewunderte ihre gestochene Schrift, stellte ein, zwei Stühle wieder auf und verließ den Raum. Aus den anderen Klassenzimmern hasteten ebenfalls die Schüler. Sie schubsten und stießen, lachten und freuten sich über die Unterbrechung. Die Lehrer versuchten vergeblich, einen geordneten Ablauf herzustellen.

Leichter Rauch zog durch den Flur und es stank nach verbranntem Gummi.

»Scheint ernsthafter zu sein als im Sommer.«

»Mitten in meiner mathematischen Beweisführung.«

»Es gibt schlimmere Schicksale.«

Die Lehrer Dieckmann und Mahnke hielten die Türen im Flur weit auf, damit der Strom der Schüler schneller fließen konnte.

»Ruhe, keine Panik«, riefen sie. »Geht langsamer, nicht schubsen«. Die Schüler achteten nicht darauf. Sie drängelten und traten, einige strauchelten und fielen hin.

»*Jetzt gibt es schulfrei / und wir sind dabei / das Feuer wärmt die Herzen / ist schöner wie nur Kerzen.*« Faris stieß Jens in der Menge vorwärts, der stolperte gegen Lia.

»Mach Platz Dicke! Mein Leben ist wichtiger als deins.«

Lia rannte dicht neben Cindy.

»Du bist ein Arsch, Jens«, sagte Cindy.

»Dein Arsch gefällt mir«, lachte er und klatschte Cindy auf den Po.

Sie knallte ihm eine, er berührte im Gedränge ihre Brüste und stieß sich dann durch die Menge.

»Pass doch auf, du Idiot!«, rief jemand.

Im Treppenhaus stauten sie sich gefährlich auf dem Absatz. Die Steinstufen waren glatt. Manche Schüler hielten sich beim Laufen am Geländer fest, andere halfen sich gegenseitig. Einige boxten sich rücksichtslos abwärts durch.

Hier war der Qualm dichter und der Geruch beißender. Ulrike Vogel versuchte die rennende, stoßende, kreischende, weinende Menge zu steuern. »Langsam, langsam!«, rief sie, »lauft doch langsamer, es stürzt doch nicht die Schule ein. Marcel, schubs doch nicht so.« »Nine-Eleven! Frau Vogel. Nine-Eleven! Oder?« Cindy tauchte vor ihr auf. »Cindy, ihr braucht keine Angst zu haben. Ihr kommt doch alle wohlbehalten aus dem Gebäude.« »Alles Theorie, Frau Vogel. Sieht grau da unten aus und stinkt fürchterlich. Wir hätten alle nach oben laufen sollen.«

Im Erdgeschoss war die Situation unerträglich. Cindy versuchte, dicht hinter Lia zu bleiben. Sie achtete nicht mehr darauf, wo sie berührt wurde und ob absichtlich. Hauptsache raus hier. Und nicht stolpern. Auf keinen Fall. »Hast du Zara gesehen?«, schrie sie Lia ins Ohr. »Nein!«, schrie Lia zurück. Sie japste nach Luft.

Vor den beiden Ausgängen stauten sich die Flüchtenden in dem Geruch und dem Qualm. Viele hielten sich ihre Kleidung vor Mund und Nase.

»Fenster auf!«, brüllten einige. Aber die Fenster des alten Schulgebäudes waren entweder zu hoch oder klemmten.

»Auf den Boden!«, schrien andere, »da ist die Luft besser.« Manche folgten diesen Rufen, blockierten aber dadurch den Lauf der anderen.

»Die Türen zum Sportbereich sollten doch immer verschlossen sein!«, brüllte der Hausmeister. »Und immer heißt immer! Früher hat das geklappt, aber heute …« Als er den Rauchmelder hörte, hatte er auf dem Schulhof gearbeitet. Kaum war er im Schulgebäude, stand er inmitten einer Qualmwolke. Er löste Feueralarm aus, riss einen Schaumlöscher aus der Halterung und rannte zur Turnhalle. Schwarzer Qualm und bestialischer Gestank drangen aus den Sporträumen im Erdgeschoss. Böcke und Kästen brannten, Matten schmolzen vor sich hin, die Basketbälle tropften zähflüssig und stinkend von der Sprossenwand. Der Kunststoffboden war schon weich. Er erkannte sofort, wie nutzlos es wäre zu löschen und war umgekehrt. Nun brüllte er wütend am Hinterausgang zum Hof und hätte am liebsten jedem Schüler einen Tritt verpasst; aus Ärger und damit sie schneller rausliefen.

Auf dem Schulhof standen die Schüler und Lehrer so weit wie möglich weg vom Gebäude. Manche husteten und freuten sich auf die frische Luft. Andere freuten sich, dass der Unterricht ausfiel. Und alle rätselten über den Brand.
Vor der Schule standen neugierige Passanten, Schüler und Lehrer auf der Straße. Die Feuerwehr begann mit den Löscharbeiten. »Ich verstehe momentan gar nichts.« Dr. Breitenbach unterhielt sich kopfschüttelnd mit Susanne Behrend, seinem Philosophie-Kollegen Richard Grundmann und Thomas Oertel über das Feuer, als Klaus Roeder vom Tagesecho auf ihn zukam. »Der hat mir gerade noch gefehlt«, sagte er leise.

»Tut mir leid, Ihr Gespräch zu unterbrechen. Aber im Interesse der Öffentlichkeit – Sie verstehen …«

»Selbstverständlich verstehen wir. Das Tagesecho immer nah an der Wirklichkeit«, erwiderte der Schulleiter trocken.

»An der Wahrheit, Dr. Breitenbach. Nuda veritas.«

»Dann suchen Sie mal ihre nackte Wahrheit.«

»Ich darf alles fragen?«

»Ich bitte Sie, wir befinden uns hier auf öffentlichem Gelände.« Der Schulleiter machte eine ausholende Geste.

»Gibt es schon einen Anflug von Idee über die Ursache des Brandes?«

»Der Brand sollte erst gelöscht werden, und dann können Sie die Fachleute von der Feuerwehr fragen«, entgegnete Dr. Breitenbach betont sachlich.

»Danke für die Belehrung. Aber Sie machen sich doch bestimmt so ihre Gedanken.« Roeder ließ sich nicht abwimmeln und wandte sich an den Musiklehrer.

»Ich bin mit meinen Gedanken bei den Opfern«, sagte Oertel ironisch.

»Wie witzig.«

»Das Reck musste neu verschweißt werden, vermutlich ist das Feuer dadurch entstanden. Die Kunst des Schweißens – Sie verstehen?«

»Sie haben ein humorvolles Kollegium, Dr. Breitenbach. Wirklich feinsinniger Humor herrscht bei Ihnen, fast englisch. Wahrscheinlich war es, wie so häufig, ein Kurzschluss.«

»Ein Kurzschluss, ja, das würde Sinn machen.« Der Schulleiter nickte süffisant schmunzelnd.

»Fragt sich nur welcher Art; elektrisch oder menschlich?« Roeder freute sich diebisch über seinen verbalen Vorstoß. Wollen mal sehen, wer hier zuletzt lacht. Ich muss diesen arabischen Jungen finden. Faris. Der meinte neulich, es müsste etwas Richtiges passieren. »Danke.« Er verließ die vier und ging suchend durch die Menge.

»Sehr schlagfertig, Kollege Oertel. Aber wir dürfen den Zeitungsmann nicht unterschätzen. Der holt bestimmt seine Notizen über das Erntedankfest wieder aus der Schublade und schnüffelt sonst wo rum und schießt sich auf uns ein.«

»Nudus tormentarii, die nackte Kanone«, kommentierte der Philosophielehrer Grundmann.

Alle schüttelten sich vor Lachen.

Roeder umrundete das Schulgebäude und hoffte, den arabischen Jungen auf dem Hof zu finden, wohlwissend, dass er dort keine Interviews machen durfte.

Faris stand mit anderen Jungs etwas abseits.

»Hi, ist schon wieder etwas los an Ihrer Schule«, begrüßte Roeder die Jungen. »Feuerwehr, Krankenwagen; das ganze Programm.«

Faris lachte den Reporter an. »Sieh an, die Presse. So schnell, so gut.«

»Unsere Leser lieben uns dafür.«

»Über Opferzahlen kann ich leider nicht Auskunft geben. Sie erkundigen sich besser bei Schulleitung«, sagte Faris gestelzt. Die Gruppe lachte.

»Mich interessieren eher die Täterzahlen, auch wenn das jetzt herzlos klingt«, gab Roeder den Ball zurück. Er liebte diese Art von Gespräch. Nicht nur immer dieses langweilige Frage-Antwort-Gephrase. Esprit, Taktik, Überraschung – so müssen Gespräche laufen. Emotionale Resonanz herstellen. Dann werden die Artikel gut.

»Wieso Täter? Ein Feuer kann doch auch so ausbrechen.«

»Ach ja? Die Glasscherbe und der Sonnenstrahl.«

»Zum Beispiel.«

»Oder das Schweißgerät der Bauarbeiter.«

»Genau.«

»Wir können ja mal die diversen Möglichkeiten durchgehen.«

»Eine Explosion.«

»Heißer Sex.«

»Auf der Turnmatte?«

»Zum Beispiel.«

»Ein Kurzschluss.«

»Welcher Art?«

»Elektrisch, was sonst.«

»Es soll auch menschliche Kurzschlüsse geben.«

»Ist das eine Brandursache mit Täter oder ohne Täter?«

»Liegt dazwischen, würde ich sagen.«

»Sie haben sich doch bestimmt schon mal mit Wahrscheinlichkeitsrechnung beschäftigt.«

»Ja. Mehr oder weniger.«

»Er beschäftigt sich fast wöchentlich damit herauszufinden, wie wahrscheinlich es für ihn ist, in Mathe mal eine Zwei zu kriegen.«

Alle lachten. Faris boxte Robert in die Seite.

»Wie wahrscheinlich ist es Ihrer Meinung nach, dass in der Turnhalle vormittags absichtslos ein Feuer ausbricht, ohne dass dort Handwerker tätig sind.«

Schweigen. Die Jungs taten, als würden sie angestrengt nachdenken.

»Ein Kurzschluss scheint mir am wahrscheinlichsten«, sagte Jens.

»Und eine Brandstiftung? Immerhin hatte schon mal jemand in Ihrer Schule gekokelt«, hakte Roeder nach.

Schweigen. »Ich weiß, dass ich nichts weiß, oder«, sagte Marcel.

»Und im Sommer brannten einige Kinderwagen«, warf Faris ein. »Sie haben recht. Wahrscheinlicher ist absichtliche Ursache als unabsichtliche. Ich würde sagen drei Viertel zu ein Viertel.«

Die anderen nickten zustimmend.

»Vielleicht sogar vier Fünftel zu ein Fünftel.«

»Ich schätze fünf Siebtel zu zwei Siebtel.«

»Es gibt jemanden an der Hermann-Hesse, der hat Gefallen am Zündeln«, stellte der Reporter laut fest. Er genoss das Gespräch mit den Jungs.

»Das können Sie unserem Schulleiter mitteilen. Der kommt da gerade.«

»Verlassen Sie sofort das Schulgelände! Sie wissen genau, dass es Ihnen nicht gestattet ist, hier Schüler zu auszufragen.« Dr. Breitenbachs Gesicht war hochrot vor Ärger. »Verschwinden Sie! Sofort!« Er musste sich beherrschen, den Reporter nicht am Ärmel zu packen und eigenhändig vom Hof zu zerren.

»Wir haben uns nur unterhalten.« Die Jungs staunten über ihren Schulleiter. So hatten sie ihn noch nie erlebt.

»Ihr könnt nach Hause gehen. Heute findet kein Unterricht mehr statt«, sagte er unwirsch. Dann können wir unsere Unterhaltung auf der Straße fortsetzen, dachte Klaus Roeder und verließ wortlos den Schulhof.

»Hast du Zara gesehen? Ich kann sie nirgends finden.« Alexander war auf Cindy zugegangen, die mit Lia und anderen Mädchen in der äußersten Ecke des Schulhofes auf einer Bank saß.

»Nein, vielleicht ist sie vorne auf der Straße.«

»Da habe ich schon gesucht. Hoffentlich ist ihr nichts passiert.«

»Glaube ich nicht. Wir sind doch alle gut rausgekommen.«

»Da bin ich nicht so sicher. Unsere Klasse wurde nicht durchgezählt. Vorne stehen auch einige Krankenwagen.«

»Ach je. Komm Lia, wir gehen gucken. Durchzählen, wer denkt denn an sowas. Aber recht hat er.« Sie standen auf.

»Alex ist in Zara verknallt.«

»Sehe ich auch so.«

»Er vermisst sie.«

»Süß.«

Beide liefen kichernd um das Schulgebäude auf die Straßenseite.

Zara hatte das Durcheinander mit den vielen hektischen Schülern auf dem Flur genutzt und war statt nach unten nach oben gerannt. Sie hatte Angst vor Menschenmengen und bekam schon fast eine Panik, wenn sie nur daran dachte, sich mit ihren Mitschülern das Treppenhaus hinunter zu stürzen. Auch war ihr intuitiv klar, dass die Gefahr unten lauerte.

Im Dachgeschoss der Schule befanden sich die beiden großzügigen Kunsträume, eine Toilette, ein kleiner Ruheraum für Notfälle und das Archiv des Gymnasiums: vergilbte Papiere und eingestaubte Bücher aus alten Zeiten. Sie blieb in der Tür zu dem Raum stehen, in dem sie Unterricht bei Ulrike Vogel hat. Selbst hier roch es nach verbranntem Gummi. Sie blickte sich um. Die Stühle standen unordentlich herum, Kleidungsstücke hingen an den Wandhaken und Staffeleien, Taschen lagen verstreut auf den Tischen. Sie wurde neugierig. Sie könnte in die Schultaschen und Rucksäcke schauen. Aber was sollte da schon drin sein. Schülerkram. Sie schlenderte durch den Raum und fühlte sich unbehaglich.

Zara machte die Tür zur kleinen Teeküche auf; die Kunstlehrerin hatte in der Eile vergessen abzuschließen. Der Raum war tabu für die Schüler. Sie atmete schneller. Sie wusste, wie er innen aussah, während des Unterrichts stand die Tür häufig auf. Aber eintreten war nicht erlaubt. Nun doch. Zara erlaubte es sich selber.

Zuerst öffnete sie den kleinen Kühlschrank: Schokolade, Fruchtjoghurt, zwei Äpfel, Handcrème, eine angebrochene Sektflasche. Im Oberschrank waren Tassen, Gläser, kleine Teller, Teebeutel und Kaffeedosen mit Pulverkaffee. Dann zog sie die Schublade im Unterschrank auf: etwas Besteck, ein Flaschenöffner, ein Korkenzieher, Streichhölzer, eine offene Schachtel Zigaretten, Aspirin, Pflaster, zwei Scheren, Kram. Auf der Ablage stand der Wasserkocher, die Tasse war halb voll mit lauwarmem Kaffee. Zara fühlte sich wie an einem Tatort, der fluchtartig verlassen wurde. Wie ein Kommissar, der ein wichtiges Beweisstück sucht.

Der fleckige Malerkittel von Ulrike Vogel hing an der Wand. Zara nahm ihn vorsichtig vom Haken, wie ein Kleid aus brüchiger Seide, zögerte einen Moment und zog ihn dann über. Sie schaute an sich herunter, drehte sich leicht hin und her und posierte vor einem schmalen Spiegel. Der Kittel war zu weit, gab ihr aber etwas lässig Künstlerisches.

Sie steckte ihre Hände in die großen Taschen und berührte mit der linken ein kleines Buch. Vorsichtig nahm sie es heraus und fing an, darin zu blättern. Erst flüchtig, und nachdem sie begriff, was sie da gefunden hatte, gezielter. Es waren Notizen von Ulrike Vogel über ihre Schüler; nach Klassen und alphabetisch nach Vornamen geordnet.

12c

Andreas.

Uninteressant. Weiterblättern.

Cindy: beliebt / offen /ehrlicher charakter / s ehrgeizig / fam ok / kokett / reitet / kennt kunst / pferdebild / quali la-la / gespräch vertraulich / wohlhabend / bildungsbürger Weiterblättern.

Faris: öl / kräftiger strich / wilder stil / thema heimat / quali lala / aggressiv, sexistisch, verbreitet angst / schwer einschätzbar /

Weiterblättern.

Lia: aqua / quali sehr gut / erstaunlich / etwas gefestigt / psychisch labil / zu fett / fam desolat / i blick halten Weiterblättern.

Robert: witzig / ehrgeiz kaum / spray, abstrakt / Weiterblättern.

Zara: neu / dünn / fast mager / fam mutter, vater tot /selbstbewusst, spröde originell, fluktuationskompetenz? / viel asiatisch / ansatz originell / i blick halten /schlagfertig/ sensibel

Zara hatte ihn nicht kommen hören und erschrak heftig.

»Steht dir gut, der Kittel«, sagte Alexander im Türrahmen. »Tut mir leid, ich wollte dich nicht erschrecken, aber du wirst vermisst.« Er wusste nicht, wie er Zaras Verhalten verstehen sollte. Was machte sie in der Teeküche und warum trug sie den Kittel von Frau Vogel?

Zara atmete tief durch, um sich zu beruhigen, und steckte dann das Notizbuch zurück in die Kitteltasche. »Vermisst? Von dir?« Ihre Stimme zitterte leicht.

»Auch.«

»Und sonst?«

»Lia, Cindy, um nur einige zu nennen.«

»Sehr witzig.« Ihr Atem floss wieder gleichmäßiger.

Sie schauten sich an und Alexander machte einen Schritt in die Teeküche.

»Unten stehen Krankenwagen und du warst nicht auf dem Hof.«

»Ich fand es idiotisch, nach unten zu rennen, wo der Qualm herkam.«

»Wie klug du bist.« Er ging einen Schritt näher. Beim nächsten würde er Zara berühren können.

»Bauchgefühl.«

»Es war klug, auf dein Bauchgefühl zu hören. Es gab ein ziemliches Chaos im Treppenhaus und vor den Ausgängen. Manche wurden auch verletzt, glaube ich.«

Er ist ein vielseitiger Spieler, ein genialer Taktiker, hatten die Nornen gesagt. Aber ich hatte mich bei ihm im Park kurz eingehakt.

»Möchtest du wissen, was Ulrike Vogel über dich denkt?« Zara ging einen Schritt zurück und lehnte sich gegen den Unterschrank.

Die Frage überraschte ihn. Er wollte eben den letzten Schritt machen, um Zara nahe zu sein. »Woher weißt du, was Frau Vogel über mich denkt?«

»Ich weiß, was sie über alle ihre Schüler denkt.« Sie nahm das kleine Notizbuch aus der Kitteltasche und schlug es auf.

Alexander erkannte das Buch wieder aus dem Kunstunterricht. »Lies mal vor.«

Zara blätterte das Buch durch, bis sie zur Klasse 12a kam. Alexander war der erste Eintrag.

»Lies selber«, sagte sie und gab ihm das Notizheft.

»Alexander: beliebt / ruhig / selbstständig / kreativ / sozial / intellektuell / bild stilisiert pschcolog.« Er schmunzelte.

»Und was denkt sie über dich?«

»Lies selber. Unter Klasse 12c.« Sie verschränkte die Arme vor dem Oberkörper.

Er las den Eintrag über Zara. »Hm … i Blick halten …«

»Soll wohl heißen: im Blick behalten. Steht bei Lia auch. Sonst nirgends. Was geht die Frau meine Familie an und ob ich dünn oder dick bin, was sollen solche Notizen, fast mager, viel Asiatisches, mein Gott ist die Frau blöde, die soll sich auf ihren Unterricht beschränken und keine Vulgärpsychologie betreiben.« Zara ballte die Fäuste und sprach atemlos.

»Ich wusste gar nicht, dass dein Vater tot ist.«

»Ich weiß auch nichts von deinem Vater«, sagte sie laut.

»Mein Vater …«

»Stopp!«

»Mein …«

»Hör auf!« Zara schrie und schlug Alexander das Notizbuch aus der Hand. »Dein Vater interessiert mich nicht, und mein Vater interessiert mich auch nicht!« Ihre Stimme überschlug sich. Sie wollte sich an ihm vorbei aus der Teeküche drängen, doch er hielt sie kurz fest.

»Der Kittel«, sagte er ruhig. »Wo war das Buch. Es muss wieder an dieselbe Stelle. Beruhige dich doch, Zara.« Er hob das Notizbuch vom Boden.

»Es war im Kittel.«

»Rechts oder links?«

»Rechts, glaube ich.«

Sie zog hastig den Kittel aus, Alexander war kurz versucht, ihr dabei zu helfen. Er musterte sie. Ihre Bewegungen wirkten … Lena ist sexy, aber Zara ist … interessant darf ich nicht denken … sie ist … Er steckte das Notizbuch in die rechte Tasche und sie hängte den Kittel wieder auf den Haken an der Wand.

Sie ist nicht spröde, dachte er, sie ist verletzlich. Aber auch selbstbewusst. Ulrike Vogel kann Menschen gut einschätzen. Mich hat sie auch gut getroffen. »Wir sollten jetzt runtergehen. Cindy und Lia machen sich bestimmt Sorgen, wenn sie dich nicht in einem der Krankenwagen gefunden haben.«

Im Türrahmen stießen sie zusammen.

Mittwochmittag

Das Café Cebra war voll wie die Londoner U-Bahn zur Rushhour. Die Tische drinnen und draußen waren überbesetzt, auf manchen Stühlen saßen die Jugendlichen zu zweit – nebeneinander oder auf dem Schoß. Um die Vormittagszeit war es sonst ruhig im Café, aber durch den Unterrichtsausfall am Hermann-Hesse-Gymnasium war heute alles anders.

Die Feuerwehr hatte nach kurzer Zeit den Brand unter Kontrolle und bald darauf die Räume freigegeben, damit die Schüler und Lehrer ihre Sachen holen konnten. Der Schulleiter sprach mit der Polizei, im Lehrerzimmer wollte das Kollegium sich wegen des Geruchs nicht aufhalten. So fanden sich viele Schüler und einige Lehrer im Cebra wieder.

Susanne Behrend, Reiner Diekmann, Thomas Oertel, Ulrike Vogel, Jürgen Mahnke, Doris Jähnke und Richard Grundmann hatten sich in eine Ecke verzogen. Eine Dienstbesprechung der besonderen Art nannte das der Mathematiklehrer.

Die Schüler verblieben innerhalb ihrer Klassen. Cindy, Lia, Zara, Pia, Birgit und Rena quetschten sich um einen Tisch. Robert, Jens, Faris und andere schoben zwei Tische zusammen und machten es sich bequem.

Die Geschäftsführerin erfasste sofort, dass sie es mit Lena allein nicht schaffen würde, diese Menge von Gästen zügig zu bedienen. Sie stellte sich kurz entschlossen vor den Tresen und bat mit lauter Stimme um Aufmerksamkeit. Alle schauten zu ihr hin.

Zara starrte sie an; steht dir gut: Pony, der lange Pferdeschwanz – grün zusammengebunden. Und deine grünen Augen – ich könnte darin ertrinken.

Alexander staunte. Die Frau hat nicht nur einen klasse Geschmack, schwarze enge Hose und lindgrünes Top, sondern auch ein klasse Auftreten. Diese Frau als Lehrerin und jeden Tag bei ihr Unterricht ...

»Okay, danke. Schön, dass ihr da seid. Ich habe den Eindruck, immer, wenn an eurer Schule etwas passiert, kommt ihr alle zu mir.« Sie lachte offen.

Heiterkeit sprudelte durch den Raum.

»Ich denke, die Situation ist jedem klar. Business as usual ist im Augenblick nicht angesagt. Also: Ich bitte darum, dass ihr Gruppenbestellungen abgebt und gruppenweise bezahlt. Und ich bitte darum, dass einige von euch bei der Bedienung helfen. Young men first please. Wer eine Espressomaschine bedienen kann, melde sich bei mir. Wen es nicht stört, zwischendurch einige Tassen abzuspülen, melde sich ebenfalls bei mir. Allez-y. Auf geht's.«

»Aye, aye, captain«, sagte Jürgen Mahnke und war versucht aufzuspringen und militärisch zu grüßen.

»Muss es nicht heißen: Aye, aye, sir?«, fragte Thomas Oertel grinsend.

»Die Frau ist an ihrem richtigen Platz.«

»Sie hat dich gemeint, mit dem Tassenspülen.« Doris Jähnke schmunzelte.

»Ich zitiere: *Wen es nicht stört, zwischendurch einige Tassen abzuspülen.*«

»Und, stört es dich?«, fragte seine Englischkollegin.

»Tassen abspülen kann doch jeder. Mich interessiert, wie sich unsere Schüler in dieser Situation verhalten.«

»Voyeur.«

»Mach doch teilnehmende Beobachtung«, schlug Thomas Oertel vor. »Mach ich in Musik manchmal. Mitsingen und beobachten.«

»Mal sehen, wer unsere Bestellung aufnimmt.«

Die Mädchen steckten ihre Köpfe zusammen und berieten, ob sie der Aufforderung abzuwaschen oder Kaffee zu machen nachkommen sollten. Sie entschieden sich dagegen.

Am Jungentisch protestierte Faris heftig gegen die Zumutung, Mädchen oder Lehrerinnen zu bedienen. Robert fand es lustig und stand auf. Jens, Marcel und Markus folgten seinem Beispiel. Sie standen mit anderen Jungs unschlüssig rum, doch die Geschäftsleiterin teilte zügig Tischgruppen zu und gab ihnen einen Bestellblock und Bleistift. Es herrschte eine gelöste, heitere Stimmung im Café, wie sie eine gut gelaunte Wandergruppe bei einer Einkehr verbreitet.

Robert stand unsicher mit dem Block in der einen Hand und den Bleistift zwirbelnd in der anderen am Lehrertisch und wartete auf die Bestellungen.

»Na Robert«, begann der Kunstlehrer, »heute mal in einer neuen Rolle. Wissen denn Ihre Eltern, dass Sie hier arbeiten?«

Die anderen lachten.

»Und dazu am Vormittag«, setzte der Musiklehrer das Spiel fort. »Müssten Sie denn nicht um diese Zeit in der Schule sein?«

Robert wusste nicht, was er davon halten sollte. Im Unterricht benutzten die Lehrer durchaus einen entspannten, manchmal witzigen Tonfall, aber diese Situation verunsicherte ihn. Doch er wollte originell antworten.

»Ich bin bereits volljährig und außerdem handelt es sich hier um eine Notsituation«, entgegnete er trocken.

»Notsituation?«, wiederholte der Kunstlehrer. »Sie stehen aus Not hier?«

Robert nahm eine Habachthaltung ein und sprach in soldatischem Meldeton: »Der Not gehorchend, nicht dem eigenen Trieb. Die Braut von Messina. Friedrich Schiller.«

»Donnerwetter! Ein Zitat von Schiller, kaum zu glauben. Schade, dass Bettina das nicht gehört hat.«

»Facere de necessitate virtutem.«

»Bravo, bravissimo Robert. Sie haben aus der Not eine Tugend gemacht. Sehr gut«, lobte ihn Richard Grundmann.

Der Schüler verbeugte sich leicht. »Und, was möchten die Herrschaften trinken?«

Alle lachten, auch Robert.

»Für mich nichts«, sagte Richard Grundmann und stand auf. »Ich glaube, ich helfe an der Espressomaschine aus.«

»Wie anziehend doch Schönheit sein kann.« Thomas Oertel stieß seinen Kunstkollegen an. Beide grinsten.

»Unsere Evakuierung war wenig professionell. Wir sollten öfter üben.« Ulrike Vogel wandte sich an Doris Jähnke.

Dann gaben sie ihre Bestellungen auf.

Alexander stand am Tisch von Lia, Zara und den anderen. Cindy schaute Zara an, Zara hielt den Blick gesenkt und zählte ihre Finger.

»Ich bitte die jungen Damen um Verständnis«, begann er mit einem aufgesetzt freundlichen Kellnerlächeln, »aber wie Sie selbst sehen«. Sein Blick machte eine Runde durch das Café. »Heute ist ein besonderer Tag, und deshalb helfe ich etwas aus.«

»Verständnis wofür denn?«, wollte Lia wissen. Sie ging auf das Spiel ein.

»Nun, die Bearbeitung Ihrer Bestellung wird etwas länger dauern als gewöhnlich.«

»Was ist denn passiert?«

Er neigte sich etwas vor und senkte seine Stimme. »Ich glaube, an der Hermann-Hesse hat es gebrannt.«

»Ein richtiger Brand? Wie aufregend«, kicherte Rena.

»Nun ja, wie man's nimmt«, sagte er ernsthaft und richtete sich wieder auf.

»Wie soll ich das verstehen, junger Mann«, hakte Rena nach.

»Nun ja, die Schüler mögen es lustig finden, es sei denn, sie wurden verletzt. Und die Lehrer ...«

»Verletzt. Es gab Verletzte? Wie schrecklich!« Lia gab sich betroffen.

»Es gibt Gerüchte. Aber vielleicht möchten Sie etwas trinken?«

»Verletzte. Hast du gehört meine Liebe?« Lia wandte sich Cindy zu.

»Ja etwas zu trinken.«

»Nach dem Brand den Durst löschen sozusagen – haha.«

»Na dann notieren Sie mal unsere Gruppenbestellung, junger Mann: Fünf Espressos und fünfmal Wasser dazu. Und was willst du, Zara?«

»Vielleicht einen exquisiten Tee für die junge Dame?«

Die Röte schoss Zara ins Gesicht. Sie sprang auf, stieß den Stuhl nach hinten und hastete zur Toilette. Die anderen Mädchen sahen ihr verdutzt nach. »Was hat sie denn?«

»Dann bringe ich euch erstmal die fünf Espressos.« Alexander bedauerte sein Rollenspiel sofort, obwohl bis auf Zara alle darauf eingegangen waren. Sie ist wirklich leicht verletzbar.

Cindy stand auf und lief Zara hinterher.

Das Farb-Design des Cebras setzte sich in der Toilette fort. Der Boden war schwarz-weiß gefliest, an den weißen Wänden hingen zwei schwarz gerahmte, beleuchtete Spiegel, und darunter zwei kleine weiße Handwaschbecken und schwarze Wasserhähne. Die zwei Toilettenkabinen hatten hellgraue Trennwände und weiße Türklinken.

Als Cindy in die Toilette stürzte, fand sie Zara, wie sie sich über ein Becken gebeugt kaltes Wasser ins Gesicht klatschte.

»Was ist los, Zara?«

Zara drehte kurz ihren Kopf zur Seite. »Hau ab!«

»Komm, Zara. Beruhige dich doch.« Cindy ging etwas auf Zara zu und streckte den Arm aus.

Zara richtete sich abrupt auf. Gesicht und Jeanshemd waren klitschnass. »Hau ab, habe ich gesagt.« Sie riss ein Papierhandtuch aus dem Spender. »Und fass mich nicht an!«, schrie sie.

Cindy wich zurück.

»Jetzt schrei mal hier nicht so rum, du humorlose Zicke. Ich dachte immer, wir seien befreundet, aber da muss ich mich geirrt haben. Nun, soll ja menschlich sein – haha.«

Zara trocknete sich wortlos das Gesicht und die Hände ab.

»Alex hat doch nur Spaß gemacht. Alle haben es verstanden, nur du nicht. Ist doch lustig im Augenblick im Café.«

»Für dich vielleicht.«

»Sogar einige Lehrer sind da.«

»Ja, vor allem deine Ulrike.«

»Ach komm, Zara. Was soll das denn? Hey, wir haben einen Brand überlebt. Und ob du es glaubst oder nicht, Alex hat sich auf dem Hof nach dir erkundigt. Er hat sich Sorgen gemacht, und wir auch. Du warst weder vor noch hinter der Schule und nicht in einem der Krankenwagen. Es gibt Menschen, die machen sich Sorgen um dich, kapiert!?«

»Luxusgefühle.«

»Warum nicht? In Zeiten flüchtiger Oberflächlichkeit.«

Sie schwiegen einen Moment; Zara verbissen, Cindy fordernd.

»Ich hoffe, ich störe nicht. Aber natürlich störe ich. Und ich möchte auch stören. Hallo ihr beiden. Ich habe gesehen, wie ihr nacheinander und ziemlich erregt in den Rückzugsraum für hübsche Mädchen gestürmt seid.«

Zara und Cindy starrten Ulrike Vogel entgeistert an und lächelten.

»Sie haben sich Sorgen gemacht, stimmt's«, wollte Cindy wissen. Sie war dankbar für die Unterbrechung und hoffte auf Unterstützung.

»Sorgen?« Die Kunstlehrerin überlegte einen Moment. »Sorgen, ich weiß nicht. Es war so ein Impuls, eine innere Stimme.«

Die Mädchen wussten nicht, was sie weiter sagen sollten.

»Ist alles in Ordnung mit dir, Zara?«

Zara nickte.

»Dein Hemd ist ja völlig durchnässt. So kannst du nicht zurück ins Café.«

»Möchte ich auch nicht.«

»Bist du sicher?«

»Nein.«

»Hier, nimm mein Jackett. Ich denke, es dürfte dir passen. Du trägst ja gerne etwas weitere Kleidung.«

Ulrike Vogel zog ihr Jackett aus und hielt es Zara hin. »Aber nicht über dein nasses Hemd, sonst holst du dir was weg.«

Zara zögerte. Cindy wusste nicht, wo sie hinsehen sollte – auf das enge schwarze Oberteil ihrer Lehrerin oder ob Zara sich traut, sich umzuziehen. Die Kunstlehrerin schaute ihrer Schülerin auffordernd in die Augen. »Sollen wir rausgehen?«

Zara zog sich nicht einmal in Gegenwart ihrer Mutter aus. Sie trug ein T-Shirt drunter. Trotzdem. Sie schüttelte den Kopf.

»Möchtest du in die Kabine dafür?«

Sie schüttelte erneut den Kopf und knöpfte ihr Jeanshemd auf. Das T-Shirt war leicht feucht, ihre kleinen Brüste zeichneten sich ab. Ulrike zog ein Papierhandtuch aus dem Spender. »Tupf nochmal drüber, das müsste reichen.« Zara drückte das Papier gegen den Stoff, fuhr damit kurz unter dem Shirt über die Haut und warf es in das Waschbecken. Dann schlüpfte sie in das Jackett, knöpfte es zu und zupfte die Ärmel zurecht.

»Steht dir gut«, sagte Ulrike Vogel.

»Du siehst toll aus Zara.« Cindy streckte die Hand aus. »Komm, ich nehme dein Hemd.«

Zara lächelte erschöpft.

Nachdem sie wieder am Tisch saßen, brachte Alexander die fünf Espresso. Er stutzte und musste sich einen Augenblick gedanklich sortieren. Erst der Kittel und nun ihr Jackett, dachte er und wurde eifersüchtig.

»Möchtest du jetzt etwas trinken?«, fragte er Zara versöhnlich.

»Ja, einen Coffee to fly bitte.«

Alle lachten und Cindy bewunderte Zaras mehrdeutige Fantasie und Schlagfertigkeit.

Mittwochnachmittag

Klaus Roeder saß in der Redaktion vor dem Computer, zog sporadisch an seiner Zigarette, trank schluckweise lauwarmen Kaffee und bilanzierte die letzten Stunden.

Nach dem lautstarken Verweis durch den Schulleiter sprach er mit Polizisten, Feuerwehrleuten und den Männern von der Ersten Hilfe. Am meisten freute ihn, den Hausmeister angesprochen zu haben. Er hatte kalkuliert, der würde nur mit einer kleinen finanziellen Zuwendung sprechen; weit gefehlt. Roeder bekam den Eindruck, der Mann war froh, endlich jemand gefunden zu haben, der ihm zuhörte. Es sprudelte nur so aus ihm heraus: »Am Schwelbrand sind die verdammten ausländischen Putzfrauen schuld, zu dumm, eine Tür abzuschließen. Und überhaupt, sauber ist die Schule schon lange nicht mehr. Und die ausländischen Schüler machen mehr Dreck als die deutschen. Und jetzt die Sporthalle, die wurde bestimmt von den Putzfrauen oder ausländischen Schülern angesteckt.«

Der Reporter war zufrieden. Mehr Informationen über den Brand an der ersten Schule von Lohneburg konnte er in dieser kurzen Zeit nicht erhalten; und er war stolz auf sich. Er überlegte, noch im Cebra vorbeizuschauen, entschied sich aber dagegen, so öffentlich aufzutreten. Für ihn stand fest, dass der Brand in der Turnhalle absichtlich gelegt worden war; selbstverständlich hielten sich die Brandermittler ihm gegenüber bedeckt hinsichtlich Zündquellen, Brandstoff und Ähnlichem. Das Gespräch mit den Jungen war nicht nur witzig, sondern auch in diesem Sinne zu interpretieren: Brandstiftung. Dann war die Sache im Sommer bestimmt auch Brandstiftung. Und die Kinderwagen im Hausflur? Vieles spricht dafür, dass hier ein Jugendlicher gezielt zündelt. Und zwar ein Schüler oder eine Schülerin vom H-H-G. Faris selber? Oder das gestörte dicke Mädchen? Oder die dünne Neue? Es hatte nie solche Art von Bränden in der Stadt gegeben, und nun diese Häufung? Und diesmal gab es sogar Verletzte; Rauchvergiftung und Sturzverletzungen. Das kann die Polizei jetzt nicht zu den Akten legen, und der Schulleiter, dieser eingebildete Altphilologe, schon gar nicht. Er sollte nachher noch im Krankenhaus vorbeischauen, vielleicht würden ein paar Fotos dabei herausspringen.

Roeder begann zu schreiben.

Und schon wieder brannte es am H-H-G, dem ersten Gymnasium unserer Stadt. Im Gegensatz zum ... wo es sich nur um einen Schwelbrand am Nachmittag handelte, brannte diesmal die Turnhalle im Erdgeschoss komplett aus; an einem Vormittag mit hunderten von Schülern im Unterricht. Dunkler Rauch und beißender Gestank drangen bis in die Kunsträume im Dachgeschoss. Alle Schülerinnen und Schüler sowie das Lehrpersonal flüchteten panikartig aus den Klassenzimmern, rannten ungeordnet durch Gänge und über Treppen und versuchten sich auf den Schulhof oder auf die Straße zu retten. Für manche von ihnen endete diese Flucht leider im Krankenhaus.

Inzwischen

Obwohl die ganze Nacht gelüftet worden war, hing der Geruch von verbranntem Kunststoff noch unangenehm im Raum. Die Lehrer saßen an ihren Tischen und standen in kleinen Gruppen; alle sprachen über dasselbe Thema: den Brand in der Schule. Gestern glaubten einige an einen Zufall, Kurzschluss oder Fahrlässigkeit, doch heute, nach der Lektüre von Klaus Roeders Artikel im Tagesecho und ausführlichen Erörterungen darüber, war Brandstiftung als Ursache kaum zu leugnen. Roeder verknüpfte geschickt den Hausflurbrand, den Schwelbrand in der Schule im Sommer, den Eklat um Zaras Bild und den gestrigen Brand der Turnhalle miteinander. Außerdem legte er raffiniert eine Verdachtsspur in die Richtung, dass der Brandstifter oder die Brandstifterin nur aus der Schule selbst kommen konnte.

Diekmann befürchtete eine erneute Dienstbesprechung, andere dachten an lange Gespräche mit Kriminalpolizisten. Die Auswirkungen auf die Schüler mochte niemand abschätzen, und die Folgen für den Ruf der Schule in der Stadt wollte keiner sich näher vorstellen. Und in die Klassen gehen und unterrichten wie gewöhnlich   danach war dem Kollegium nicht zumute.

Die Klasse 12c wartete ungeduldig auf den Unterrichtsbeginn.

»Das grenzt an Körperverletzung, bei dem Gestank gezwungen zu sein, sich in diesem Raum aufzuhalten.« Jens riss ein Fenster auf.

»Wir sollten Unterricht auf dem Hof haben.«

»Unterrichtsfrei wäre angemessener.«

»Oder im Cebra.«

»Wir sollten Grundmann überreden, spontan eine Exkursion anzusetzen. Interviews zum Sinn des Lebens in der Altstadt machen«, schlug Robert vor.

»Besser im Park über die Auswirkungen der Natur auf die menschliche Seele nachdenken, oder.«

Zara zog die Luft durch die Zähne. Hatte Marcel sie neulich mit Alex gesehen? Wie sie sich bei ihm einhakte?

Sie stand mit Cindy und Lia am Fenster, als Faris auf sie zukam. »Piis sistas, was für Zeiten wir haben.« Er schüttelte den Kopf. »Schon die Zeitung gelesen? Ach, keine Frage. Man will ja sehen, ob etwas über einen drinsteht.«

»Du meinst, ob du in der Zeitung stehst«, fragte Cindy.

»Wieso ich? Ich vergreife mich doch nicht an unschuldigen Kinderwagen.«

»Also?«

»Feuer werden überwiegend von Frauen gelegt. Ist statisch belegt.«

»Statistisch.«

»Sag ich ja.«

Zara überlegte, ob sie sich ernsthaft auf dieses Gespräch einlassen sollte. Cindy schaute auf ihre Uhr und hoffte, Grundmann würde etwas früher kommen. Lia fing an zu schwitzen.

»Mit den Statistiken ist das so eine Sache«, sagte Cindy.

»Ja windy, weiß ich auch. Trotzdem. Die Aggressionen, du verstehst. Frauen greifen nicht so schnell zum Messer.«

»Ach ja? Zum Glück für die Männer.«

»Entweder sie ritzen sich selber oder legen Feuer. Oder beides.«

Lia wurde langsam wütend. Sie hasste es, zu schwitzen und dass Faris sie durch sein Reden so bedrängte. Nun standen noch andere dabei und hörten zu. Am liebsten würde sie davonrennen.

»Faris, der Kenner der weiblichen Seele. Dass ich nicht lache«, sagte sie mit gepresster Stimme.

»Ich meine, richtige Frauen legen klar kein Feuer.«

»Die haben eher Feuer.« Robert mischte sich ein.

»Genau. Aber die nicht richtigen Frauen, und wenn sie dann noch Probleme haben …«

»Da kann es schnell brennen.«

»Genau.«

»Hallo. Tut mir leid, dass ich etwas zu spät komme.« Ihr Philosophielehrer stand im Türrahmen.

»Macht doch nichts, Herr Grundmann. Wir haben uns selber beschäftigt.«

»Wir haben über ethisches Verhalten gesprochen. Ob Zündeln aus psychischer Notwehr legitim ist.«

»Ob Piero, äh Pyromanie bestraft wird oder ob man sich mit seelischen Problemen rausreden könnte?«

»Setzt euch erstmal hin und dann sehen wir weiter.« Er ging zum Lehrertisch, lehnte sich vorn an die Kante, verschränkte die Arme vor der Brust und schaute die Klasse an.

Donnerstagnachmittag

Lia war allein zu Hause. Ihr Vater fuhr Schicht. Schon wieder. Sie hatte den Eindruck, der Schichtdienst häufte sich in letzter Zeit. Genauso wie das Essengehen im Hasenstall. Zettel legte er nur noch gelegentlich hin. Ab und zu äußerte er sich vage dazu. Doch weshalb sollte sie darüber grübeln, ihre eigenen Sorgen waren groß genug.

Sie saß am Küchentisch voller Lebensmittel. Die Stimme hatte lange nicht mehr zu ihr gesprochen. *Essen hält Leib und Seele zusammen.* Sie öffnete das Würstchenglas und griff sich ein Paar. *Essen beruhigt.* Das zweite Paar schmeckte ebenfalls. Und dazu zwei, drei Gürkchen. Macht durstig. Faris ist ein Arsch. Sie riss wütend die Dose auf und kippte das Bier in den Mund, als wäre sie am Verdursten. Das tut gut. Und Mama? Wir haben uns lange nicht gesprochen. Welche Schwangerschaftswoche eigentlich? Die letzten Würstchen. Hm. Ich hasse Babys. Sie ging zum Telefon, ihre Hand schwebte über dem Hörer. Nachher macht sich Mama Sorgen und verliert das Baby. Und Fida? Darf zu Hause nicht angerufen werden. Scheiße. Lia ist wieder in der Küche. Die Bierdose war leer und flog zusammengedrückt gegen die Wand. Ich schaff das nicht. Noch länger als ein Jahr. Jeden Tag. Jeden Tag Kampf. Sie riss die Käsepackung auf und schob sich zwei, drei Scheiben Gouda gleichzeitig in den Mund. Scheiße! *Ruhig, bleib ruhig. Iss erstmal richtig. Das beruhigt.* Sie aß den Käse auf und weinte. Ihr Kopf fiel auf die Tischplatte, das Gurkenglas zerbrach auf dem Boden.

Erst hörte Lia das Telefon nicht. Dann überlegte sie, ob sie rangehen sollte. Als es nicht aufhörte zu klingeln, dämmerte es ihr, es könnte wichtig sein. Vielleicht war ihrem Vater etwas passiert. Sie sah ihn blutüberströmt in seinem zertrümmerten Führerhaus.

»Ja«, presste sie in den Hörer.

»Lia. Zara hier. Ich muss dich unbedingt sprechen. Ich stehe schon unten vor der Tür, wollte aber nicht einfach so klingeln. Ich komme hoch, ja? Drück mal auf.«

Zara fand die Wohnungstür geöffnet. Lia stand verheult in der Küche; Zara erfasste die Situation sofort. »Geh in dein Zimmer, ich bring das in Ordnung. Und dann reden wir.«

Sie schob Lia sanft aus der Küche, stellte die Lebensmittel zurück in den Kühlschrank, sammelte die Scherben des Gurkenglases auf, wischte den Fußboden mit einem Küchenhandtuch, öffnete das Fenster, wusch sich die Hände und ging zu Lia ins Zimmer.

»Ach Lia«, seufzte Zara und nahm sie in den Arm. Lia schluchzte. Sie saßen nebeneinander auf der Bettkante.

»Wir leben in wahrhaft schwierigen Zeiten«, begann Zara. »Es brennt in der Stadt, es brennt in der Schule, und die Zeitung verdächtigt einen von uns.«

»Und Faris nervt. Ich hasse ihn. Er wird immer schlimmer. Zum Kotzen. Ich halte das nicht mehr lange aus.«

»Du hast recht. Faris verhält sich unmöglich. Leider ist er clever.«

»Und bei den Lehrern beliebt. Soll ich uns einen Tee machen? Du magst doch Tee.« Lia trocknete sich die Tränen mit dem Ärmel.

»Danke. Lieb von dir. Aber heute bitte nicht.«

»Und Kekse?«, fragte sie hoffnungsvoll.

»Danke. Auch nicht.«

»Dann nehme ich auch keine.«

Sie schwiegen. Lia stützte ihren Kopf in die Hände und schaute auf den Boden. Zaras Blick wanderte im Zimmer umher. Sie bemerkte, dass statt der bisherigen Landschaftsfotos zwei Aquarelle an der Wand hingen; signiert mit lw.

»Ach Lia.«

»Ja?«

»Du hast ein Problem. Ich hab ein Problem.«

»Ja.«

»Du isst nicht richtig, und ich esse nicht richtig.«

»Ich habe immer Hunger; hauptsächlich wenn es mir schlecht geht. Und mir geht es schlecht. Furchtbar schlecht sogar.« Sie schniefte.

»Ich habe so gut wie nie Hunger. Ich muss mich fast zum Essen zwingen. Und gut geht es mir auch nicht. Es ging schon mal besser.«

Sie schwiegen erneut. Zara stand auf, ging zum Fenster und schaute auf die Straße. Wie lange war es her, dass sie mit Lias Vater dort unten nachts vor der Haustür stand. Und dann kam der Notarzt. Das durfte sich auf keinen Fall wiederholen.

»Das Feuer in der Schule vor den Sommerferien.« Sie drehte sich um.

»Ja?«

»Vor dem Putzraum.«

»Ja?«

»Ich meine, was denkst du, wer es gelegt haben könnte.«

Lia richtete sich auf. »Wenn du auf den Zeitungsartikel ansprichst – ich jedenfalls nicht.«

»Ich glaube, es war Faris. Auf jeden Fall hatte er an diesem Nachmittag Unterricht bei Müller, Geschichts-AG. Da kann man doch mal unauffällig die Klasse verlassen.«

»Und die Sporthalle? Auch Faris?«

»Vermutlich dieselbe Person. Also auch Faris.«

»Und warum? Warum legt er Feuer? Als Ausländer? Und warum jetzt und nicht schon früher? Ich verstehe gar nichts.«

»Das liegt an mir.« Zara kicherte.

»An dir?«

»Ja. Der Journalist hat darauf hingewiesen. In der Schule hat es bisher nicht gebrannt. Und in Hausfluren im Umfeld der Schule auch nicht. Erst, seitdem ich an der Schule bin.«

»Also bist du die Brandstifterin.« Lia lachte gequält.

»Könnte man denken. Aber weißt du, was ich glaube?«

»Nein.«

Zara holte tief Luft. »Ich glaube, die Kinderwagen hast du angesteckt.«

Lia setzte zum Protest an. Sie wollte entrüstet aufspringen, wollte Zaras Behauptung mit lauter Stimme und betonharten Argumenten aus dem Zimmer treiben. Doch ihr fehlte die Kraft dafür. Sie sackte in sich zusammen, rutschte von der Bettkante auf den Boden und begann bitterlich zu weinen.

Zara legte sich neben sie. »Lia, das war eine Kurzschlussreaktion. Dafür musst du dich nicht schämen. Jeder würde das verstehen. Dir ging es schlecht.«

Lias Körper durchlief ein heftiger Schauder. Die Tränen flossen aus tiefster Seele. Zara berührte leicht ihren Rücken. »Komm. Wer ist schon Faris. Wir stehen das durch, Lia.«

Freitag

Das Armband war ein Geschenk von Fida. Eigentlich fand sie sich zu alt für Freundschaftsarmbänder, wie sie sich kleine Mädchen schenkten; aus bunten Wollfäden geflochtenen Kitsch. In der Klinik lernten sie im Rahmen der Achtsamkeitstherapie flechten, knüpfen und weben. Als Fida zuerst entlassen wurde, schenkte sie Lia ein Armband, geflochten aus feinen, gefärbten Lederbändern und Goldfäden. Lia schämte sich, ohne ein Geschenk für Fida dazustehen.

Klaus Roeder vom Tagesecho stand mit Lia abseits von der Schule auf der Straße. Er hatte sie nach dem Unterricht abgefangen und in ein Gespräch verwickelt. Ob sie etwas zu dem Brand sagen könnte? Wieso denn sie? Fragen Sie die anderen Schüler.

»Das gehört doch Ihnen?« In seiner Hand lag ein geflochtenes Lederarmband.

»Woher haben Sie das?«, fragte Lia erschrocken.

Roeder grinste sie an. »Sie trugen es neulich auf dem Erntedankfest Ihrer Schule. Ein hübsches Armband. Sieht wertvoll aus. Vermutlich alte armenische Flechtkunst.«

»Ja, es gehört mir. Ich muss es verloren haben. Wo haben Sie es gefunden?«

»Ich habe es nicht gefunden.«

»Und, wer hat es gefunden? Ach, ist doch eigentlich egal.«

»Eigentlich nicht.«

»Wieso nicht? Kann ich es wiederhaben?« Sie streckte ihre Hand aus.

»Nein, es ist ein Beweisstück.«

»Ein Beweisstück?« Lia stutzte. »Was soll es denn beweisen?«

Roeder beugte sich etwas nach vorn, Lia wich zurück. »Es lag am Brandherd in eurer Schule«, flüsterte er. »Vielleicht hast du es beim Sportunterricht dort verloren. Vielleicht aber auch nicht. Ich muss jetzt los.«

Lia blieb verdutzt zurück. Sie hatte in letzter Zeit keinen Sportunterricht gehabt. Wie konnte ihr Armband also in die Sporthalle geraten? Und was sollte bewiesen werden? Und wieso duzte er sie plötzlich? Und er stank so eklig nach Rauch.

Zuhause rief Lia ihre Mutter an, um sich mit ihr zu verabreden. Sie musste über den Brand in der Schule und das Gespräch mit dem Zeitungsmenschen sprechen. Aber ihre Mutter hatte in den nächsten Tagen absolut keine Zeit, auch nicht am Sonntag. Und am Telefon im Augenblick auch nicht. Ihre Worte hasteten durch die Leitung: Unterschlagung von Beweisstücken, ist egal, wie das Armband verloren gegangen war, das Baby ist so unruhig.

Gerne hätte Lia mit Fida gesprochen, aber das wäre gegen ihre Abmachung, dass Fida Lia anruft und niemals umgekehrt. Fidas Familie war immer misstrauisch, auch wenn ein Mädchen anrief.

Abends saß sie mit ihrem Papa am Küchentisch. Sie hatte Kartoffeln gekocht und tiefgekühltes Buttergemüse zubereitet, dazu gab es Bockwurst. Das Essen im Hasenstall war sicher besser. Aber ihr Papa verströmte seit einigen Tagen eine gute Laune, und heute vermittelte er seiner Tochter erneut den Eindruck, die beste Köchin der Welt zu sein. Lia war misstrauisch gegenüber dem vermehrten Interesse ihres Papas an der Schule, ihren Leistungen und dem Verhalten der Jungen ihr gegenüber. »Tyrannisiert dich der Araber wieder?« Sie ahnte, ihr Papa habe etwas vor, und das hänge bestimmt mit der polnischen Kellnerin zusammen. So wie sein Verhalten, in der Wohnung nicht mehr im Unterhemd herumzulaufen. Er trug farbige T-Shirts und manchmal sogar ein Oberhemd.

»Der Chef musste mir einige Tage Urlaub genehmigen. Der Überstunden-Berg wäre höher als der Montblanc, habe ich ihm klar gemacht. Anfangs strickte er seine alte Masche weiter: Ich sei unersetzlich. Die Säule der Firma, sülzte er rum. Aber ich bin hart geblieben.«

»Schön Papa.«

»Ich könnte Freitag bis Montag freinehmen.«

»Schön.«

»Ich würde gerne kurz wegfahren.«

»Toll. Montag habe ich zwar Schule. Aber Samstag und Sonntag könnten wir irgendwohin fahren. Oder schon Freitag, gleich nach der Schule. Wir haben seit einer Ewigkeit nichts mehr unternommen.« Sie strahlte. »Endlich mal raus aus diesem Kaff. So wie früher. Und wenn es nur für zwei Tage ist.«

Ihr Vater fixierte seine leere Bierflasche.

»Möchtest du noch ein Bier? Weißt du schon, wohin wir fahren könnten?« Lia sprang freudig auf und eilte zum Kühlschrank.

»Lia.«

Sie stoppte abrupt.

»Lia. Es ist so.« Ihr Vater starrte auf die Plastikdecke. Sein Blick versuchte Halt im Blumenmuster zu finden. »Ich ...« Die Sätze, die er sich seit Tagen zurechtgelegt hatte, verloren ihre Form. Die Worte wirbelten umher und er fand keinen Anfang. Wütend haute er mit der Faust auf den Tisch.

»Ich weiß, was du sagen willst.« Lia rutschte mit dem Rücken an den Kühlschrank gelehnt auf den Boden. »Du möchtest mit der Polin verreisen. Mit Justyna.«

Ihr Vater nickte. Seine Lippen waren ein blutleerer Strich, sein Atem ging schwer. Schweißperlen standen auf seiner Stirn. Er schämte sich, dass seine Tochter die Worte sagte, die er hätte sagen müssen. Lia stemmte sich vom Boden hoch und verließ wortlos die Küche.

Die Bierflasche zerbarst krachend an der Küchenwand. »Erst deine Mutter mit ihren blöden Problemen!«, brüllte ihr Vater, »und dann du!« Seine flache Hand krachte wiederholt auf den Tisch. Die Adern an den Schläfen traten hervor. »Wärst du nicht auf dem scheiß Gymnasium, hättest du nicht diese scheiß Probleme! Alle denken nur an sich! Deine Mutter will ein Kind, du willst Abitur und was ich will, interessiert niemanden. Damit ist jetzt Schluss! Hörst du! Schluss!«

Sie lag auf ihrem Bett und starrte an die Decke. Gerne hätte sie jetzt jemanden, mit dem sie sprechen könnte; der zuhörte, sie verstand, sie tröstete und vielleicht sogar in den Arm nahm. In den Romanen gab es immer solche Menschen, manchmal auch im wirklichen Leben – nur nicht für sie.

Heute Abend kamen die Stimmen mit voller Wucht.

Da siehst du es wieder, auf niemanden ist Verlass. Wenn du jemanden brauchst, denken sie alle nur an sich.

Du könntest deine Lehrerin anrufen.

Lächerlich! Das Angebot war eine pädagogische Phrase. Lehrer behaupten immer, Schülern helfen zu wollen.

Du könntest Zara anrufen. Ihr seid doch befreundet.

Lächerlich! Zaras Freundin ist Cindy. Und Zara ist scharf auf Alexander.

Fida braucht dich.

Fida ist weit weg. Sie braucht ihre ganze Kraft für ihre eigenen Sorgen. Religion und Kultur aus dem Mittelalter. Lass die Finger davon!

Du musst dich beruhigen. Dein Vater möchte eine Freundin haben, das ist doch verständlich.

Du brauchst keine Freundin. Du bist alleine stark genug. Zeig es ihnen.

Ist das Baby erst geboren, hat deine Mama bestimmt mehr Zeit für dich.

Zeig es allen. Beweise, dass du ein starkes junges Mädchen bist. Zeig es Zara, deiner Mama, deinem Papa. Alle werden dich bewundern!

Lia wälzte sich hin und her, hielt sich mit dem Kissen die Ohren zu. Die Nacht schien endlos. Sie war schweißgebadet.

»Ich brauche frische Luft«, sagte sie zu sich selber. »Ich ersticke sonst. Ich muss raus hier.«

Ja, du musst raus.

Mühsam stemmte sie sich hoch, zupfte das Hemd von der feuchten Haut, schlüpfte in die Schuhe und öffnete leise ihre Zimmertür. Ihr Vater schnarchte. Vorsichtig griff sie sich ihre Jacke und zog die Wohnungstür behutsam hinter sich ins Schloss.

Vor der Haustür blieb sie einen Moment stehen und atmete mehrmals tief ein und aus. Sie schaute auf ihre Armbanduhr und erschrak; es war nach ein Uhr. Noch nie in ihrem Leben war sie um diese Zeit auf der Straße gewesen; alleine schon gar nicht. Was sollte sie jetzt tun? Vor der Tür stehen bleiben, frische Luft schnappen und dann wieder ins Bett gehen und hoffen, besser einschlafen zu können?

Wie stark du bist. Die Nacht gehört dir. Los!

Sie ging die menschenleere Straße entlang. In einigen Wohnungen brannte Licht. Die Straßenlampen erhellten ihren Weg nur unzulänglich. Sie hörte Stimmen und Gekicher; ein junges Pärchen kam um die Ecke. Die beiden blieben stehen, ohne Lia zu beachten, und knutschten sich ungeniert. Lia senkte den Blick und hastete, stoßweise atmend, an ihnen vorbei.

Was soll ich hier? Was mache ich um diese Zeit auf der Straße? Bin ich verrückt geworden?

Du bist nicht verrückt. Im Gegenteil. Du bist mutig. Zara würde sich das nicht trauen.

Ziellos ging Lia weiter.

»Nun mach schon. Glaubst du, ich will mir deinetwegen die ganze Nacht um die Ohren schlagen?« Auf der anderen Straßenseite trieb ein Mann seinen Hund an, gefälligst schneller zu kacken. »Hallo, junge Frau. So spät auf der Straße und dazu noch alleine?«, rief er Lia zu.

Lia beschleunigte ihre Schritte.

»Warte doch einen Moment. Mach hinne, du blöder Köter!«

Lia hoffte, dass der Hund noch lange brauchte und sie inzwischen aus dem Blickfeld des Mannes verschwunden sein würde. Doch der Mann zerrte seinen Hund an der Leine, holte Lia ein und lief auf seiner Seite genauso schnell wie das Mädchen auf ihrer.

»Haste auch solchen Durst wie ich? So'n Hund ist immer ein guter Vorwand etwas trinken zu gehen. Der Kiosk hat noch geöffnet. Ich lad dich auf ein Bier ein. Renn doch nicht so.«

Lia bekam Angst. Sie begann schneller zu laufen. Es war falsch, nachts auf die Straße zu gehen. Sie hätte es wissen müssen. Wie sollte sie den Typen loswerden? Ein Bier trinken am Kiosk? Das wäre das Letzte. Wo war sie überhaupt?

»Warum haste es denn so eilig? Die Nacht ist noch lang. Ich komme mal rüber, dann muss ich nicht so schreien.« Der Mann kam auf Lias Seite und lief neben ihr weiter. Sein Hund schnüffelte an Lias Beinen. »Lass das!«, befahl der Mann knapp und zog ihn weg von Lia. »Er tut nichts.«

»Das sagen alle Hundebesitzer.«

»Oh, du kannst sprechen. Hast du Angst vor Hunden?«

»Nein.«

»Sollte man auch nicht. Dann werden sie erst recht aggressiv.«

Lia fühlte sich gefangen. Den Mann würde sie so schnell nicht los. Womöglich folgte er ihr noch zurück bis zur Wohnung.

»Es ist nicht mehr weit bis zum Kiosk. An der nächsten Ecke links und dann nur noch einige Meter. Du wirst sehen, es wird dir gefallen. Da ist immer was los. Nettes Publikum.«

Lia kannte keinen Kiosk in ihrem Kiez. Sie konnte sich doch nicht soweit verlaufen haben, dass sie in einer unbekannten Gegend gelandet war. Sie schielte auf ihre Uhr. Sie war eine halbe Stunde draußen. Was meinte der Mann denn mit Kiosk? Am besten, sie geht erstmal bis zu diesem Kiosk mit. Da ist man unter Leuten. Und dann mal sehen. Hoffentlich geht das gut. Hoffentlich trifft sie niemanden, den sie kennt. Das wäre eine Katastrophe: nachts am Kiosk mit einem fremden Mann Bier trinkend gesehen zu werden.

Der Kiosk entpuppte sich als eine nur flüchtig aber stilvoll renovierte Remise in einem kleinen Innenhof. Die Fenster und Tür waren offen. Die Leute saßen auf Fensterbrüstungen oder standen entspannt herum und tranken Bier aus der Flasche. Sie unterhielten sich leise; drinnen dudelte Jazzmusik. Lia sah keine Jugendlichen; sie fühlte sich in eine andere Welt versetzt. Wieso hatte sie diesen Hof nie gesehen? Sie sah sich um.

Ihr Blick fiel zuerst auf die Frau: Pony und lange, offene schwarze Haare. Feine Kajalstriche betonten ihre Augen ebenso wie die rote Brille. Sie trug eine leichte kurze rote Lederjacke und enge schwarze Jeans. Lia überlegte, wieso ihr die Frau so bekannt vorkam und warum sie zwei Bierflaschen in der Hand hielt. Sie erschrak, als sie sah, wie ihr Philosophielehrer auf die Frau zuging, sie flüchtig auf die Wange küsste, ihr eine Bierflasche aus der Hand nahm und dann einen Schluck trank.

Am liebsten wäre Lia im Boden versunken.

»Was starrst du denn so? Kennst du die?«

Lia drehte sich weg, doch es war zu spät.

»Hallo Lia«, rief Richard Grundmann erstaunt und kam näher. »Was machst du denn hier?«

Und was machen Sie hier, hätte Lia ihn fast gefragt und dann wusste sie, wer die Frau war: Ihr Lehrer hatte die Geschäftsleiterin vom Cebra geküsst.

Die Frau war Richard Grundmann gefolgt.

»Das ist eine Schülerin von mir: Lia.«

»Guten Abend. Möchten Sie etwas trinken?« Und an den Mann gewandt: »Sie sind bestimmt Lias Vater. Guten Abend. Was für einen schönen Hund Sie haben.«

»Danke für das Kompliment. Aber ich bin nicht der Vater dieses Mädchens. Wir sind nur zufällig gemeinsam hier eingetreten.«

»Ach.«

»Ja, stellen Sie sich vor.«

»Eine Cola bitte.«

Der Lehrer und der Mann betraten die Remise. Die Geschäftsleiterin musterte die Schülerin; Lia sah nach unten und betrachtete die Cowboystiefel der Frau. »Und, gibt's was Neues über euren Schulbrand?«

Lia zuckte zusammen. »Äh, keine Ahnung. Ich glaube nicht.«

»Meistens waren es Schüler, wenn es an einer Schule brennt.«

»Hm, ja.«

Der Lehrer kam mit einer Cola zurück zu den beiden. Der Mann stellte sich mit seiner Bierflasche und dem Hund abseits in den Hof.

»Hier, die Cola.«

»Danke.«

»Geht es Ihnen nicht gut, dass Sie nachts unterwegs sind?«, fragte die Geschäftsführerin.

»Doch.«

»Hat der Mann Sie belästigt?«

»Nein, nein.«

»Wirklich nicht?«, hakte Richard Grundmann nach.

»Er hat mich angesprochen und hierher geführt.«

»Er hat Sie hierher geführt?« Die Frau schaute kurz zu dem Mann rüber.

»Geführt eigentlich nicht. Wie soll ich sagen?«

»Sind Sie von Zuhause weggelaufen?«, fragte die Frau unverblümt.

»Nein. Wieso das denn?«

»Aber Lia, die Frage ist doch naheliegend. Es ist jetzt fast zwei Uhr.«

»Na und!«

Der Lehrer und die Frau schauten sich an.

»Selbstverständlich können Jugendliche nachts um zwei auf der Straße sein. Und dennoch; ein Mädchen alleine. Du siehst doch, dass du angesprochen wurdest.«

»Ich habe keine Angst.«

»Es geht nicht um Angst.«

»Warum bist du denn auf der Straße?«

»Ich bin nicht auf der Straße«, sagte sie patzig. »Ich konnte nicht einschlafen und wollte kurz vor die Tür. Frische Luft und so.«

»Wo wohnen Sie denn?«

»Lessingstraße.«

»Wenn Sie ausgetrunken haben, bringen wir Sie nach Hause«, bestimmte die Frau.

Lia nickte erleichtert und nahm einen tiefen Schluck. Wenn das Zara wüsste.

Inzwischen

»Ich bin ein glücklicher Mann, ich treffe die zwei schönsten Mädchen der Hesse auf einmal.«

Faris stellte sich Zara und Lia auf dem Flur mit ausgebreiteten Armen in den Weg.

»Und immer muss ich etwas loswerden. Allahs Wege sind wunderbar«, sagte er lächelnd.

»Was gibt es Faris?« Zara hoffte, dass er nicht wieder einen Zeitungsartikel für sie hat. »Möchtest du missionieren?«

»Ach leany, piis. Nur eine kurze Frage an deine dicke Freundin.« Er hob beide Hände und neigte immer noch lächelnd den Kopf leicht zur Seite. Er stand da wie ein arabischer Händler, der gegenüber einem Kunden die horrenden Preise mit den Kosten für seine zahlreichen Kinder rechtfertigte.

»Lia ist nicht dick und nenne mich nicht leany!«

»Aber man spricht doch in Deutschland von dicker Freundschaft, oder spindly?«

»Stell deine Frage.« Zara verdrehte die Augen.

»Also«, wandte er sich freundlich an Lia. »Du hattest neulich ein so schönes Armband …«

Lia wurde blass.

»… tolles Material, ich glaube Leder und Gold.«

»Was ist mit Lias Armband?«, haute Zara dazwischen.

»Es sah sehr wertvoll aus«, fuhr Faris unbeeindruckt fort. »Mein Großvater war maître sellier. Er hat nicht nur wunderbare Sättel hergestellt, sondern auch Armbänder aus Leder. Und er sammelt alte Lederarmbänder.«

»Das ist schön für ihn, Faris. Aber was hat das mit Lias Armband zu tun?«

»Mein Großvater kommt uns besuchen. Stellt euch vor. In seinem Alter eine so weite Reise, vom Libanon bis nach Deutschland. Ein wunderbarer Mann. Ich liebe meinen Großvater«, sagte er stolz.

Lia und Zara schauten sich misstrauisch an. Zara war genervt. Sie kannte Lias Armband, schließlich saßen sie täglich in der Schule nebeneinander. Aber sie glaubte nicht, dass es wertvoll war. In jedem Dritte-Welt-Laden gibt es geflochtene Lederarmbänder. Und wieso erzählte Faris so theatralisch von seinem Opa? Lia wurde zunehmend nervös und fing an zu schwitzen. Sie ahnte, worauf dieses Gespräch hinauslaufen würde.

»Ich würde das Armband gerne meinem Großvater zeigen. Vielleicht ist es wertvoll und er kauft es dir ab?«

»Lia braucht kein Geld.« Zara versuchte, Faris' Erzählstrom zu unterbrechen.

»Das Armband ist nicht wertvoll, nur persönlich.«

»Trotzdem, mein Großvater könnte dir sagen, woher es kommt, in welchem Stamm es angefertigt wurde. Er weiß alles über arabische Lederarmbänder. Das ist doch interessant.«

»Ich weiß, woher es kommt.«

»Und?«

Lia schaute ihm fest in die Augen: »Aus einer Blindenwerkstatt!«

Zara prustete los. Lia blieb ernst.

»Trotzdem. Pass auf, dass du es nicht verlierst«, sagte Faris gelassen. »Es wäre schade drum.« Er drehte sich abrupt um und ließ die beiden Mädchen stehen. »Sluts!«

»Volltreffer Lia. Absoluter Volltreffer. Gut zurückgeschossen.« Zara klopfte Lia auf die Schulter. »Was hatte er bloß mit dem Armband? Ist es tatsächlich von Blinden?«

»Er wollte es sehen.«

»Schon verstanden. Doch wozu?«

»Weil ich es nicht mehr habe.«

»Hast du es verloren?«

»Der Zeitungsmann hat es mir neulich gezeigt. Es wurde in der Sporthalle gefunden. Am Brandherd sozusagen. Faris muss das gewusst haben. Er hat oft mit dem Reporter gesprochen.«

»Oder er hat das Armband selber in die Sporthalle gelegt. Er muss es dir geklaut haben. Seit wann vermisst du es denn?«

»Keine Ahnung. Ich trage es ja nicht jeden Tag.«

»Er wird es dir doch nicht vom Handgelenk gezogen haben.«

»Manchmal stört es mich, dann nehme ich es ab. Womöglich lag es auf dem Tisch.«

»Ist auch egal. Und woher hat es der Reporter?«

»Keine Ahnung.«

»Also, wenn du es nicht in der Sporthalle verloren hast, und wenn du nicht das Feuer gelegt hast … du hast doch nicht das Feuer gelegt, oder?«

»Spinnst du?! Und sprich doch nicht so laut.«

»… und das Armband dabei verloren hast, spricht alles dafür, dass Faris eine falsche Spur gelegt hat. Er will dir das Feuer in die Schuhe schieben.« Sie nickte zur Selbstbestätigung.

»Und warum?«

»Und der Artikel.« Zara schlug sich gegen die Stirn. »Im Tagesecho stand neulich doch drin ... ich muss das nochmal nachlesen ... und sein Gequatsche auf dem Flur ... im Sommer ... er muss dich gesehen haben ... ich meine die Kinderwagen ... alles klar.«

»Du meinst, Faris hat das Feuer gelegt?«

»Beide. Putzraum und Sporthalle. Absolut!«

»Und warum?«

»Weil er weiß, woher auch immer, dass du die Kinderwagen angesteckt hast. Er nutzt deine Krise, er will dich fertigmachen.«

Lia überlegte einen Moment. »Oder dich.«

»Mich?«

»Ja dich. Weil wir befreundet sind. Indem er mich trifft, trifft er auch dich.«

»Feuerteufel am Hermann-Hesse-Gymnasium. Ich sehe schon die Schlagzeile im Tagesecho vor mir.«

»Und womöglich hilft Faris bei der Aufklärung.«

»Das wird ihm nicht gelingen.«

Beide gingen zum Klassenraum; Zara zuversichtlich, Lia war mulmig zumute.

Montagnachmittag

Mit Cindy schon wieder auf den Reiterhof gehen und im Café Zügellos die Zeit verträdeln, während der Gaul gestriegelt wurde, dazu verspürte Zara keine Lust. So verabredete sich Cindy mit Mark am Stall.

»Hi, Cid«, begrüßte er seine Freundin und küsste sie auf den Mund. »Wir haben uns lange nicht gesehen«, lachte er.

»Ja, seit gestern nicht. Und ich habe dich sooo vermisst.« Sie hakte sich bei Mark ein. »Ich muss Chrystal-Bell etwas bewegen.«

»Das trifft sich gut. Wildcard muss auch mal wieder aus der Garage. Lass uns doch einen kurzen Ausritt unternehmen.«

»Ich habe meine Klamotten nicht mit. Ich wollte nur etwas auf dem Platz traben.«

»Ach komm, mal etwas Abwechslung kann nicht schaden. Immer nur im Kreis ist langweilig für Pferde. Und das Wetter ist doch super für einen Kurzritt ins Gelände.«

Sie trabten vom Hof, und kurz darauf ging es im leichten Galopp über Wiesen Richtung Wald. Cindy wurde bange; in Jeans und Turnschuhen hatte sie kein gutes Körpergefühl. Außerdem fehlte ihr Marks Erfahrung im Geländereiten. Doch ihr Islandpony galoppierte munter hinter Wildcard her. Bald ritten sie langsamer am Waldrand entlang und Cindy entspannte sich etwas. Geht doch. Die Sonnenstrahlen flirrten durch die Zweige und das Laub der Bäume leuchtete gelb und rot. Wie schön ein Herbstwald ist, dachte sie.

»Wettreiten!«, rief Mark plötzlich. »Wer zuerst am Hochstand auf der Waldlichtung ist.«

Mark galoppierte mit Wildcard auf einem schmalen Pfad in den Wald. Cindy hinterher. Sie wollte mit ihrem Freund mithalten. Mark duckte sich unter tief hängenden Ästen hindurch und Cindy machte es ihm nach. Als der Weg breiter wurde, schaffte sie es, an Mark vorbeizugaloppieren. Übermütig lachend drehte sie sich zu ihm um.

Der Buchenast war armdick. Der Schlag gegen den Kopf riss Cindy aus dem Sattel. Sie stürzte auf den Boden und blieb regungslos liegen. Chrystal-Bell lief noch einige Meter. Mark drängte Wildcard zur Seite, um Cindy nicht zu gefährden. Sein Pferd scheute, doch Mark zwang es knapp vorbei und kam zum Halt. Er sprang ab und rannte zurück.

»Cid, Liebste. Ey, scheiße Mann.« Er warf sich auf die Knie.

Cindy lag auf dem Rücken, die Augen geschlossen. Sie blutete am Kopf.

»Sag doch was, Cid. Kannst du mich hören?« Cindy reagierte nicht.

Er hielt die Wange über ihren Mund und spürte erleichtert einen leichten Luftstrom. Mit dem Halstuch stillte er die Blutung und telefonierte dann nach dem Notarzt.

»Cid, halt durch. Alles wird gut. Der Arzt ist schon unterwegs.« Er begann zu heulen.

»Ihre Tochter hat ein Schädel-Hirn-Trauma.« Cindys Vater stand mit dem Unfallchirurgen im Gang der Intensivstation. »CT und MRT haben eine Contusio cerebri ergeben, eine

Gehirnprellung. Das Blut am Kopf kam von der Kopfplatz-wunde. Das ist nicht dramatisch. Die Bewusstlosigkeit bei einer Gehirnprellung kann durchaus länger als fünf Stunden andauern. Ihre Vitalfunktionen sind den Umständen ent-sprechend. Es gibt im Moment keinen Grund zur Sorge, dass Ihre Tochter bewusstlos ist. Der Unfall geschah vor circa drei Stunden. Zwei Rippen sind gebrochen und die Schulter ist geprellt. Das ist aber kein Thema.«

»Warum hat das denn dermaßen lange gedauert?«

»Die Unfallstelle konnte mit dem Notarztwagen nicht an-gefahren werden. Dann musste der Rettungshubschrauber ran. Aber es hat ja gereicht.«

»Zum Glück.«

»Ist Ihre Tochter eine erfahrene Reiterin?«

»Sie hat ein Faible für Dressurreiten. Warum fragen Sie?«

»Sie trug keinen Helm.«

Cindys Vater schluckte.

»Sie hat noch einmal Glück gehabt. Wir werden sie eng-maschig überwachen, um Blutungen oder ein Hirnödem rechtzeitig zu erkennen und zu behandeln. Im günstigsten Verlauf steht einer vollständigen Genesung nichts im Wege.«

»Und im ungünstigsten?«

»Kopfschmerzen, Schwindel, allgemeine Leistungsminde-rung.«

»Keine Sprachstörungen? Ich habe mal gelesen …«

»Soweit sollten Sie jetzt nicht denken. Ihre Tochter hat eine Gehirnprellung und keine Gehirnquetschung. Somit stehen die Aussichten gut. Und das mit dem fehlenden Helm muss sie mit sich selber abmachen. Ihr Freund trug übrigens auch keinen, hat mir der Notarzt gesagt.«

Inzwischen

»Dumm gelaufen, mit Cindy.

Dumm geritten, meinst du wohl.

Und dann noch ohne Helm.

Oben ohne, sozusagen.

Mann, bist du heute witzig.

War sehr leichtsinnig.

Eine Gehirnerschütterung ist kein Beinbruch.

Ach, wirklich? Ist mir völlig neu.

Soll schlimmer sein.

Liegt wohl im Koma.

Vielleicht war sie zu klar im Kopf?

Wie meinst du das denn?

Weißt du nicht, wie ihr Pferd heißt?

Irgendwas Englisches. Mit Bell am Ende, glaube ich.

Genau: Crystal-Bell.

Und was hat das mit Klarheit in Cindys Kopf zu tun?

Läutet bei dir nichts?

Crystal Meth. Methamphetamin. Macht fit wie sonst was.

Du meinst, Cindy nimmt Drogen?

Es geht so das Gerücht an der Schule.

In dem Alter?

Seit wann kiffst du denn schon?

Und sie ist so bescheuert, ihr Pferd nach einer Droge zu benennen?

Kennst du die Frauen?

Red' kein Scheiß, Mann. Das glaubst du doch selber nicht.

Nimmst du Crystal, hörst du die Glocken klingen …

Scheiß auf die Glocken.

Hier, der Rest ist für dich. Das nächste Mal eine Türken-
runde.

Okay, Mann.«

Sie nahmen jeder noch einen tiefen Zug, klatschten sich ab,
stiegen nacheinander durch das Loch im Zaun und gingen
zurück in das Schulgebäude.

Dienstagabend

»Und sie hatte keinen Helm auf? Warum das denn? So leichtsinnig kann Cindy nicht sein. Eine so kluge Schülerin. Hoffentlich ist es nur eine Gehirnerschütterung.« Zaras Mutter stand aufgeregt in der Küche. »Wie lange war sie denn ohnmächtig?«

»Vergiss nicht, die Suppe umzurühren. So fünf oder sechs Stunden, glaube ich. Es wird so viel erzählt, weißt du. Aber warum regst du dich denn darüber so auf? Cindy ist doch nicht deine Tochter?«

»Na hör mal«, entrüstete sich Zaras Mutter. »Sie ist schließlich deine Freundin. Das ist doch tragisch. Man kann durch einen Reitunfall auch gelähmt werden oder sogar sterben.«

»Cindy ist nicht tot«, betonte Zara. »Sie liegt zwar im Krankenhaus, aber vorhin sah sie nicht gelähmt aus. Sie bleibt noch zur Beobachtung, und das war's dann.«

»Hoffentlich hast du recht. Man hört ab und zu etwas von Rückfällen.«

»Okay. Lass uns essen. Cindy wird wieder so wie vorher: fröhlich, ehrgeizig und voller Pläne.«

»Ganz schön anstrengend für dich, oder? Die eine Freundin hat einen Reitunfall, die andere unternimmt einen Suizidversuch.«

»Meinst du, ich bringe den Menschen Unglück?«

»Rede doch keinen Unsinn. Ich meine, beide Mädchen, mit denen du befreundet bist, haben, wie soll ich sagen, haben jetzt Probleme.«

»Ja, und?«

»Und du damit ebenfalls. Ist doch nicht so schwer zu verstehen, oder?«

»Es gibt Schlimmeres. Ich glaube, Lia kriegt sich wieder ein und Cindy wird auch wieder. Take it easy baby, take it as it comes; hat schon Jim Morrison gewusst.«

Irene verdrehte die Augen. »Hm. Und dieser arabische Junge? Wie heißt er nochmal?«

»Faris. Was soll mit dem sein? Der hatte keinen Unfall und ist auch nicht krank. Obwohl – Ich glaube, er ist süchtig.«

»Auch das noch.«

»Ich glaube, er leidet an morgenländisch mannhafter Geistesverstrickung.«

»Du bist heute so witzig.«

»Lass uns essen. Ich verschwinde nachher nochmal zu Lia.«

Dienstagabend

Der Zettel lag auf dem Küchentisch. Lia hatte in letzter Zeit die Zeilen nur überflogen, weil sie die Botschaft kannte. Die Wörter waren fast immer dieselben; Chef, Firma, Scheiße, Fahren. Diesmal stutzte sie: Justyna. *Wir hatten neulich darüber geredet, dass ich mit Justyna kurz verreisen werde / Es hat sich ergeben, dass heute am günstigsten ist / Bin morgen wieder zurück / Bis dann / Du wirst schon klarkommen / Mach dir eine schöne Zeit / Papa.*

Lia sackte auf den Stuhl. Wir hatten darüber geredet, meinte er. Dabei hat Papa ihr seine Absichten gesagt. Und sie dachte, dass sie wirklich beide darüber noch einmal reden würden. Na ja. Was sollte sie machen. Ihr Papa war weg und sie war allein. Mach dir eine schöne Zeit, stand auf dem Zettel. Sie biss sich auf die Unterlippe.

Lia schaute auf die Küchenuhr an der Wand, aber die Zeit war egal. Wenn der Hunger kam, musste sie essen. Und er kam jetzt!

Sie riss die Tür des Kühlschranks auf, warf einen kurzen Blick hinein und griff sich beliebig angebrochene Gläser mit Bockwürsten, Gurken und Mixedpickles. Sie knallte eine Packung Toastbrot und einen Teller auf den Tisch und fischte sich mit den Fingern abwechselnd die Sachen aus den Gläsern, stopfte sie sich in den Mund und das Toastbrot hinterher.

Essen tut gut. Mach dir einen schönen Tag. Denke mal nur an dich.

Im Küchenschrank fand sie eine Packung Kekse und eine Tafel Schokolade.

Trink ein gutes Bier dazu.

Sie saß am Küchentisch und stierte auf den Haufen zerkrümelter Kekse, abgebrochener Schokoladenstücke, leerer Würstchen- und Gurkengläser. Ihr wurde übel. Das Telefon klingelte. Wütend fegte sie mit einer einzigen Armbewegung alles vom Tisch. Die Gläser zerbrachen, Mixpickles rollten umher und das Essigwasser bildete kleine Pfützen auf dem Fußboden.

Du brauchst jetzt Ruhe. Leg dich etwas hin. Geh nicht ans Telefon.

Sie stieg auf einen Stuhl, um an die oberste Ablage im Küchenschrank zu gelangen. Ihr Vater dachte, dort seien die Schlaftabletten sicher vor seiner Tochter.

Sie pulte sich eine Hand voll Tabletten raus, schüttete sie in ein Glas und stellte es auf den Tisch. Es klingelte an der Wohnungstür. Sie stand auf, nahm das Glas und füllte es mit Wasser. Die Tabletten lösten sich langsam auf. Es klingelte Sturm an der Tür.

Du brauchst Ruhe. Mach dir einen schönen Tag.

Nein, mach die Tür auf. Vielleicht ist deinem Vater etwas passiert.

Dein Vater denkt auch nicht an dich.

»Mach auf!«

Mach auf.

»Mach doch auf, Lia!« Sie erkannte Zaras Stimme und hörte ihre Fäuste gegen die Tür trommeln. »Ich weiß, dass du da bist!«

»Na endlich!« Zara drängte in den kleinen Flur und fasste Lia bei den Schultern. »Warum gehst du nicht ans Telefon? Warum machst du nicht die Tür auf? Alles klar?«

Lia weinte.

Zaras Blick fiel durch die offene Küchentür. Sie sah das Glas mit der trüben Flüssigkeit auf dem Tisch und die Scherben und Essensreste auf dem Boden. Es stank. »Scheiße!« Sie machte die Küchentür zu und schob Lia in ihr Zimmer. Beide setzten sich auf die Bettkante; Lia in Zaras Arm, den Kopf an ihre Schulter gelehnt.

»Nie wieder, hörst du!« Zara strich Lia über das Haar. »Nie wieder, das musst du mir versprechen!«

Lia schluchzte.

»Ruf mich an, wenn es dir schlecht geht. Unbedingt! Versprochen?«

Lias zog stoßweise Rotz, Tränen und Luft hoch.

»Du wirst dich doch nicht von Faris unterkriegen lassen. Du hast neulich so wunderbar zurückgeschossen.«

»Ich kann den Namen nicht mehr hören und den Typen nicht mehr sehen. Ich muss verschwinden. Weg von dieser Schule, weg aus diesem Kaff. Weit weg. Weg von meiner Mama, weg von Papa.« Lia löste sich von Zara und trocknete die Tränen mit ihrem Hemdsärmel. Sie zog schnaufend die Luft ein. »Und hör doch auf mit deiner dämlichen Schießerei. Ich will nicht schießen. Kapiert! Ich will nicht kämpfen, immer aufpassen, wo die nächste Gefahr lauert. Kapiert! Ich kann nicht mehr. Das geht schon eine Ewigkeit so.« Sie stand auf. »Ich will normal leben!«

»Ich kann das verstehen«, sagte Zara ruhig.

»Glaube ich nicht«, widersprach Lia heftig.

»Damals, als mein Vater starb, wollte ich auch weg. Genau wie du jetzt. Auch weg von der Schule, auch weg von meiner Mutter und raus aus Bad Grombach. Ich wollte auch verschwinden. Ich hörte auf zu essen und schnitt mir die Haare ab. Heute möchte ich nicht mehr weg. Es hilft alles nichts. Wir müssen uns wehren.«

»Wir müssen uns wehren. Du hast gehört, was Faris heute in der Schule zu Cindys Unfall sagte: Dumm geritten. Jetzt seid ihr nur noch zu zweit. Das spricht Bände. Cindy liegt stundenlang im Koma, landet womöglich im Rollstuhl, und der Arsch sieht das so, dass er nur noch uns zwei hat zum Fertigmachen.«

»Er ist ein Idiot.«

»Er macht uns fertig. Ich sag's dir! Als Nächstes bin ich dran und dann du. Du kannst dich wehren. Du bist stark. Deine Mutter steht hinter dir, sie kann dir helfen. Schau mich doch mal an, wie ich aussehe.« Sie breitete ihre Arme aus. »Schau meine Familie an. Meine Mama mit ihrem dicken Baby-Bauch. Mein Papa braucht jemanden zum – na ja.« Sie trat gegen den Schreibtischstuhl. »Das ist doch alles zum Kotzen. Wer möchte denn mit sowas zu tun haben?«

»Ich.« Zara stand auf und wollte Lia in den Arm nehmen, doch Lia entzog sich.

»Danke, lieb von dir. Aber warte ab, wenn es hart auf hart geht. Überschätz dich nicht.«

»Du hast doch auch Fida. Ein wunderbares Mädchen.«

»Fida, ja ich mag sie gerne. Aber … «

»Aber?«

Lia überlegte kurz. »Ich wollte es dir nicht sagen.«

»Doch, sag es mir. Ich möchte es hören.«

Lia zögerte. »Ich glaube, sie findet dich tausendmal interessanter als mich.«

»Das glaube ich nicht.«

»Und hübscher sowieso. Neulich im Café. Das konnten zwei Blinde sehen. Wie ihr euch angehimmelt habt.«

»Ach Lia. Ich bin sicher, dass Fida dich mag. Ihr habt so viel gemeinsam.«

»Gemeinsam? Du meinst unsere scheiß Probleme, die uns dazu gebracht haben, versuchsweise das Leben zu verlassen? Das kann doch nicht dein Ernst sein. Selbstmordversuche als Freundschaftanlass. Wir waren in derselben Klinik, das ist unsere einzige Gemeinsamkeit.«

»Das ist doch nur äußerlich. Ihr habt euch dort kennen gelernt. Verstehst du. Euch selber und gegenseitig. Und das ist doch nur ein Beginn. In der Klinik hat etwas begonnen, was fortgesetzt wird. So musst du das sehen.«

»Muss ich überhaupt nicht. Du mit deiner Wortklauberei. Bestimmt kommt gleich was Chinesisches. Kennen lernen heißt Lernen kennen, oder so.« Sie schaute aus dem Fenster.

Zara versteifte sich. Sie dachte an das Gespräch mit Cindy. Darüber, wie sie auf andere wirkte. »Komm, lass uns die Küche aufräumen. Dein Vater kriegt eine Krise, wenn er nach Hause kommt und es sieht so aus.«

»Mein Vater kommt heute nicht nach Hause.«

»Nicht?«

»Er ist verreist. Mit Justyna!«

Gut, dass ich hier bin, schoss es Zara durch den Kopf.

»Trotzdem. Komm.«

Sie ging in die Küche und Lia folgte ihr. Zara riss meterlang Papier von der Küchenrolle und wischte den Boden auf. Lia holte Handfeger und Schaufel für die Scherben. Sie öffnete das Fenster. Auf dem Tisch stand nur das Glas mit den aufgelösten Schlaftabletten. Beide setzten sich hin und schwiegen.

»Meine Therapeutin hat mir einmal ein Ritual vorgeschlagen. Möchtest du es hören?«, fragte Zara vorsichtig.

»Ja.«

»Wenn die Gedanken hin und her gehen und man ist unsicher, wie man sich verhalten soll, könnte ein Ritual helfen. Weil es eine Handlung ist. Man versucht wegzukommen, seine Gedanken nur gedanklich zu sortieren. Das Glas hier – darf ich dir damit ein Ritual vorschlagen?«

»Hm – Ja.«

»Ich brauche dazu ein zweites Glas mit Wasser. Möglichst Mineralwasser, aber Leitungswasser geht auch.«

Lia stand auf, holte ein Glas und eine Flasche Sprudelwasser. Zara goss das Glas voll und stellte beide Gläser vor Lia auf den Tisch.

»Das trübe Wasser spülst du im Klo runter und stellst dir dabei einen reißenden Wildbach vor, der alles Trübe wegschwemmt: trübe Gedanken, trübe Gefühle ... Dann trinkst du das klare Wasser und stellst dir eine sprudelnde Quelle vor, die dich belebt. Du kannst zu jeder Handlung etwas sagen.«

»Das möchte ich nicht.«

»Gut. Magst du das Ritual so ausführen?«

»Ja.«

»Dann lass uns still sein, und du machst es so, wie es sich für dich gut anfühlt.«

Lia nahm das Glas mit den aufgelösten Schlaftabletten, ging in die Toilette und Zara hörte kurz darauf die Spülung. Es dauerte ein wenig, bis Lia zurückkam. Sie warf das Glas in den Mülleimer. Dann setzte sie sich und nahm das Glas mit dem Sprudelwasser in beide Hände. Ihr Atem ging schwer, als ringe sie innerlich mit sich. Zara schloss die Augen. Lia trank Schluck für Schluck und sagte jedes Mal *Leben*. Als das Glas leer war, knallte sie es auf den Tisch und rief: »Ich möchte leben!« Dann weinte sie still vor sich hin.

Später saßen sie in Lias Zimmer und tranken Tee. Zara hatte das vorgeschlagen, und Lia freute sich, dass Zara auch Kekse wollte. Sie hörten leise Musik und Zara erzählte von sich. Vom Tod ihres Vaters, und dass sie sich nicht mehr so sicher ist, ob es ein Selbstmord war oder nicht doch ein Unfall. Und von seinen Hemden. Von seinen Gedichten und dem Club der Gazellen verriet sie nichts. Lia teilte ihre Angst mit, ihre Mama zu verlieren, wenn erst das Baby auf der Welt sei. Und sie beschrieb die Veränderung ihres Papas und seinen Wunsch, die polnische Kellnerin mehr in sein Leben zu lassen. Lia wollte sich nicht vorstellen, zu dritt zu wohnen.

Zara schaute auf ihre Uhr. »Ich sollte meine Mutter anrufen. Sie weiß zwar, dass ich bei dir bin, aber sie wundert sich vermutlich doch, warum so lange.«

»Das Telefon steht in der Küche.«

»Danke.«

Da alle Türen offen waren, hörte Lia, wie Zara mit ihrer Mutter sprach.

»Hi, ich bin's … Ja, ich bin noch bei Lia … Ich würde gerne noch länger bleiben, es gibt so viel zu besprechen … Ja, Lia hat bestimmt etwas zu essen … Ihr Vater ist verreist … Wie lange es noch dauert? Einen Moment … Lia«, rief sie. Lia kam in die Küche. »Meine Mutter möchte wissen, wie lange wir uns noch unterhalten und ob ich bei dir etwas zu essen bekomme.« Sie verdrehte die Augen und lachte. Lia lachte ebenfalls. »Sag deiner Mutter, der ganze Kühlschrank ist voll. Und wie lange ...« Sie hob fragend die Schultern. »Ich glaube, wir unterhalten uns die ganze Nacht. Ist das okay für dich ... Ich würde mit Lia morgen zusammen zur Schule gehen ... Meine Schulsachen ... Das geht schon ... Eine Zahnbürste ... Wird sich ergeben ... Erst nochmal nach Hause ... Das würde die Stimmung brechen ... Danke ... Ja ... Tschüss.«

Lia staunte über Zaras Auftritt. »Du hast ja eine tolle Mutter. Die erlaubt dir, über Nacht wegzubleiben.«

»Ich soll dich grüßen. Sie vertraut mir.«

»Warst du schon öfter über Nacht weg?«

»Never before. Was gibt es zum Abendessen?« Zara lachte.

Lia freute sich. Doch Zaras Direktheit verunsicherte sie auch, so über sie zu bestimmen. Und was würde ihr Vater dazu sagen? Was würde passieren, wenn er heute Nacht zurückkäme. Womöglich mit Justyna? Doch jetzt wollte sie daran nicht denken. Lieber überlegen, was Zara und sie die ganze Zeit machen könnten. Und wie sie schlafen sollten. Doch nicht etwa in einem Bett?

Sie deckten gemeinsam den Tisch, tranken Wasser und aßen Brot mit Käse und Schinken.

»Die Gurken sind leider zu Ende«, sagte Lia ernst und musste dann losprusten.

»Macht nichts. Du konntest ja nicht wissen, dass ich zum Abendessen bleibe.« Zara schüttelte sich vor Lachen.

Und dann erzählte Lia vom Kiosk. Die Stimmung ermutigte sie, und sie konnte Zara zeigen, was sie sich getraut hatte. Später machten sie sich auf den Weg dorthin.

Mittwochvormittag

In der Nacht überredete Zara Lia, die Schule zu schwänzen. Sie bräuchte ein Time-out. Sie empfinde in den letzten Tagen zu viel Stress durch Unterricht, Gespräche über Feuer und Verdächtigungen und Überlegungen zu Cindys Verletzungen. Lia hatte Angst davor. Unentschuldigt zu fehlen wäre ein Sprung ins schwarze Loch. Und sich ausgerechnet ins Cebra setzen; sichtbarer ging es wirklich nicht. Doch dann reizte es sie, zivilen Ungehorsam zu leisten. So hatte sich Zara ausgedrückt und dazu Hesse zitiert. Nun saßen sie mit einigen frühstückenden Touristen und ohne Mitschüler im Café.

Die Geschäftsleiterin brachte ihnen den Milchkaffee und bat darum, sich an ihren Tisch setzen zu dürfen. Sie hielt ihre eigene Tasse Kaffee in der Hand, um zu zeigen, dass ihre Bitte selbstverständlich gewährt würde.

»Na, ist wieder etwas passiert, dass ihr schon so früh kommt?«

»Wir schwänzen«, sagte Lia stolz.

»Wir müssen einmal zu uns selbst kommen«, ergänzte Zara.

»Das klingt vernünftig.« Sie lachte. »Bei einer Tasse Kaffee die Gedanken sortieren. Es ist zurzeit eine Menge los in eurer Schule. Erst der Brand und jetzt der Reitunfall mit dem blonden Mädchen. Wisst ihr, wie es ihr geht?«

»Cindy – der geht es schlecht. Sie liegt im künstlichen Koma.«

»Oh! Das klingt nicht gut.«

»Ist das sehr bedrohlich?«

»Das künstliche Koma selbst nicht. Meist macht man das über mehrere Tage, um den Stress im Körper abzubauen. Es muss bei eurer Cindy ein kritischer Zustand eingetreten sein. Welche Art Verletzungen hat sie denn?«

»Schädel-Hirn-Trauma, Rippenbrüche und was an der Schulter.«

»Also Gehirn. Aber auch das muss nicht lebensbedrohlich sein. Künstliches Koma kann flach gehalten werden, ab und zu weckt man Patienten auf, um den Wach-Schlaf-Rhythmus beizubehalten. Wenn ihr sie besucht, verhaltet euch normal. Ihr solltet sie ansprechen und so weiter. Aber das hat der Arzt euch bestimmt erklärt.«

»Ich habe Cindy bisher nicht besucht. Ich mag Krankenhäuser nicht. Und Intensivstationen sowieso nicht«, sagte Lia heftig.

»Ich war schon zwei Mal da. Mit dem Arzt habe ich nicht gesprochen, ich bin keine Angehörige. Aber Cindys Schwester hat mir einiges gesagt. Dass alle Organe normal funktionieren und so. Trotzdem …«

»Trotzdem?«

»Gehirnverletzungen sind immer scheiße«, sagte Zara erregt. »Wäre ich mit ihr zum Pferdehof gegangen, wäre sie nicht geritten und wäre jetzt nicht im Koma. Sie wollte ihr Pony nur etwas bewegen. Und ihre Mutter hat so eine Andeutung gemacht.«

»Cindys Mutter sagt, du seist schuld an dem Unfall ihrer Tochter? Das darf doch nicht wahr sein!«

»So direkt nicht. Sie steht selber unter Stress, hat keine Ahnung, ob ihre Tochter überlebt. Sie ist völlig fertig.«

»Hirnverletzungen kann man heutzutage gut behandeln und ein künstliches Koma kann über Wochen eingesetzt werden. Ist das Risiko vorbei, schleicht man sich wieder heraus. Und die Verantwortung dafür darfst du nicht übernehmen. Die Mutter kann das sehen, wie sie möchte. Wie kommst du denn auf sowas?«

»Zara meint, weil Cindy ohne Helm in den Wald geritten war. Ihr Freund hatte sie dazu überredet. Wäre Zara dabei gewesen, wäre Cindy nicht ausgeritten.«

»Verstehe. Auch wenn ich jetzt etwas pathetisch und oberlehrerhaft für euch klinge, aber Verantwortung hat man – in der Regel – für sich selbst; Kinder einmal beiseitegelassen. Cindy und ihr Freund sind verantwortlich für dieses Unglück – Zara auf keinen Fall.«

Alle drei schwiegen einen Moment und nippten an ihrem Kaffee. Zara bewunderte die Direktheit dieser Frau. Nicht nur ausgedrückt durch ihre Kleidung: Heute trug sie eine zerknitterte blaue Seidenjacke über einem roten Top, und die schwarzen Haare waren mit einem blauen Band zu einem langen Pferdeschwanz gebunden. Auch die Art, wie sie sprach; zugewandt, offen, klar. Zara hatte den Eindruck, ernst genommen zu werden. Ein Gespräch zwischen zwei Frauen. Lia betrachtete die Fingernägel der Frau: ein Hauch von Blau abgestimmt auf die Farbe der Jacke.

»Sie meinen, jeder trägt Verantwortung für sein Handeln?«, wandte sich Lia an die Frau.

»Ja.«

»Für sein Denken auch?«, fragte Zara.

»Ja.«

»Und wenn man psychisch krank ist?«, wollte Lia wissen.

»Hm.«

»Und wo sind die Grenzen? Ich meine, wann ist man noch verantwortlich und wann nicht mehr; oder eingeschränkt?«

»Und wenn man aus Notwehr handelt?«, ergänzte Zara.

»Ein weites Feld. Viele Philosophen haben sich damit beschäftigt; rechtlich, moralisch, ethisch. Ihr habt doch Philosophieunterricht in der Schule – fragt doch mal eure Lehrer.«

»Wir haben Unterricht bei Richard Grundmann«, sagte Lia und lächelte die Frau an. »Ein toller Lehrer!«

Die Frau nahm gelassen ihre Tasse und lächelte über den Rand zurück. »Freut mich zu hören.«

»Er macht einen kreativen Unterricht: fesselnd, verständlich, wissenschaftlich. Er zeigt uns die lustvolle Seite des Denkens.« Zara versenkte sich in die grünen Augen. Die Frau spielte mit ihrem Lächeln und trank den Kaffee zu Ende.

»Und wie geht es euch beiden? Dir zum Beispiel«, wandte sie sich an Lia.

»Zara und ich waren heute Nacht nochmal am Kiosk«, sagte Lia stolz. »Ist irgendwie, ich weiß nicht, wie ich sagen soll.«

»Weißt du, wie du sagen sollst?« Die Frau schaute Zara an.

»Da lag eine ambivalente Kommunikationsproblematik in der Luft. Irgendetwas stimmte da nicht. Die Leute sahen zwar entspannt aus; standen rum und tranken was. Leise Musik kam aus dem Innenraum. Aber es wirkte künstlich. Wie auf einer Bühne. Sie waren ja auch mal da. Wie wirkte es denn auf Sie?«

Lia bewunderte Zaras Wortschöpfung und wie sie freiheraus spricht. So zu fragen hätte sie selbst sich nie getraut.

»Wir haben vorhin über Verantwortung gesprochen.« Die Geschäftsleiterin machte eine Pause und schaute sich um, als befürchtete sie, belauscht zu werden. Sie beugte sich zu den beiden Mädchen und senkte die Stimme. »Zuerst – geht nicht mehr dort hin! Als Nächstes – das muss jetzt absolut unter uns bleiben. Zu eurer eigenen Sicherheit. Versprochen?« Zara und Lia schauten sich verblüfft an und nickten. »Gut – dort werden Drogen gehandelt. Und damit Ende der Unterhaltung.« Sie stand auf und zupfte ihre Jacke zurecht. »Ich lade euch ein.« Sie lächelte. »Ihr seid zwei wunderbare Mädchen. Haltet zusammen. Helft eurer Freundin Cindy, sie wird schon wieder auf die Beine kommen. Und wenn ich mal etwas für euch tun könnte – sprecht mich an. Okay?«

Lia und Zara waren aufgestanden und gaben der Frau die Hand.

»Ja.«

»Okay.«

Beide bummelten durch die Altstadt. Es war ihnen egal, ob jemand sie kannte und sich wunderte, dass sie nicht in der Schule waren. Jedem Anfang wohnt ein Zauber inne, zitierte Zara Hermann Hesse und Lia lachte.

»Dieser sogenannte Kiosk ist also ein Drogenumschlagplatz«, sagte Lia. »Vielleicht hatte der Typ, der mich angesprochen hatte, auch etwas damit zu tun?«

»Der mit dem Drogenkurier an der Leine.«

»Genau.«

»Warum waren Grundmann und die Frau dort? Und die haben sich geküsst, sagtest du. Entweder die kennen sich oder sind recht schnell. Und Grundmann ist neu in Lohneburg. Also muss die Frau diesen Kiosk kennen.«

»Und woher weiß sie von den Drogen? Und warum sagt sie uns das?«

»Sie sind Undercoveragents. Ich sehe das Muster deutlich vor Augen.«

»Was für ein Muster?«

»Das Einsatzmuster: Sie spielen ein Pärchen, er ist in Lohneburg im Einsatz, vielleicht ist er gar kein Lehrer, sie arbeitet auch nur zum Schein im Cebra, und so weiter. So ist es! Drogenfahnder bei verdeckter Ermittlung.«

Welch kühnes Deutungsangebot, dachte Lia. Diesen Begriff hatte sie von Grundmann übernommen. »Für einen Polizisten macht er aber guten Philosophieunterricht. Und die Frau betreibt das Cebra schon seit Jahren.«

»Dennoch. Meinetwegen sind sie im Hauptberuf Lehrer und Café-Geschäftsleiterin. Umso cleverer. Dann schöpfen die Dealer noch weniger Verdacht. Wow! Was für eine Sache!« Sie haute Lia auf die Schulter. »Und die tschechische Grenze ist nicht so weit. Ich sage nur: Crystal Meth, Methamphetamin.« *Crystal Bell* schoss es ihr durch den Kopf. *Mehr verrate ich dir vielleicht später.*

»Du liest zufällig nicht zu viele Krimis?« Lia lachte und haute Zara ebenfalls auf die Schulter.

»Nein, lese ich nicht. Aber vielleicht blufft die Frau. Vielleicht handelt sie selber mit Drogen und will uns da weghaben. Vielleicht gibt's im Cebra was zu kaufen?«

»Latte macchiato und Haschkekse. Haha.« Lia schüttelte den Kopf. »Davon abgesehen: Ich finde die Frau nett.«

»Aber ist sie authentisch oder spielt sie nur nett? Und ihr Angebot, sich bei ihr ausheulen zu können? Was sollte das denn? Ich gehe mit meinen Problemen doch nicht zu einer fremden Frau?«

Beide blieben stehen.

»Ich habe Hunger«, sagte Lia.

»Wir sollten überlegen, was wir überhaupt jetzt machen. Zwei Ecken weiter ist das alte Rathaus. Wir könnten meine Mutter auf der Baustelle besuchen.«

»Meinst du das im Ernst? Wir schwänzen die Schule und besuchen deine Mutter an ihrem Arbeitsplatz. Das ist doch total verrückt.«

»Genau! Und danach gehen wir essen – im Hasenstall. Dort arbeitet doch die Geliebte deines Vaters?« Zara haute Lia wieder auf die Schulter. Sie konnte sich kaum einkriegen. »Was für ein Tag heute. So habe ich es mir nicht vorgestellt.«

Die Baustelle am alten Rathaus war durch einen leichten, halbhohen Lattenzaun abgesperrt. Man konnte sie nicht betreten, aber gut einsehen. Um die Öffentlichkeit am Fortschritt der Arbeiten teilhabenzulassen, gab es eine Informationstafel mit Fotos und Texten. Sie zeigten und erklärten die einzelnen Ausgrabungsschritte und die bisherigen Funde.

Irene Völkel stand mit zwei Männern in einer Grube und begutachtete ein Stück altes Mauerwerk. Sie trug feste Schuhe, Jeans und ein grobes Hemd. Während Zara ihre Mutter eine Weile beobachtete, studierte Lia die Informationstafel. Das alte Rathaus war ihr vertraut, aber mit den archäologischen Ausgrabungen und Fundstücken hatte sie sich bisher nicht beschäftigt.

Zara ruderte mit den Armen in der Luft, um sich bemerkbar zu machen. Ihre Mutter stutzte, winkte zurück und sagte etwas zu den beiden Männern. Die drehten sich in Zaras Richtung und nickten.

»Ist was in der Schule passiert, oder warum kommst du her?« Ihre Mutter stand am Zaun und wischte sich die Hände an der Hose ab. »Guten Tag, du bist bestimmt Lia.« Lia nickte und reichte die Hand über den Zaun. »Ich habe schmutzige Hände«, sagte Zaras Mutter. »Aber was macht ihr um diese Zeit hier?«

»Wir schwänzen den Unterricht und dachten, wir könnten dich besuchen.«

»Wie bitte?! Ihr schwänzt den Unterricht und geht öffentlich sichtbar durch die Stadt? Als ich früher schwänzte, bin ich zu Hause geblieben.«

»The times they are changing. Die Zeiten ändern sich.«

»Schule ist im Augenblick sehr anstrengend, Frau Völkel. Und da für heute keine Arbeit anstand ...« Lia zog entschuldigend und erklärend die Schultern hoch.

»Und was macht ihr den ganzen Vormittag?«

»Erst waren wir im Cebra . Wir hatten ein tolles Gespräch mit der Geschäftsleiterin. Sie hat uns sogar den Kaffee spendiert. Und jetzt besuchen wir dich, und anschließend gehen wir essen.«

»Du gehst essen? Habe ich richtig gehört?«

»Hast du.« Zara lachte. »Lia hat Hunger und ich könnte auch eine Kleinigkeit essen.«

»Ihre Arbeit sieht interessant aus. Ich stelle es mir spannend vor, beim Graben in der Erde etwas zu finden, was aus alten Zeiten stammt.«

»Ist es auch.« Sie schaute auf ihre Uhr. »Da vorne ist ein kleiner Durchgang. Wenn ihr wollt, kann ich euch kurz etwas zeigen. Ich habe einen Moment Zeit.«

Die beiden Mädchen schauten sich an, nickten und gingen zu einer Lücke im Zaun.

Am Rand der Freilegung stand ein klobiger Bautisch: eine Spanplatte auf zwei Holzböcken. Darauf lagen verstreut einige Scherben und zerbrochene Fliesen. Zaras Mutter erklärte den Mädchen die Reste der Gebrauchskeramik und was sie zu den Fliesen vermutete. Dann zeigte sie ihnen besonders alte Steine im unteren Mauerwerk des Rathauses.

»Sollte sich das hier erweitern, könntet ihr vielleicht als Grabungshelfer arbeiten. Aber ich muss jetzt weitermachen. Wo wollt ihr denn essen gehen? Um die Ecke ist ein guter Italiener.«

»Hasenstall. Wir gehen in den Hasenstall. Kennst du den?«

»Vom Hören. Ich glaube, das ist nichts für euch. Da verkehren nur Männer.«

»Die Küche soll gut sein. Lias Vater isst dort oft, und Lia war auch schon da. Man kennt sie also.«

»Na dann. Guten Appetit im Hasenstall«, sagte Zaras Mutter, holte ihr Portemonnaie aus der Gesäßtasche und drückte ihrer Tochter fünfzig Euro in die Hand. »Ich spendiere euch das Essen.«

»Danke Irene.« Zara küsste ihre Mutter auf die Wange.

»Danke, Frau Völkel«. Lia reichte ihr die Hand und Zaras Mutter drückte sie fest.

Im Hasenstall war es laut und stickig. Die meisten Tische waren besetzt. Aber es aßen nicht nur Männer hier. Lia und Zara waren die Jüngsten. Sie setzten sich an einen Zwei-Personen-Tisch.

Zara war noch nie in einer solchen ... sie suchte nach Worten und schaute sich um. Restaurant würde sie es nicht nennen, eher Gaststätte, aber besser ist Speiseraum. Ja, der Hasenstall wirkte auf sie wie ein großer Speiseraum. Grobe Holztische mit rot-weiß-karierten Decken aus Papier, alte Bierkrüge, in denen Messer und Gabeln mit Holzgriffen standen. Pfeffer und Salz streute man durch die Schnauzen von rosa Porzellanschweinchen, und die Stachel faustgroßer, hölzerner Igel waren Zahnstocher.

»Hallo Lia. Guten Tag.« Justyna stand vor ihnen. »Das ist aber eine nette Überraschung. Du kommst ohne deinen Vater zum Essen. Dafür mit deiner Freundin. Braucht ihr die Karte, oder wisst ihr schon, was ihr essen und trinken möchtet?«

Lia stutzte. Sie hatte gehofft, Justyna wäre noch mit ihrem Papa verreist.

Zara musterte sie unauffällig. Knappe, weiße Bluse, enger, schwarzer Rock, blonder Pferdeschwanz, schmale Nase, blaue Augen und volle Lippen. Das ist also die polnische Geliebte von Lias Vater. Nicht schlecht.

»Ich möchte bitte den Gemüseteller und ein Mineralwasser«, sagte Lia.

»Gibt es irgendeinen Salat mit einer kleinen Beilage?«

»Heute gibt es scharfen Rindfleisch-Gemüse-Salat, Linsensalat und Curry-Kartoffel-Salat mit Matjes. Ansonsten kann die Küche dir einen gemischten Salat zusammenstellen und du nimmst kleine Fleischbällchen dazu.«

Zara überlegte einen Moment. »Ich hätte gerne den Linsensalat und ein Mineralwasser ohne Kohlensäure bitte.«

»Gern«, sagte Justyna und ging zur Theke.

»Ist ja ein toller Laden, dieser Hasenstall.«

»Na ja. Alleine würdest du mich hier nicht reinkriegen. Aber Papa gefällt es. Er geht schon seit Jahren hier essen und Bier trinken. Mama hat mal Hosenstall dazu gesagt, weil so viele Männer hier verkehren und die Bedienung nur Frauen sind.«

»Hosenstall! Cool!«

»Manchmal gehe ich mit, um ihm eine Freude zu machen. Aber lieber kommt er alleine hierher.«

»Ihretwegen?«

Lia nickte. »Und, wie findest du sie?«

»Dein Vater hat einen guten Geschmack.«

Lia schluckte. »Ist das dein Ernst?«

Mittwochnachmittag

Zu Lias Überraschung war ihr Vater schon zu Hause.

Er saß gut gelaunt im Wohnzimmer auf dem Sofa mit einer Tasse Kaffee auf dem Beistelltisch. Ein Teil der Zeitung lag auf dem Boden, den anderen hielt er in der Hand. Sein dunkelgrünes Polohemd hatte Lia noch nie gesehen, und die hellen Jeans kannte sie auch nicht.

»Hallo Lia.« Ihr Vater erhob sich. »Wie du siehst, bin ich schon zurück. Ich habe uns etwas zu essen mitgebracht. Es liegt im Kühlschrank.«

Sie gingen beide in die Küche. »Wie war die Zeit ohne mich. Hast du dir es schön gemacht? Es ging so plötzlich, dass ich dir nur einen kurzen Zettel hinlegen konnte. Der Chef hatte umdisponiert und Justyna konnte zum Glück bis heute Mittag freinehmen.«

»Schon in Ordnung. Ja, ich hatte eine schöne Zeit.«

Ihr Vater holte mehrere kleine Boxen mit verschiedenen Salaten und Chickenwings aus dem Kühlschrank. »Was hast du denn gemacht?«

»Ich hatte Besuch.« Lia stellte Teller auf den Tisch und holte Besteck.

»Oh, wen denn?« Ihr Vater schaute sie überrascht an. Mit dieser Antwort hatte er nicht gerechnet. Er dachte eher an langes Fernsehen oder Lesen. Oder laut Musik hören und die Nachbarn hätten sich beschwert.

»Zara war hier.«

»Ach, die Dünne. Und, wie wars? Habt ihr Schularbeiten gemacht?« Er stellte zwei Gläser auf den Tisch, öffnete eine Flasche Mineralwasser und goss ein. Lia durchströmte ein flaues Gefühl; Leben. Sie atmete tief durch, um sich zu beruhigen.

»Komm, setzt dich. Ich habe Bärenhunger. Aber ich wollte mit dir zusammen essen.«

Lieber nicht den Gemüseteller erwähnen; die Salate sehen lecker aus. »Wir haben nur über Schule gesprochen.« Lia wunderte sich, wie langsam ihr Vater plötzlich aß. Und überhaupt: Neue Sachen, Essen mitbringen, Wasser statt Bier. Und was für gute Laune er hatte. Dieser Kurztrip mit Justyna hat ihm sichtlich gut getan. Aber war es auch gut für sie? Wenn die beiden sich offensichtlich gut verstanden haben und die polnische Kellnerin sogar so schnell Einfluss auf seine Kleidung hatte, dann wird sie bald in der Wohnung auftauchen.

»Na, das war bestimmt ein langer Abend für euch beide.«

»Ja, es war eine lange Nacht.«

»Durfte sie denn so lange aufbleiben? Sie musste doch noch nach Hause. Oder hat ihre Mutter sie abgeholt? Hm, die Chickenwings sind schön kross.« Er wischte sich den Mund mit Küchenpapier ab.

»Wir waren die ganze Nacht zusammen.«

»Sie hat hier übernachtet?« Lias Vater legte erstaunt das Besteck ab.

»Wir hatten so viel zu reden.« Lia aß ruhig weiter.

»Schon gut. Mädchen haben immer viel zu reden. Deine Mutter hatte eine Freundin, als ich sie kennen lernte. Was haben die beiden zusammengegluckt. Unglaublich! Sie war aus Norwegen.«

»Sie war Schwedin.«

»Ach, du weißt von ihr?«

»Sie hieß Kristina.«

»Stimmt, Kristina. Sie hatte sich zwischen deine Mutter und mich gedrängt. Ich mochte sie nicht.« Er aß weiter, um seine Erinnerungen wegzudrücken. »Aber die ganze Nacht. Und wo hat die Dünne denn geschlafen?«

»In meinem Bett natürlich nicht. Das fülle ich alleine aus. Wir haben die Sofapolster auf die Erde gelegt. Hm, der Reissalat ist lecker.«

Ihr Vater stutzte. So hatte seine Tochter bisher nie über ihren Körperumfang gesprochen; das Bett fülle ich alleine aus.

»Und wie war dein Kurzurlaub?«

»Danke. Justyna und ich haben uns etwas näher kennen gelernt.«

»Wo wart ihr denn?«

»Nicht weit von hier. Wir wollten nicht stundenlang im Auto sitzen. Wir haben ein kleines Hotel in Hochhausen gefunden. Gibt's was Neues von deiner Klassenkameradin?«

»Du meinst Cindy?«

»Ja.«

»Sie ist noch im Krankenhaus. Zur Beobachtung.«

»Na, sie wird schon wieder auf die Beine kommen. Besuch sie doch mal.«

»Ja, mal sehen.«

Sie waren fertig mit essen, räumten den Tisch ab, und jeder ging in sein Zimmer.

Lia legte sich auf das Bett und starrte an die Decke. Näher kennen gelernt. Bestimmt hatten sie was miteinander. Ihr Vater stand auf dem Balkon und rauchte. Gut, dass Lia die Dünne jetzt als beste Freundin hat. Wenn es mit Justyna weiter gut läuft, kann Lia das besser verkraften. Und wenn ihre Mutter erstmal das Baby hat, kann Lia sich auch damit beschäftigen. Mädchen mögen kleine Babys.

Mittwochabend

»Habe ich dir nicht gesagt, dass Reitunfälle kritisch ablaufen können. Cindy liegt jetzt im Koma, das verspricht nichts Gutes.«

»Im künstlichen Koma«, betonte Zara. »Das zeigt, dass zwar eine Verschlechterung des Zustands eingetreten ist, aber das künstliche Koma selbst ist eine sinnvolle Maßnahme.«

Zara saß am Küchentisch und ihre Mutter bereitete das Abendessen vor. Die Rotweinflasche hatte sie geöffnet, damit das Bouquet sich entfalten und sie schon einen Schluck trinken könne.

»Hoffentlich geht alles gut. Hoffentlich behält sie keine bleibenden Schäden zurück. Manchmal blutet es im Gehirn und man muss operieren. Geht es schief, kann Cindys Sprechen für immer gestört sein, oder sie bekommt sogar Epilepsie. Dabei hat sie ihr ganzes Leben noch vor sich.«

»Man kann auch sterben, wenn man eine Gräte verschluckt, Irene. Es wird alles gut werden; du wirst sehen. Cindy liegt nicht im Feldlazarett, sondern in einer Klinik in Deutschland. Und wenn die Ärzte nicht weiter wissen, wird man in ein besseres Krankenhaus verlegt.«

»Du hast recht. Wir sollten nicht so negativ denken.«

»Du solltest nicht so negativ denken.«

»Hm. – Das war ja eine Überraschung, dich am Zaun der Baustelle zu sehen, und dann noch zusammen mit deiner dicken Freundin.«

»Findest du Lia dick?«

»Na hör mal. Ich finde Lia nicht dick – Lia ist dick. Findest du nicht? Sei mal ehrlich.«

»Ja, Lia ist dick. Na und. Manche sind dick, andere dünn. Manche sind groß, andere klein. Manche sind weiß und andere sind es nicht. Es gibt Wichtigeres auf der Welt, als sich am Aussehen anderer Menschen zu stören.«

»Dick und dünn ist etwas anderes als groß und klein. Aber lassen wir das. Erzähl, was habt ihr die ganze Nacht gemacht. Und wie habt ihr das Schlafen organisiert? Und wie war es im Hasenstall? Hat das Essen geschmeckt?«

»Wir haben viel gequatscht und dann sind wir noch los.«

»Los?«

»Kennst du eine Remise in der – ich hab den Namen vergessen. Die Leute sagen Kiosk dazu.«

»Kiosk. Remise. Nie gehört. Was ist das?«

»Etwas versteckt in einem Hof. Ein renovierter ehemaliger Pferdestall oder so. Man trinkt, hört Musik und unterhält sich. Leute deiner Generation überwiegend. Nette Atmosphäre.«

»Und wieso geht ihr nachts dorthin? Ich hatte gedacht, du bist bei Lia zu Hause, als ich dir erlaubte, über Nacht zu bleiben. Jetzt zieht ihr nachts durch die Straßen. Ich finde das nicht gut.«

»Es war nicht so geplant.«

»Das wäre ja noch schöner! Dann hättest du mich ja angelogen!«

»Lia und ich haben viel Persönliches besprochen. Und dann hat sie mir erzählt, dass sie nach einem Streit mit ihrem Vater nicht schlafen konnte und vor die Haustür ging. Und dann trödelte sie so durch ihren Kiez, hörte Musik und stieß auf diesen Kiosk. Mehr war nicht. Sie ist dann wieder nach Hause gegangen. Und nun wollte sie ihn mir zeigen. Wir sind hin, haben eine Cola getrunken, und sind wieder zurück.« Dass Lia Grundmann knutschend gesehen hatte, sage ich lieber nicht. Und dass sie durch einen fremden Mann dort gelandet war, darf Irene auf keinen Fall erfahren.

»Hm. Wir können beide einmal hingehen. Irgendwann zeigst du mir diese Remise mal. So, der Möhrensalat ist fertig und der Côte du Rhône hat genug geatmet. Das Baguette liegt im Brotkasten.«

Donnerstagvormittag

Einige Jungen und Mädchen der 12c standen zusammen auf dem Hof und unterhielten sich. Sie waren froh, die Deutschstunde bei Dr. Goedel hinter sich gebracht zu haben. Gleich, in Philosophie, könnten sie sich entspannen und mussten vor allem keine Romane von der Tafel abschreiben. Der Brand in der Schule vor zwei Wochen war noch immer ihr Thema.

»Ich merke schon meinen Trainingsrückstand. Wann wird denn endlich die Sporthalle wieder frei?« Robert prüfte am gebeugten Arm seinen Bizeps.

Die Jungen lachten.

Jens legte beide Hände um Roberts Oberarm. »Tatsächlich, fortgeschrittener Muskelschwund.«

»Solange es nur die Muskeln sind«, sagte Pia trocken.

»Ich glaube, die Polizei muss nochmal nach Spuren suchen. Die haben wohl geschlampt das erste Mal.«

»Männer können nicht schlampen«, sagte Faris. »Sie können höchstens was übersehen.«

»Vielleicht finden sie noch anderes Beweismaterial. DNA und so. Heute ist ja vieles möglich.«

»Oder richtige Gegenstände, die der Täter verloren hat.«

»Wieso sagst du der Täter? Feuer können doch auch Mädchen legen, oder?«, wollte Marcel wissen.

»Statisch betrachtet zündeln sowieso mehr Mädchen wie Jungen, also Frauen wie Männer meine ich.«

»Die Zeitung schreibt, der Brand vor den Sommerferien und neulich könnte von derselben Person gelegt worden sein«, warf Carsten ein.

»Denke ich auch«, sagte Zara. »Statistisch betrachtet sind Brandstifter männliche Einzeltäter.«

»Und psychologisch betrachtet müssen sie sich etwas beweisen; sie brauchen die Aufmerksamkeit anderer. Ihre Tat muss mindestens in der Zeitung stehen.« Lia schaute unauffällig zu Zara.

»Ruhm für eine angebrannte Turnhalle ist doch armselig.«

»Du meinst, für Ruhm müsste die ganze Schule abgefackelt werden?«

Faris nickte.

»Hallo – was ihr alles so wisst. Und der Hausflurbrand? Auch ein männlicher Einzelkämpfer?«

Zara schaute Robert an. »Kann sein, muss aber nicht sein. Nur weil der Zeitungsmann das so sieht, muss es nicht die Wahrheit sein.«

»Ach die Wahrheit. Wir können gleich bei Grundmann mal wieder tauchen.«

»Genau. Der Sache auf den Grund gehen.«

»Eigentlich ist Prometheus verantwortlich. Schließlich hat er den Menschen das Feuer gebracht.« Carsten blickte spöttisch in die Runde und alle lachten.

»Wir könnten der Polizei helfen, herauszufinden, wer es war«, schlug Rena vor.

»Der Polizei helfen? Bist du verrückt?«

»Warum nicht. Ist doch nicht in Ordnung, an der eigenen Schule Feuer zu legen, oder?«

»Ach, du meinst, an anderen Schulen wäre es okay?«

»Feuer legen ist überhaupt nicht okay.«

»Frau Goedel sagt, du sollst nicht pauschalieren.«

»Ich pauschalisiere doch nicht. Das ist eine ethische Haltung.«

»Wir könnten mit der Zeitung zusammenarbeiten. Wir versuchen selber herauszufinden, wer es war, und dann verkaufen wir das Wissen an den Reporter.«

»Ach der Reporter.« Faris schlug sich an die Stirn. »Fast hätte ich den vergessen. Der wollte mir was zeigen. Was Interessantes. Ob ich nach der Schule nicht mal in der Redaktion vorbeischauen könnte.«

»Wow!«

»Bei Zeitungsleuten muss man aufpassen. Für die zählt nur Sensation und Auflage. Das klingt zwar wieder pauschal, aber es ist nur zugespitzt.«

»Zara hat recht. Manchmal beachten sie Gesetze nicht, nur aus Sensationsgier.«

»Mir gefällt das. Sie sind halt auf der Suche nach Wahrheit. Polizei und Politik vertuschen doch auch. Die Presse ist absolut wichtig. Ich möchte später zur Zeitung«, sagte Jens.

»Und Lia, was möchtest du später einmal machen?«

»Ich werde Psychologie studieren.« Sie wartete vergeblich auf den Kommentar, dass es Leute, die Psychologie studieren, selber nötig hätten. »Und du?«

»Allahs Wege sind wunderbar. Er wird es mir zeigen.«

»Wirst du zurück in den Libanon gehen?«

»Inschallah.«

»Und du Carsten?«

»Schriftsteller.«

»Und du Zara?«

»Ich habe keine Pläne.«

Donnerstagmittag

Im Cebra ließ er sich durch Lena oder die Geschäftsführerin zu leicht ablenken, daher verabredete sich Alexander mit Zara im Park.

Schweigend gingen sie eine Weile nebeneinander.

»In all meinen Jahren am Hesse war nicht so viel los wie in letzter Zeit.« Alexander genoss Zaras Nähe. Er wollte seine Ungeschicklichkeit von neulich nicht wiederholen.

»Im Tagesecho kannst du lesen, woran das liegt.«

»Ach die Zeitungen.« Er machte eine abfällige Geste. »Dieser Roeder fantasiert viel zusammen.«

»Es muss jemand aus unserer Schule gewesen sein – vermutlich ich.« Zara blieb abrupt stehen und grinste. »Seitdem ich in Lohneburg bin, passiert Seltsames: Kinderwagen brennen, Putzräume brennen, Bilder werden zerstört, Turnhallen brennen, junge Menschen wollen sich das Leben nehmen oder erleiden einen Unfall. Ich bringe Unglück über diese mittelalterliche Perle an der Lohne.«

Alexander schaute sie irritiert an. Zara grinste zwar, aber sie sprach so ernsthaft, dass er nicht wusste, was er davon halten sollte.

»Du musst die Polizei rufen. Ich bin ein gefährliches Mädchen! Pass auf, dass dir kein Unglück geschieht«, sagte sie spöttisch.

»Komm Zara. Krieg dich wieder ein. Du glaubst doch selbst nicht, was du sagst.« Gefährliches Mädchen, dachte er. Das sehe ich allerdings auch so, aber in anderer Hinsicht.

»Das ist ein Zufall, dass die Sachen passiert sind, seitdem du hier bist.«

»Ach ja, blindester Zufall«

»Jetzt fang bitte nicht an mit diesem esoterischen Gerede, es gäbe keine Zufälle und so weiter. Für jedes Ereignis wird es eine Erklärung geben. Und auch über Zusammenhänge und Ursachen. Aber dass du Unglück bringst in die Stadt wie die Pest im 14. Jahrhundert – nein. Und dass du die Sachen gemacht hast, glaube ich nicht.«

»Du kennst mich nicht.«

»Kinderwagen können viele anstecken. Auch aus dem Haus. Einer mag die Kinder im Haus nicht leiden; sie sind laut und nerven.«

»Und der Putzraum?«

»Jemand mag ausländische Putzfrauen nicht. Der Hausmeister?« Er zuckte mit den Schultern.

»Kannst du ausländische Putzfrauen leiden?«

Alexander stutzte. »Du meinst …« Er konnte kaum glauben, was Zara andeutete. »Du meinst … Nein, das ist nicht dein Ernst, oder?«

»Psychogene Amnesie vielleicht.«

Ich muss aufpassen, dachte Alexander. Was läuft hier gerade ab? So hatte er sich das nicht vorgestellt. Zara brachte ihn völlig durcheinander.

»Vielleicht. Ich kann mich leider nicht mehr daran erinnern.«

»Und nun die Turnhalle und nächstens die ganze Schule. Das wäre die konsequente Steigerung. Das Muster ist unübersehbar. Warm-up im fremden Hausflur, und dann step by step, und zum Finale brennt die eigene Schule. Ich glaube, sowas bringen nur Jungs zustande; ältere Jungs. Zehnte bis dreizehnte Klasse schätze ich. Ich weiß nicht, wie die Polizei ermittelt hat. Ich würde prüfen, wer aus diesen Klassen im Einzugsbereich der Goethestraße wohnt. Dann würde ich prüfen, wer an den beiden Feuertagen Unterricht hatte. Dann würde ich nach einer möglichen Übereinstimmung aller Daten suchen. Und dann ...«

»Du solltest deine Vorschläge der Polizei mitteilen. Was du sagst, klingt schlüssig. Und falls du einen Verdacht hast, solltest du ihn ihnen sagen.« Er lächelte nachsichtig. »Und falls du die Täterin bist, solltest du mit der Polizei kooperieren. Und wenn du im Gefängnis viel Zeit hast, solltest du Krimis schreiben.«

»Und falls du der Brandstifter bist, könntest du im Gefängnis dein Schachspiel verbessern. Solltest du aber in Einzelhaft landen, empfehle ich, Zweigs *Schachnovelle* zu lesen.«

Alexander stutzte. Woher weiß Zara, dass ich Schach spiele? Diese Anspielungen können unmöglich Zufall sein.

»Kenn ich schon, danke.«

»Auch danke. Ich wusste, dass ich mit dir einen kreativen Gesprächspartner finden würde. Es war wie eine Partie Kurzschach.«

»Ich denke, wir haben remis gespielt.«

»Ja. Und die anderen Unglücke?« Sie lachte und lief weiter.

»Ach Zara. Lia leidet darunter, dass sie dick ist.«

»Falsch! Sie leidet darunter, dass sie wegen ihres Aussehens von euch gemobbt wird.«

»Cindy hatte einen Reitunfall. Sie liegt zwar im Krankenhaus, aber das geht vorbei.«

»Hoffentlich.«

»Denkst du nicht?«

»Neulich ging es ihr nicht so gut.«

»Vielleicht völlig normale Abläufe. Mal gut, mal nicht so gut. Am Ende gut.«

»Ich wünsche es ihr. Es wäre für sie und ihre Familie eine Tragödie, wenn Cindy den Rest ihres Lebens im Rollstuhl verbringen müsste.«

»Das mag so sein. Aber auch ein Leben im Rollstuhl kann ...« er suchte nach dem passenden Ausdruck.

»Erfüllt sein? Meinst du das?«

»Es gibt erstaunliche Menschen im Rollstuhl. Im Sport zum Beispiel. Oder Steven Hawking.«

»Es gibt auch Wracks im Rollstuhl.«

»Es gibt auch ohne Rollstuhl Wracks in der Gesellschaft.«

»Trotzdem. Cindy hat so viele Pläne. Sie muss wieder gesund werden.«

Inzwischen

Klaus Roeder saß, die Beine auf dem Schreibtisch, in der Zeitungsredaktion vor dem Computer und resümierte seinen Besuch bei der Polizei. Das Gespräch war genauso verlaufen, wie er sich es vorgestellt hatte. Er durfte seine Quellen schützen, die im Grunde nur Vermutungen waren, die die Polizei ebenfalls anstellte. Er gab ihnen den Umschlag, den er anonym im Hausbriefkasten vom Tagesecho gefunden hatte, zusammen mit Lias Armband und einem Zettel. Ihm wurde erlaubt, Fotos von dem Armband und dem Zettel im Tagesecho zu veröffentlichen. Die Worte FEUER und SCHULE waren in großen, aus Zeitungen ausgeschnittenen Buchstaben aufgeklebt. So etwas kannte der Reporter nur aus alten Filmen. Er wies die Polizei vorsorglich darauf hin, dass man auf dem Armband und dem Zettel seine Fingerabdrücke finden würde und vielleicht auch DNA-Spuren. Er hatte alles angefasst. Anonyme Umschläge seien für ihn schließlich nichts Ungewöhnliches. Die Polizisten drückten ihr Bedauern darüber aus. Sie kommentierten den erstaunlich guten Zustand des Armbandes nach einem solchen Brand, und Roeder ergänzte, es könnte sich um eine falsche Fährte handeln. Und als sie sagten, sie würden mit dem Schulleiter des Hermann-Hesse-Gymnasiums über geeignete Maßnahmen sprechen, wie man den Besitzer oder die Besitzerin des Armbandes ermittelt, verspürte er Schadenfreude. Das wird den Altphilologen den Angstschweiß auf die Stirn treiben, dachte er. Und dass er wusste, dass es Lias Armband war, behielt er für sich. Sollte der Schulleiter doch Maßnahmen ergreifen, wie er wollte.

Roeder begann zu schreiben:

Neue Erkenntnisse der Polizei zum Brand am Hermann-Hesse-Gymnasium. Im Briefkasten unserer Zeitung wurde anonym ein Umschlag abgelegt. In diesem Umschlag befand sich ein geflochtenes Lederarmband, wie man es häufig bei jungen Mädchen findet. Außerdem gab es einen leicht zerknitterten Zettel, wie ihn unsere älteren LeserInnen vielleicht aus früheren Kriminalfilmen kennen. Aus Zeitungsartikeln werden Buchstaben ausgeschnitten und aufgeklebt. In unserem Fall die Worte Feuer und Schule.

Was könnte das bedeuten? Wurde das Armband am Tatort Turnhalle gefunden? Warum wurde es dann nicht der Polizei übergeben? Hat es überhaupt etwas mit dem Feuer zu tun? Ist es eine falsche Fährte? Soll einer unschuldigen Person Brandstiftung unterstellt werden? Fragen über Fragen. Aber die Polizei wird die richtigen Antworten finden. Und nicht nur die Antworten, sondern auch die Verantwortlichen.

Roeder lehnte sich zurück und blickte eingebildet auf seinen Text. Er freute sich, in Interviews und Artikeln sprachlich zu jonglieren. Ab und zu ein Wortspiel, ab und zu eine Andeutung. Keine trockenen Fakten, die die LeserInnen langweilen, dann hätte er in der Nachrichtenredaktion bleiben können. Seine LeserInnen sollten spannend unterhalten und zum Nachdenken angeregt werden. In seiner Freizeit schrieb Roeder unter dem Pseudonym Harry R. Cotton Kriminalromane. Dort ließ er seine Fantasie, die in Zeitungsartikeln gebremst werden musste, wild tanzen.

Wie sollte es weitergehen? Das Gespräch mit der Dicken war gut. Die Dünne war ihm zu selbstbewusst. Mit dem Araber würde er sich nochmal befassen.

Freitagmittag

Dr. Breitenbach sah sich durch den Artikel in seinen Ansichten über den Reporter bestätigt: Roeder war ein klebriger Penetrant. Das Telefonat mit dem für den Brand zuständigen Polizeibeamten veranlasste ihn, über ein klärendes Gespräch mit Lia Wallmann nachzudenken.

Wie könnte es geführt werden? Allein oder gemeinsam mit einer Kollegin? Oder nur mit Lias Mutter. Lia ist nicht volljährig, nachher würde er Ärger mit Frau Wallmann bekommen. Und wo sollte er sich mit Lia unterhalten? In seinem Büro? Die Schüler würden sich wundern, warum Lia ein Gespräch mit dem Schulleiter hat. Dann also nachmittags. Vielleicht würde sie da auch gesehen? Nachmittags gibt es viele Arbeitsgruppen. Sonntags? Unmöglich! Also an einem anderen Ort? Ein Café in Lohneburg? Unmöglich! Mein Gott! Wie kompliziert eine Gesprächsplanung sein kann. Er konnte wohl kaum zu Lia nach Hause gehen. Sollten sie sich vielleicht nachts im Wald treffen? Bei Vollmond?

Sie verabredeten sich in der Wohnung von Susanne Behrend. Dem Schulleiter war eingefallen, dass sich die Englischlehrerin schon länger mit Lia beschäftigte. Was er nach seinen komplexen Überlegungen naheliegend fand, wollte seiner Kollegin nicht einleuchten. Aber zuletzt ließ sie sich davon überzeugen, das Treffen mit Mutter und Tochter Wallmann in ihrer Wohnung stattfinden zu lassen. Sie hoffte auch, dadurch in ihrer Sorge um Lia entlastet zu werden.

Lia wunderte sich über den Ort, war jedoch froh für die Möglichkeit, etwas klären zu können. Ihre Mutter wunderte sich ebenfalls über den Ort und zweifelte daran, dass der Schulleiter ihrer Tochter wirklich helfen wollte, oder ob es ihm nur um den guten Ruf der Schule ging.

Bei Kaffee und Keksen fächerte Dr. Breitenbach die gesamte Situation auf. Er begann mit dem Brand im Hausflur vor den Sommerferien, sprach über mögliche Zusammenhänge mit den beiden Bränden in der Schule, streifte kurz die Zerstörung von Zaras Bild auf dem Erntedankfest und verweilte bei der Frage, wie Lias Armband angeblich in der verkohlten Turnhalle gefunden wurde, faktisch sich in einem Briefumschlag befand, der beim Tagesecho landete und nun bei der Polizei lag. Lias Suizidversuch erwähnte er nicht.

Lia sprach wenig und aß viele Kekse. Susanne Behrend machte ab und zu eine Bemerkung und versuchte mit Lächeln und indem sie reichlich Kaffee einschenkte, eine entspannte Atmosphäre zu schaffen. Frau Wallmann hakte bei jeder Vermutung und Behauptung vom Schulleiter nach, um sich zu vergewissern, dass es hier um eine Entlastung und damit Stärkung ihrer Tochter ging; der Ruf der Schule war ihr egal. Sie führte Lias Suizidversuch zurück auf die jahrelange Demütigung ihrer Tochter am Hermann-Hesse-Gymnasium. Sie behauptete, Lia könne unmöglich die beiden Feuer in der Schule gelegt haben und außerdem seien viele Schüler im Gebäude gewesen.

»Und das Armband gehört zwar meiner Tochter, aber sie hat mir schon Tage vor dem Feuer in Ihrer Turnhalle am

Telefon gesagt, dass sie es wohl verloren habe und wie traurig sie darüber sei. Darf ich bitte noch etwas Kaffee haben.«

Lia verschluckte sich fast. Ihre Mutter log. Für sie.

»Betrachtet man alle Ereignisse, die Sie aufgezählt haben, und sucht einen gemeinsamen Nenner, sieht man, dass, bis auf den Brand des Kinderwagens, alles in Ihrer Schule passierte: Bildzerstörung, Feuer in Flur und Turnhalle, Armband. Ich habe gehört, und ich möchte mich hier ganz vorsichtig ausdrücken, dass es einen arabischen Jungen in Lias Klasse gibt, der Stress macht. Lia wird zwar auch von anderen Jungen gemobbt, und andere Mädchen, Zara zum Beispiel, werden ebenfalls gemobbt – welch Schande für Ihr Gymnasium –, aber immer ist von diesem Jungen die Rede. Vor allem, seit Zara in der Klasse ist.«

»Du meinst Faris?«

Lias Mutter nickte. Der Schulleiter schaute die Englischlehrerin an. Was sollte er dazu sagen? Er konnte der Mutter einer Schülerin nicht zu verstehen geben, dass ihre Vermutungen durchaus zutreffen könnten. Er kannte Faris vom Unterricht und aus zwei ungewöhnlichen Gesprächen. Und dass Faris Stress an der Schule macht, ist völlig richtig. Die Bildzerstörung könnte noch irgendwie als kreativer Akt gewertet werden. So haben es einige Kollegen und Kolleginnen gesehen. Aber Feuer legen ist eine andere destruktive Qualität. Menschenleben könnten gefährdet werden. Was riskiert Faris damit? Eine Abschiebung? Möchte er das? Ist ihm das egal? *Opfer – Sehnsucht – Kampf.* Ist das seine Art zu kämpfen? Wenn er im Libanon nicht dabei sein kann, dann kämpft er in Deutschland, in Lohneburg, am Hermann-Hesse-Gymnasium. Er muss dieses Gespräch mit Lia und Mutter beenden und alles sortieren. Ein Blick auf die Uhr.

»Oh, schon fast sechzehn Uhr. Ich glaube, wir sollten das Gespräch beenden. Ich möchte mich bei Ihnen und Ihrer Tochter bedanken, dass sie sich Zeit genommen haben. Und danke ebenfalls an meine Kollegin für den guten Kaffee und dass wir hier sitzen durften.«

Frau Wallmann und Lia bedankten sich ebenfalls.

»Und, was wollen Sie jetzt unternehmen?«, fragte Lias Mutter an der Wohnungstür.

Dr. Breitenbach hatte gehofft, diese Frage würde nicht kommen. »Nun, die Polizei wird ihren Ermittlungen weiter nachgehen, und ich werde ein Auge auf Faris haben. Und ich bitte darum, unser Gespräch vertraulich zu behandeln.«

Montag

Die Krankenschwester verweigerte ihr den Zugang zu Cindys Zimmer.

»Jetzt dürfen nur noch Angehörige die Patientin besuchen. Sie können hier warten, bis die Mutter und die Schwester rauskommen.«

Zara lief ungeduldig vor der Tür hin und her.

Morning found us calmly unaware ...

Es ist wie bei Lia damals. Bitte nicht.

Noon burned gold in our hair ...

Floriane kam heraus. »Hallo Zara. Die Schwester hat mir gesagt, dass du hier bist.« Sie umarmte Zara kurz.

»Ist was passiert mit Cindy?« ‚fragte Zara stockend.

Floriane zögerte einen Atemzug lang. »Ich glaube, es sieht nicht gut aus – im Moment zumindest. Der Arzt hat uns Cindys Zustand ausführlich erklärt. Es gibt Einblutung ins Gehirn, die lebensbedrohliche Folgen haben kann. Es besteht zusätzlich das Risiko von Wasseransammlung.«

Zara begann zu weinen.

»Aber es gibt Hoffnung. Eine geringe zwar, aber immerhin.«

Zara schaute sie fragend an.

»Der Eingriff ist riskant. Cindy müsste verlegt werden. In der Schlosspark-Klinik sollen sie einige Erfahrung mit sowas haben – aber die Operation ist keine Routine. Für alles braucht der Arzt unsere Zustimmung.«

Zara nickte.

»Ich habe mit meinem Vater telefoniert. Er muss gleich hier sein. Und dann beraten wir.«

»Hm.«

»Es ist so furchtbar. Pläne zu haben, und plötzlich ein solcher Schlag.«

»Hm.«

»Aber wir sind eine starke Familie. Egal was mit Cindy wird, wir tragen das gemeinsam. Ich habe ein gutes Gefühl und Vertrauen.«

»Hm.«

»Ich rufe dich heute Abend an.«

Zara nickte und wollte eben gehen, da trat der Arzt aus dem Zimmer. Er sah sie an, stutzte und schmunzelte. »Ist Cindy auch Ihre sista? Dann wird wohl alles gut.«

Zu Hause fand Zara keine Ruhe. Sie schaltete den Wasserkocher an und warf einen Teebeutel in die Kanne. Sie schaltete den Kocher wieder aus und ließ die Teekanne auf dem Küchentisch stehen. Sie stand unschlüssig vor dem CD-Spieler. Sie setzte sich auf den Futon und stand wieder auf. Nun starrte sie aus dem Fenster ins Leere. Wie ist es zu sterben? Spürt Cindy etwas, ahnt sie etwas? Was merkt man, wenn man im Koma ist? Hört man die Stimmen, die einen ansprechen und versteht man, was sie sagen? Man soll mit Komapatienten sprechen, aber was geht in ihnen vor? Was geht in Cindy vor? Verdammte Einblutung! Hat Cindy Schmerzen? Hatte Rolf Schmerzen? Wie lange lebte er noch im Autowrack und woran dachte er? An Irene und mich? Und wenn es kein Unfall war, woran dachte er dann? Zara weinte still vor sich hin. Es muss ein Unfall gewesen sein. Unbedingt! Diese blöden Träume. Ich habe mich vertan. Ja, es war ein

Unfall. Was sonst?! Rolf fuhr oft zu schnell. Und er dachte an Irene und mich. Bestimmt! Irene hat recht. Die Träume bedeuten etwas anderes, aber das ist jetzt auch egal!

Sie hockte sich auf den Futon. Was hat Lia gedacht? Sie wollte sich wieder umbringen. Zweimal mit Tabletten. Wie blöde. Was weiß ich eigentlich wirklich von ihr? Sie ist dick, ihre Eltern sind geschieden, sie wird in der Schule gemobbt. Für manche reicht das. Aber was kann ich tun? Nichts kann ich tun! Oder ein bisschen? Was würde ich denn tun, wenn es ihr schlecht geht und sie mich um Hilfe bittet? Ich weiß es nicht. Warum nicht Fida, dieses schöne Mädchen. Aber die ist selber fertig. Mein Gott, was für eine Welt. Langsam nahm sie die Bäume wahr, deren Blätter den Herbst zeigten. Herbst, Winter, Frühling. Vielleicht stirbt Cindy gar nicht? Vielleicht geht die Operation gut? Vielleicht wird überhaupt alles gut?

Sie hörte ihre Mutter.

»Darf ich reinkommen?«

»Ja.«

»Du siehst erschöpft aus. Wie geht es Cindy?« Irene setzte sich neben ihre Tochter auf den Futon.

»Cindy geht es schlecht!«

»Was ist passiert?«

»Es hat ins Gehirn geblutet, und sie muss in einem anderen Krankenhaus operiert werden; hat mir ihre Schwester gesagt.«

Ihre Mutter hielt die Luft an. »Das wird schon.«

»Meinst du, Rolf hatte Schmerzen?«

»Wie kommst du denn jetzt darauf?«

»Ich hatte überlegt, ob Cindy Schmerzen hat, und da musste ich an Rolfs Unfall denken.«

Sie sagt *Unfall*, merkte Irene. »Im Bericht steht, dass er sofort tot war. Aber vermutlich schreiben sie das immer so, um die Angehörigen zu schonen. Der schnelle Tod ihrer Liebsten ist leichter zu verkraften.«

»Woher wollen die das denn wissen? Und, was glaubst du?«

»Damals hatte ich keine Zeit dafür, ich musste so vieles regeln. Und später – sie zuckte mit den Schultern – es ist besser, nicht so viel darüber zu grübeln.«

»Wenn Rolf noch kurz gelebt hatte, was glaubst du, woran er dachte?«

»Zara – was stellst du für Fragen.«

»Dachte er an uns beide?«

Wohin soll das führen? Warum beschäftigt sich Zara mit solchen Fragen? Das muss mit Cindy zu tun haben. Befürchtet sie, dass die Operation misslingt, dass Cindy stirbt? Das wäre tragisch. Sie sieht in dem Tod ihres Vaters keinen Suizid mehr, sondern einen Unfall. Woran könnte Rolf gedacht haben, und wäre es nur für den Bruchteil einer Sekunde?

»Ich glaube, er dachte an uns beide«, sagte Zara.

»Das glaube ich auch. Und deine zwei Träume? Deutest du sie nun anders?«

»Das kommt noch – wenn überhaupt. Ich wünsche mir, dass Rolf nicht lange leiden musste – aber genug Zeit hatte, an uns beide zu denken. So als Abschied, verstehst du?«

»Das verstehe ich – sehr gut sogar. Gedanken können helfen, auch in solchen Momenten. Ich denke, wir waren intuitiv beieinander.«

»Ja.«

»Sorgst du dich um Cindy?«

»Ja.«

»Und um Lia?«

»Auch.«

»Ach, Zara.« Ihre Mutter nahm sie in den Arm. »Ich verstehe dich ja. Aber das ist alles ein bisschen zu viel. Ich mache mir Sorgen um dich. Für Lia sind zuerst ihre Eltern verantwortlich, obwohl sie geschieden sind. Und Cindy hat ihre Familie. Und die Ärzte werden das schon schaffen. Operationen am Gehirn sind nicht mehr so dramatisch wie früher.«

Das Telefon klingelte.

»Das wird Floriane sein, sie wollte mich heute noch anrufen.« Zara stürzte zum Telefon.

»Zara.«

»Floriane hier. Ist deine Mutter bei dir?«

Zara schluckte, sie wusste, wie der Satz weitergehen würde ... »Ja.«

»Cindy ist tot. Sie ist vor einer Stunde gestorben. Es tut alles so verdammt weh!«

Zara knickten die Beine ein, sie sackte zusammen, der Telefonhörer fiel auf den Boden.

»Zara!« Ihre Mutter sprang auf, rannte zu ihrer Tochter, zog sie hoch, lehnte sie an die Wand und hob den Hörer auf. »Floriane?«

»Ja. Ist was passiert mit Zara?«

»Geht schon. Ein kurzer Schwächeanfall.«

»Cindy ist tot. Ich dachte, ich muss es Zara sagen.«

»Oh Gott ... es tut mir so leid ... Cindy ... so jung ... sollte sie nicht noch operiert werden?«

»Ja, die Verlegung war bereits organisiert. Morgen früh ... in der Schlosspark-Klinik. Aber dann ... verdammt ... wenn Mark nicht ... die Chancen standen nicht schlecht ... ich könnte ihn ... ich weiß nicht, wie das weitergehen soll ... meine Mutter ist völlig am Boden ... selbst mein Vater ... es ist so furchtbar … ich kann nicht mehr … hätte sie einen Helm … ich muss jetzt aufhören … tut mir leid.«

Irene setzte sich langsam neben ihre Tochter auf den Boden, lehnte sich an die Wand und legte Zaras Kopf in den Schoß. Sie wusste nicht, was sie sagen sollte.

Beide konnten nicht schlafen. Zara stand mehrmals auf, hörte kurz Musik und legte sich wieder hin. Sie flüchtete zu ihrer Mutter ins Bett und sie teilten sich wortlos die Flasche Bordeaux. Sie hielten sich fest, um die erdrückenden Gefühle auszuhalten. Sie lagen auf dem Rücken, starrten an die Decke und suchten Gedanken und Schlaf.

Dienstag

Am Morgen saßen sie blass und müde am Küchentisch. Die Mutter musste ins Büro und überließ es ihrer Tochter, in die Schule zu gehen oder zu Hause zu bleiben. Lieber wäre es ihr, Zara ginge in die Schule, da wäre sie abgelenkt und könnte nicht in Grübeleien versinken.

»Schule, auf keinen Fall!«

»Gut, dann sehen wir uns heute Abend.« Die Mutter erhob sich wie im Halbschlaf, trank den restlichen Kaffee, umarmte ihre Tochter und verließ die Wohnung.

Lena sah in Zaras Gesicht, dass sie ihre ironischen Tee-Kommentare heute besser lassen sollte. Zara lief an ihr vorbei direkt an den Tresen zur Geschäftsführerin.

»Cindy ist tot!«

»Lena! Ich bin mal eben weg! Komm, Zara!« Sie hörte auf, die Kaffeemaschine zu putzen, legte den Arm um Zaras Schulter und beide verließen das Cebra. »Ich heiße Esther. Lass uns aus der Stadt herausfahren.«

Zara genoss es, in einem Mini Cooper zu fahren. Sie verstand aber nicht, wozu sie Lohneburg verlassen mussten, nur um etwas zu reden. Nachdem sie sich entschlossen hatte, nicht zu Hause zu versacken, sondern ins Cebra zu gehen, war ihr nicht klar, was sie dort genau wollte. Und nun saß sie neben der Geschäftsführerin, von deren Schönheit sie sich vor einigen Wochen nur schwer losreißen konnte – Esther.

Sie fuhren schweigend die Lohne entlang, auf einem Weg, der kaum breit genug war, dass zwei Menschen nebeneinander gehen konnten. Am Rand des Auenwäldchens ließen sie das Auto stehen und liefen zu Fuß weiter. Zara wurde immer neugieriger, warum sie für ein Gespräch Kilometer zurücklegten, und sie wunderte sich über Esthers Zielstrebigkeit. Erlen, Eschen und Weiden-Gebüsch verdeckten den Blick auf das Ufer. Esther bog Zweige zurück und duckte sich unter Ästen hindurch; Zara blieb dicht hinter ihr. Dann gab es keine Büsche mehr, und sie standen am Ufer.

Die Frau und das Mädchen saßen nebeneinander auf der Böschung und betrachteten schweigend das Wasser.

»Was ist passiert?« Esther blickte Zara von der Seite an.

»Cindy ist gestern Abend gestorben.« Zara schaute geradeaus.

»Hm.«

»Ich war noch im Krankenhaus, durfte aber nicht zu ihr.«

»Hm.«

»Der Arzt wollte sie verlegen, weil woanders besser operiert werden könnte – Heute!«

»Aber es sah doch alles so zuversichtlich aus.«

»Es gab eine Einblutung.«

»Verstehe.« Esther riss einen Grashalm aus und kaute darauf herum.

»Trotzdem. Die Chancen standen nicht schlecht. Es hätte gepasst!«

Esther legte einen Arm um Zara, die weiter auf das Wasser starrte.

»Wäre ich mit Cindy auf den Pferdehof gegangen, dann …«

»Psst!« Esther verschloss Zaras Lippen kurz mit dem Zeigefinger. »Keine Selbstvorwürfe.«

Zara fühlte ein angenehmes Kribbeln. »Sie hatte so große Pläne: New York, Dressurreiten und natürlich irgendein Studium.«

»Unfälle sind immer tragisch. Sie sind in unseren Plänen nicht vorgesehen.«

Pläne, Träume – und plötzlich eine Biegung im Weg. Zara fröstelte. »Mein Vater starb auch durch einen Unfall. Er knallte gegen einen blöden Baum, weil er einem blöden Reh auswich.«

»Oh.«

»Ich war dreizehn, und ich hörte auf zu essen. Ich wollte auch aufhören zu leben; aber das konnte ich meiner Mutter nicht antun.«

»Das kenne ich.«

»Sie wollten sich umbringen? Als junges Mädchen?« Zara blickte die Frau erstaunt an.

Esther löste ihren Arm von Zaras Schulter, strich ihr mit den Fingern flüchtig über die Wange, erhob sich und ging näher an das Wasser. Zara folgte ihr.

»Es war hier an dieser Stelle. Ich war siebzehn und ungewollt schwanger, hätte das Baby aber gern behalten. Doch meine Eltern … die Leute … die Kleinstadt … Ich wollte ins Wasser, so wie die jungen Frauen früher. Die Bilder fand ich damals romantisch, schöne Mädchen in langen Kleidern und endlos langen Haaren – sowie Millais die Ophelia gemalt hat. Sie lächelte. Es war nachts. Ich hatte mich aus dem Haus geschlichen und bin hierher gelaufen. Der Mond schien, das passte zu meiner Stimmung. Sie schwieg einen Moment und sah Zara an. Weißt du, es ist das erste Mal, dass ich darüber spreche. Ich komme ab und zu hierher, um abzuschalten, nachzudenken; erstaunlich – oder?«

Zara wusste nichts zu sagen.

»Es ist immer noch so schön einsam hier zwischen den hohen Büschen und den Bäumen – mein Versteck«, seufzte Esther. »Mir war damals schwindlig, nachts hierher zu laufen war anstrengend, und so lehnte ich mich an einen Baum – diesen hier.« Ihre Finger strichen über die Rinde der Trauerweide. »Dann wurde ich ruhig. Mich überkam eine Gewissheit, ein Vertrauen, dass ich das Kind auf die Welt bringen sollte und alles würde gut. Ich spürte eine Kraft, die reichen würde, mich gegen meine Eltern durchzusetzen und das Gerede der Leute auszuhalten. Und dann sagte ich laut: Danke. Für manche wäre es bestimmt ein Fingerzeig Gottes, aber ich bin nicht so gläubig. Schon als Kind hatte ich mich geweigert zu beten – und das in einer katholischen Familie. Inzwischen bin ich aus der Kirche ausgetreten; zu verlogen und bigott alles. Und das mit dem Baum – später, auf einer Reise in die USA kam ich mit einem Indianer ins Gespräch, und der erzählte mir, dass sich Indianer an Bäume lehnen um Kraft zu tanken oder Heilung zu erfahren. Und die Kelten … Oops, jetzt rede ich aber zu viel. Es überkam mich so. Entschuldige bitte.« Sie lachte.

»Es war schön, das zu hören. Sie haben also ein Kind.«

»Ja – ich hatte eine Tochter –, aber das ist eine sehr lange Geschichte. Vielleicht ein andermal.« Sie drückte kurz die Stirn an den Stamm.

»Zara.«

»Ja.«

Esther hatte Tränen in den Augen. »Wenn du Sorgen hast und mit niemanden darüber sprechen möchtest, gehe hierher! Ich teile mein Versteck gern mit dir. Wende dich an einen Baum.«

»Danke.«

»Und mit Cindy ... Rede! Nichts zurückhalten! Und in der Schule ...«

»Das wird schwer. Ich habe niemanden, und Lia zieht mich nur runter.«

»Und der Junge?«

»Alexander ... Ich bin mir nicht sicher.«

»Finde etwas, was nur dir gehört, was dir Freude macht, was dich aufbaut, dich hält.«

Sie umarmten sich und Esther strich Zara über das Haar wie früher bei ihrer Tochter.

»Komm!«

Die Rückfahrt verlief schweigend. Esther setzte Zara an der Kirche von Lohneburg ab und fuhr zum Cebra. Zara kannte die Kirche bisher nur von außen. Ihr gefiel das Gebäude; eher eine Festung als eine Kirche, mit seinen dicken Mauern aus Feldsteinen und den kleinen Fenstern. Klar aneinandergereiht: der massive Westturm, das Kirchenschiff, der rechteckige Chor und die halbkreisförmige Apsis. Das Eingangsportal mit seinen alten Bohlentüren wirkte ebenso solide.

Zara setzte sich in die Mitte der Bankreihen, um etwas Ruhe vor den Touristen zu bekommen, die sich vorn für den Altar interessierten. Sie schloss die Augen und überlegte, was sie eben mit Esther erlebt hatte. Warum führte die Geschäftsführerin sie soweit an diese Stelle am Fluss? Warum vertraute sie ihr an, dass sie sich einmal umbringen wollte? Und was war mit ihrer Tochter? Ist sie tot? Cindy ist jetzt auch tot.

Und dann neulich der Hinweis auf Drogen in der Remise. Zara konnte sich diese Vertraulichkeit nicht erklären.

Sie öffnete die Augen, und ihr Blick fiel auf einen Mann, der von Kanzel herab den reich verzierten Altaraufsatz fotografierte, mit einer jungen Frau davor, die ihre langen blonden Haare mit den Händen auffächerte, dass sie wie Flügelspitzen aussahen. Zara stutzte und staunte – Corinne und John, die französische Malerin und der amerikanische Fotograf in der Kirche von Lohneburg. Sie beobachtete, wie Corinne verschiedene Posen ausprobierte und John sich auf der Kanzel fast verrenkte, um originelle Perspektiven einzufangen. Die Touristen hielten sich zurück, weil sie die Fotosession nicht stören wollten. Manche fotografierten Corinne selbst aus dem Hintergrund, weil ihnen dieser Engel unter dem Taufengel und vor dem Altar gefiel.

Nachdem John fertig war, ging Zara auf die beiden zu.

»Hi. Ich bin Zara, Schülerin.« Sie grinste. So hatte sie sich im Sommer in Rothberg vorgestellt, und Cindy auch ... ach, Cindy ...

»Hi«, sagte John, eher aus Gewohnheit, bevor er merkte, wer vor ihm stand. »Hey! Zara! Nice to see you. Was machen Sie denn hier in der alten Kirche?«

»Salut, Zara, ça va?« Corinne deutete ein Luftküsschen links und rechts von Zaras Wange an. »Schön, dich zu sehen.«

»Was machen Sie denn hier in Lohneburg?«

»John hat einen Auftrag, und dazu klappert er die alten Kirchen der Umgebung ab. Wie geht's dir?«

»Die Sankt Marien Kirche von Lohneburg wurde um 1174 erbaut, sie zeigt das für die romanische Architektur typische additive Prinzip. Außergewöhnlich sind das spätgotische

Schnitzretabel und die Kanzel aus der 2. Hälfte des 17. Jahrhunderts. Der barocke Taufengel wird mit Hilfe einer Hebemechanik bewegt, die zurzeit nicht benutzt wird, weil die Holzplanken des Dachbodens zu morsch sind.« Er klappte das kleine Buch zu. »Lohneburg informiert seine Besucher mit vielen details. Komm, ich muss Ihnen – ach lass uns Du sagen, okay? – ich muss dir unbedingt etwas zeigen.« Er zog Zara in eine Nische. Dort hingen, leicht verstaubt, an alten Balken vor nackter Steinwand, filigrane Kunstwerke. Kleine, schwarze flache Holzkästen mit verglasten Seiten und Vordertürchen. Oben und unten hatten sie geschnitzte Verzierungen. Innen befanden sich ehemals weiße, nun leicht vergilbte Seidenkissen als Rückwand und davor getrocknete Blumenkränze. Darunter gab es schwarze Holzschildchen mit Namen, Geburts- und Sterbedaten. Zara las: Marie Wilhelmine Dorothea, geb. 2. Okt. 1851, gest. 3. Sept. 1866. Auf den anderen Schildchen standen ähnlich lange Namen, auch von Jungen, und ähnlich kurze Lebenszeiten. John schlug wieder sein kleines Buch auf.

»Diese Totenkronen erinnern an das im 19. Jahrhundert aufgegebene Trauerritual, ,jungfräulich entschlafene' Mädchen und Jungen mit einer Totenkrone zur himmlischen Hochzeit mit Christus zu geleiten.«

Von Totenkronen hatte Zara noch nie gehört. Ob Cindy jungfräulich entschlafen war? Für einen kurzen Augenblick sah sie Cindy mit Blumenkranz auf den blonden Haaren über eine blühende Wiese laufen.

»Totenkronen – incredible!« John machte von jeder kleinen Vitrine ein Foto und trat dann einen Schritt zurück für ein Gesamtbild. »Warum sind die so jung gestorben?«

Corinne wandte sich an Zara. »Was macht deine Freundin?«

Zara sortierte ihre Gedanken und Phantasien und holte tief Luft.

»Cindy ist gestern gestorben.«

John riss die Augen auf. »Good gracious!«

»Mon Dieu! Ce n'est pas croyable! Wie ist das passiert?« Corinne hielt die Hand vor den Mund.

»Es war ein Reitunfall.«

Sie schwiegen einen Moment.

»Ist sie vom … ach, ist auch egal … sie war so schön … ach, was rede ich … so jung zu sterben … c'est déprimant!«

»Und im Sommer haben wir uns noch gesehen.« John schüttelte den Kopf und packte seine Fotoausrüstung zusammen. »Bloody hell! Ich glaube, ich bin fertig hier in der Kirche. Und ich habe Hunger. Zara, weißt du, wo man hier gut essen kann? Und du bist natürlich eingeladen mitzukommen.«

»Ja, ich könnte auch eine Kleinigkeit essen, und dann irgendwo einen guten Kaffee. Ihr habt bestimmt ein Café, wo sich tout le monde trifft. Arme maman.« Corinne band sich die Haare zusammen.

»Hm. Es gibt ein, na ja, Restaurant würde ich nicht sagen, einen großen Speiseraum, sehr originell. Da essen überwiegend Einheimische. Ob das Essen gut ist, weiß ich nicht – ich esse nicht so viel, und außer Haus sowieso nicht. Das Ding heißt Hasenstall – rabbit-hutch. Und danach gehen wir ins Café, das heißt Cebra. Auf geht's!« Zara verscheuchte ihre Gedanken an Tod und Sterben, klatschte innerlich in die Hände, und führte die beiden zum Hasenstall.

Lia wurde mulmig, als sie bemerkte, dass Zara nicht zum Unterricht gekommen war. Und nachdem der Schulleiter der Klasse mitgeteilt hatte, dass Cindy in der Nacht zuvor gestorben sei und heute kein Unterricht stattfinde, schmerzte ihr Magen.

Eine Mitschülerin ist tot. Vor wenigen Tagen war sie noch in diesem Raum; ihre Stimme, ihr Lachen …

Die Schüler saßen oder standen und sprachen leise miteinander. Die Mädchen hielten sich in den Armen, Rena und Pia weinten. Die Jungen drucksten herum.

»Ohne Helm zu reiten ist zu blöde«, meinte Robert.

»Willst du damit sagen, Cindy sei selber schuld?«

»Ich will gar nichts damit sagen.«

»Aber ich: Das wilde Herz ward weiß am Wald / o dunkle Angst / des Todes, so das Gold / in grauer Wolke starb. / Novemberabend. Trakl.«

»Wie passend.«

»Sehr witzig, Jens.«

»Typisch Junge.«

»Er ruft spielt süßer den Tod der Tod ist ein Meister aus Deutschland / er ruft streicht dunkler die Geigen dann steigt ihr als Rauch in die Luft / dann habt ihr ein Grab in den Wolken da liegt man nicht eng. Celan«

»Goedel wäre stolz auf dich. Mal eben so aus der Todesfuge zitieren. Immer schön cool.«

»Immer einen Spruch auf den Lippen.«

»Und im Gymnasium natürlich ein Gedicht, oder.«

»Oder einen Rap: C'est la mort qui console / hélas ! / et qui fait vivre / c'est le but de la vie.«

»Ist ja gut, Faris. Wir wissen, dass du Französisch kannst.«

»Charles Baudelaire. Starker Typ! Auch zu früh gestorben.«

»Hört doch auf !!!«

»Schrei doch nicht so, Lia. Du störst die Totenruhe.«

Lia schnappte nach Luft. Ein wütender Schmerz raste durch ihren Körper, zerrte an ihren Nerven.

»Vielleicht noch eine Rezitation vom Namenspatron?«

»Gern: Fremdling, der ich ohne Pfad / suchend pilgere auf Erden / werd ich reif befunden werden / wenn auch mir der Schnitter naht?«

»Wer ist wohl der nächste von uns?«

»Ihr seid ja alle blöd!!!«, schrie Lia verzweifelt, stieß Jens aus dem Weg und rannte heulend aus dem Klassenraum.

Die Jungen lachten nervös darüber hinweg. Die Mädchen waren verunsichert; schüttelten die Köpfe oder blickten betreten zu Boden.

Lia rief bei Zara zu Hause an – vergeblich. Aufgewühlt lief sie zur Baustelle am Rathaus.

»Cindy ist tot und Zara war nicht in der Schule«, schrie sie über den Bauzaun.

Frau Völkel kam auf sie zu. »Ich weiß. Wie geht es dir?«

»Beschissen. Der Unterricht fällt heute aus. Sie geht auch nicht ans Telefon.«

»Vermutlich ist sie im Cebra.«

Im Cebra erfuhr Lia von Lena, dass Zara mit der Geschäftsleiterin weggefahren sei. Sie wisse nicht, ob und wann die beiden zurückkämen.

»Nein, danke. Ich möchte nicht in der Zwischenzeit in Ruhe hier sitzen und etwas trinken.«

Auf der Straße überlegte sie hin und her. Sie musste reden – Mama.

Aber ihre Mama hatte keine Zeit, für Kaffee und Kuchen schon gar nicht, ist schon die 36. SSW, eigentlich Mutterschutz und am Telefon … was sollte sie sagen zu Cindys Tod, tragisch natürlich, so jung, so unnötig, ohne Helm, leichtsinnig, eine andere Stimme aus dem Hintergrund, eine Kollegin, ich muss jetzt Schluss machen, triff dich doch mit Zara, nächste Woche im Café?, ja gut, ich versuche es hinzukriegen, Kopf hoch, das Leben geht weiter, mach's gut.

Zuhause fand sie wieder einen Zettel von ihrem Papa auf dem Küchentisch: *Bin nach der Tour im Hasenstall / wird spät werden / Papa*

Ich muss was essen. Wird spät werden. Ist mir egal. Geh doch danach zu ihr und … Ich hasse sie. Wie kann Zara behaupten, Papa habe einen guten Geschmack? Ist sie denn blind?

Sie holte ein angebrochenes Glas Würstchen aus dem Kühlschrank, mischte die Reste einer Erbsensuppe mit dem Würstchenwasser, schnitt die Würstchen hinein, wärmte alles auf und begann aus dem Topf zu essen; doch nach kurzer Zeit stopfte sie alles nur noch in sich hinein.

Essen tut gut.

Sie hielt sich die Ohren zu. »Haut ab! Ich will euch nicht hören!«

Essen beruhigt. Reg dich nicht so auf.

Sie warf das Glas in den Mülleimer und stellte den Topf in die Spüle.

In ihrem Zimmer ließ sie sich aufs Bett fallen.

Ja, ruh' dich aus. Jetzt hast du Zara für dich allein. Alles wird gut. Du bist stark.

Wie soll es weitergehen? Mit ihrem Papa und der Polin. Mit ihrer Mama und der Zeitnot. Und wenn erst das Baby da ist. Mama hatte den Schulleiter angelogen, hat sie verteidigt. Würde das helfen? Was kann Breitenbach schon machen, wenn die Schüler auf Hochtouren kommen. Nichts! Absolut nichts! Er hat bisher auch nichts gemacht. Schon jahrelang nichts. Warum also jetzt?

Sie sprang vom Bett, riss die Schublade des Schreibtisches auf und griff einige von ihren selbst gebackenen Weihnachtskeksen, die lose zwischen Buntstiften, Radiergummi, Kugelschreibern und Büroklammern lagerten.

Böse Lia. Du krümelst ins Bett. Ohrfeige! Die Kekse von Frau Behrend waren gut. Aber nicht so gut wie meine. Ich sollte ihr mein Rezept geben. Noch besser als Kekse ist aber Kuchen. Mit Sahne. Und eine Tasse Schokolade.

Ja, geh runter in die Bäckerei Hohlberg. Dort gibt es leckere Törtchen.

»Hört auf! Ich weiß selber, was ich will!«

»Guten Tag, Lia.«

»Guten Tag.«

»Kommt deine Lehrerin auch?«

»Nein.« Wieso das denn? Spinnt die?

»Meinst du, ihr haben unsere Sommertörtchen geschmeckt?«

»Bestimmt. Sie hat noch lange davon geschwärmt. (Glaubst auch nur du) Ich möchte bitte ein Stück Erdbeerkuchen mit Sahne und einen Becher heiße Schokolade, auch mit Sahne.«

»Gern.«

Lia nahm sich vom Nachbartisch eine Frauenzeitschrift und blätterte sie durch, um sich abzulenken.

Ach, die nette Frau Behrend. Wie sie sich immer bemüht um ihre Schüler. Wie sie an mich glaubt und Zara sogar dazu bringt, mir Nachhilfe zu geben. Dabei bin ich viel besser in Englisch. »Danke, ich stell mir das schon richtig hin.« Hm, die Sahne ist lecker. Jane ist die beste Lehrerin der Welt. Die versteht, dass ich Sport hasse, und lässt mich in Ruhe. Und eine Vier gibt's immer. Wo kriegen die jetzt so große Erdbeeren her? Und so süße. Was für ein Käseblatt. Ach Opa, was würdest du erst heute zu solchen Zeitschriften sagen. Nur dünne Frauen, die sind ja fast nackt, das sind doch keine Kleider, und wie dämlich die glotzen. Glauben die, sie sind was Besseres? Wieso genussvoll abnehmen? Genussvoll essen ist tausendmal besser. Hier, ich schmier dir Sahne zwischen deine lächerlich aufgeworfenen Lippen. Iss mal anständig. Mal sehen, wo noch jemand meine Hilfe braucht. Du siehst so blass aus Mädchen. Hier ist mein Vorschlag für einen Schokoladen-Teint. Ja, so bist du hübsch. Bin ich nicht nett? Ich teile meine Sahne und meine Schokolade mit euch. Und jetzt alles schön glatt streichen und dann ordentlich zurück in den Zeitschriftenständer. Deine Haare sind zu blond. Braune stünden dir besser. Ich empfehle zwei Kaffeelöffel Schoko-Braun. Ah, hier, Erdbeeren für den Erdbeermund. Ein Löffelchen für Mami, ein …

Lias Magen drückte Erdbeeren, Sahne, Schokolade voller Wucht nach oben. Sie presste die Lippen aufeinander, hielt sich die Hand vor den Mund, sprang auf, stieß den Stuhl um und rannte auf die Toilette. Über dem Waschbecken erbrach sie sich. Die Bedienung war ihr gefolgt.

»Kann ich dir helfen?«

»Geht schon.«

»Wirklich?«

»Ja, wirklich.« Verpiss dich.

Sie würgte, bis nichts mehr hochkam, und schaute in den Spiegel. »Hallo Kotzbrocken. Haste wieder genussvoll abgenommen? Ein Löffelchen für Mami. Ein Löffelchen für Papi. Ein Löffelchen für Oma und Opa und Onkel Heinz und Tante Berta und den Hund und die Katze und den lieben Gott!«

Sie spülte sich den Mund aus, verließ ihre Kindheit und die Toilette und ging an den Verkaufstresen, um zu bezahlen.

»Tut mir leid. Aber der Kuchen ist ganz frisch. Und die Sahne ebenfalls. Das macht 6 Euro 80.«

Lia öffnete ihre Geldbörse und schaute in das Münzfach: 1-Euromünzen, 2-Euromünzen, unterschiedliche Cents. Einen Augenblick war sie irritiert, doch dann zählte sie passend das Geld auf den Tresen und verabschiedete sich.

»Gute Besserung.«

»Danke.«

Im Wohnungsflur nahm sie die Geldbörse wieder in die Hand, schaute hinein und überlegte. Warum war sie eben irritiert? – verdammt, wo ist mein Talisman. Sie schüttete alle Münzen auf den Boden, leerte die gesamte Geldbörse, wühlte in allen Taschen ihrer Jacke: ihr Glücksbringer blieb unauffindbar. »Scheiße!« Ich kann ihn doch nicht verloren haben. Das bringt Unglück. Er hat mir immer geholfen. Mein Schutzengel. Ich hätte ihn an der Halskette lassen sollen. Jetzt werde ich bestraft dafür. Einen Schutzengel legt man nicht ins Portemonnaie. Es war so süß von Oma, mir zur Kommunion einen goldenen Engel als Kettenanhänger zu schenken. Und jetzt? Sie warf sich aufs Bett und starrte an die Decke. Er muss mir beim Bezahlen runtergefallen sein. Aber wann habe ich das letzte Mal bezahlt? Ich hätte das bestimmt gehört. Nein, es muss eine andere Erklärung geben. Plötzlich sprang sie auf und warf ein Kissen durch die Luft. Nein, das glaube ich nicht. Doch! Nein! Sie lief hin und her. Doch! Irre! Sie kickte das Kissen in die Ecke. Der Engel ist mir geklaut worden. Genauso wie das Armband – Faris! – Ich muss mich beruhigen. Ich muss Zara finden!

John, Corinne und Zara blieben einen Moment im Eingang stehen und blickten sich um. Der Raum war proppenvoll. In der Luft mischten sich Bratengeruch und Zigarettenrauch. Stimmen, Musik und das Klappern von Geschirr konkurrierten um Aufmerksamkeit. Zara suchte einen freien Platz für drei Personen, Corinne sah nur ein impressionistisches Gemälde vor sich, und John hätte am liebsten alles fotografiert: die Deckenlampen aus Hirschgeweihen, die Sammelteller mit Wappen und Jagdszenen, die Gämsengeweihe auf Baumscheiben an den Wänden und die Menschen vor ihren überladenen Tellern und Bierkrügen.

»Guten Tag Zara. Das ist ja eine Überraschung. Ihr seid zu dritt?« Justyna stand vor ihnen.

»Ja. Ist ja irre voll heute.«

»Wir haben heute Happy Hour – zwei Biere für eins. Aber ich habe einen Platz für euch. Kommt mal mit.« Sie schlängelten sich zwischen den Tischen hindurch. John und Corinne warfen sich Blicke zu, die besagten, dieser Speiseraum sollte Weltkulturerbe werden.

Justyna steuerte auf eine Nische zu, in der ein größerer Tisch stand, an dem nur ein Mann sein Weizenbier hypnotisierte: Heinz Wallmann. Lias Vater blickte überrascht auf; er hatte sein Essen erwartet. Wen hat Justyna da im Schlepp: einen Mann mit Jeans und USA-Sweatshirt, eine Frau mit langem blonden Pferdeschwanz und die Bohnenstange.

»Heinz, dein Tisch ist der einzige mit drei freien Plätzen. Und da du Zara kennst, dachte ich.«

»Passt schon, Justyna. Setzt euch doch. Was wollt ihr trinken? Heute gibt's Rabatt!«

Corinne und Zara setzten sich nebeneinander, gegenüber setzte sich John neben Herrn Wallmann. Der streckte ihm die Hand entgegen:»Heinz Wallmann.«

»John.« Ein fester Händedruck.

»Corinne, angenehm.«

»Guten Tag, Herr Wallmann.«

Zara fand die Situation zu komisch. Lias Vater, John, Corinne und sie an einem Tisch im Hasenstall. Und sie nahm wahr, dass sich Herr Wallmann und Justyna duzten.

Justyna brachte zwei Speisekarten und wartete auf die Bestellung der Getränke: zwei große Bier, ein Sekt Hausmarke, ein Glas stilles Wasser.

Heinz Wallmann ergriff die Initiative, wandte sich John zu, breitete die Speisekarte über die ganze Tischhälfte aus und erklärte ihm, was er empfehlen könne. Corinne und Zara steckten die Köpfe zusammen und blätterten durch das Angebot. Corinne dachte an Zaras Äußerung über das wenig essen und entschied sich, auch nur eine Kleinigkeit zu nehmen. Sie überließ Zara die Entscheidung und schloss sich dann an. John folgte dem Vorschlag von Heinz Wallmann und bestellte die kleine Schlachtplatte, als Justyna die Getränke brachte.

»Prost!« »Cheers!« »À votre santé!« »Na, dann!«

»Was zieht Sie denn aus den fernen Staaten in das beschauliche Lohneburg?« Heinz Wallmann wischte sich mit dem Handrücken den Bierschaum vom Mund.

»Ich bin für ein Jahr photographer in residence in Rothberg.«

»Das heißt?«

»Die Stadt bezahlt mich für ein Jahr, stellt mir eine Wohnung, und ich dokumentiere fotografisch den Ort, die Menschen, Ereignisse. Im Sommer beispielsweise eine ungewöhnliche performance von Zara.«

Corinne stieß Zara an, die daraufhin errötete. Heinz Wallmann schaute fragend über den Tisch.

»Das heißt?«

»Zara hatte in Rothberg eine Straßenaktion, ich habe sie fotografiert und anschließend Bilder davon auf der website des Rathauses veröffentlicht. Im Stadtmagazin gab es einen Artikel und Bilder dazu. Am Ende meines Jobs wird es über meine Arbeit eine große Fotoausstellung geben und ein Jahrbuch.«

Während John seine Arbeit beschrieb, betrachtete Herr Wallmann Zara und versuchte, sich die Bohnenstange bei einer Straßenaktion vorzustellen. Lia hat mir davon gar nichts erzählt. Den Internet-Auftritt des Rathauses muss ich mir ansehen. Fräulein Bohnenstange in Aktion.

»Und, was machen Sie?«, fragte John.

»Ich bin Trucker! Quer durch Europa!«

»Oh, das klingt aufregend«, sagte Corinne.

»Wie man's nimmt. Man muss mit der Langeweile klarkommen und dem Zeitdruck. Von den Ländern sieht man überwiegend nur die Straßenschilder. Aber die Kameraden, also dieses Internationale. Mir gefällt das. Wie eine Gemeinschaft. Nachts auf den Parkplätzen, da herrscht schon eine tolle Stimmung. Manche kochen sogar ihr Essen neben den Rädern, andere sitzen auf dem Trittbrett und spielen Gitarre. Dieses Zusammengehörigkeitsgefühl …«

»Das ist mir vertraut. Ich war eine Zeit lang biker, bin quer durch die Staaten gefahren – auf einer Harley selbstverständlich.«

Zara staunte, wie gut sich Lias Vater mit John verstand. Sie saßen noch keine zwanzig Minuten nebeneinander, und schon tauschten sie Männergeschichten aus. Und was für welche. Sie hatte keine Ahnung, dass Lias Vater ganz Europa abfährt. Sie dachte, er tuckert in Deutschland rum. Dann könnte Lia ganz anders von ihrem Vater sprechen.

»Mit einem Western Star quer durch die Staaten, das wäre was. Oder mit dem Road Train durch das australische Outback.« Heinz Wallmann nickte mit Kennermiene. Vier Anhänger hinter sich und den langen heißen Tag auf der endlosen Piste vor sich. Den Blick über den Kuhfänger des Volvo FH 16 Tri drive gerichtet, 700 PS, 175 Tonnen, und Justyna neben sich in Shorts und lockerer Bluse. Doch seine fette Tochter fesselte ihn an Lohneburg. »Und die Dame?«

Corinne lachte. »Madame ist Malerin. Ich gebe Malkurse in Rothberg, mache kleine Ausstellungen und male Portraits nach Auftrag. Manchmal sogar – sie kicherte – von Hunden und Katzen. Das kannte ich in Frankreich nicht.«

Justyna brachte das Essen. »Guten Appetit.«

Sie begannen zu essen und John staunte, welches Tempo sein Nachbar vorlegte und welche Menge Bier er mittags trank. Herr Wallmann aß nicht nur schnell, er hatte auch weit vor den anderen sein Glas geleert und ein neues bestellt.

Nachdem sie gegessen hatten, wandte er sich an Corinne.

»Haben Sie denn schon alle Sehenswürdigkeiten von Lohneburg erkundet?«

»Nun, die Burg und die Kirche haben wir besucht. Gibt es denn sonst noch etwas?«

»Und ob! Die größte Sehenswürdigkeit in unserem beschaulichen Lohneburg ist das Gymnasium. Nicht wegen des Baustils und auch nicht wegen des Namenspatrons Hermann Hesse. Das Besondere an dieser Schule ist die klaffende Riesenlücke zwischen behaupteter Gewaltfreiheit und dem täglichen Mobbing! Meine Tochter hatte deswegen ein Nahtod-Erlebnis! Prost!«

Er kippte den Rest Bier in sich hinein und knallte das Glas auf den Tisch.

»Zahlen!«, schmetterte er in den Raum.

Zara war überrascht von dieser plötzlichen und wütenden Äußerung.

Justyna kassierte verstört ab und vermied es, Heinz Wallmann anzusehen.

Alle standen auf.

»Das mit Ihrer Tochter tut mir aufrichtig leid«, sagte Corinne.

»Schule kann die Hölle sein.« John legte kurz seine Hand auf die Schulter von Herrn Wallmann. »Bei uns wird sogar scharf geschossen.«

Sie gingen zum Ausgang, John hielt die Tür auf, Zara betrat die Straße – und stieß mit Faris zusammen.

»Piis leany! Nicht so heftig! Ich muss mich erst an deine Umarmung gewöhnen.« Er lachte.

Zara trat verwirrt einen Schritt zurück; John, Corinne und Herr Wallmann drängten an ihr vorbei.

»Faris. Was machst du denn hier?«

»Ich wohne in dieser Stadt. Und du? Du hast doch nicht etwa was gegessen in der Hasenbude. Und dann noch ohne deine fette Freundin, die immer deine Reste verdrückt.«

»Du bist also dieser Araber!?« Herr Wallmann baute sich vor Faris auf. »Du bist also der, der meine Tochter auf dem Gewissen hat!?«

»Hey Mann! Mach kein Stress!« Faris wich einen Schritt zurück. »Wovon reden Sie überhaupt?«

»Ich werd dir gleich zeigen, wovon ich rede!« Herr Wallmann ging auf Faris zu und hob bedrohlich die Fäuste, doch John drängte sich dazwischen.

»Vorsicht Herr Wallmann! Nur die Ruhe! Und Sie verschwinden besser«, wandte er sich an Faris.

»Sehe ich das richtig? Erst werde ich von einem Mädchen angemacht. Dann werde ich von einem alten Mann bedroht. Und nun sagt mir ein Ami, was ich zu tun habe!«

»Faris, übertreib' doch nicht so«, mischte sich Zara ein. »Du wirst weder angemacht noch bedroht. Ich bin in dich hineingestolpert, tut mir leid, war nicht mit Absicht. Und der Mann ist Lias Vater.«

»Ich übertreibe doch nicht. Die Amis mischen sich überall ein, zusammen mit den Juden. Ich bin aus dem Libanon! Ich weiß, wovon ich rede! Und was habe ich mit Lias Vater zu tun?«

»Das werde ich dir gleich zeigen!« Herr Wallmann versuchte John zur Seite zu drängen, doch der hielt dagegen.

»Faris! Bitte!«, flehte Zara. »Keine Schlägerei mitten in der Stadt.«

»Na und! Man muss seine Ehre überall verteidigen!«

»Aber doch nicht mit Gewalt gegenüber einem alten Mann! Das ist unter deiner Würde! Dazu bist du doch viel zu intelligent!«

Faris stutzte einen Moment, trat einen Schritt zurück und sagte:»Khalli al battika yihassir ba'du.« Dann warf er den Kopf nach hinten, drehte sich um und verließ den Kampfplatz seiner Ehre. Aufrecht, mit gestrafftem Oberkörper, tänzelte er davon, als hätte er in der ersten Runde einen K.-o.-Sieg errungen.

Zara atmete erleichtert auf. »Entschuldigen Sie bitte den *alten Mann*.«

»Passt schon. Den Typen schnapp ich mir nochmal in Ruhe. Der kommt mir nicht so davon. Kalli sonstwas …«

»Tun Sie sich das nicht an. Und auch nicht Lia. Faris ist unberechenbar. Wir gehen noch ins Cebra. Wollen Sie mitkommen?«

»Danke. Ich muss los. Auf Wiedersehen John. Auf Wiedersehen Madame.« Er gab beiden die Hand. »Vielleicht sieht man sich nochmal.«

Nachdem Lia sie auf der Baustelle aufsuchte und nach Zara fragte, war Frau Völkel noch ganz ruhig. Hatte ihre Tochter doch unmissverständlich gesagt, dass sie auf keinen Fall zur Schule gehe. Und warum sollte sie zu Hause rumsitzen und vor lauter Grübelei vielleicht auf dumme Gedanken kommen? Sie wird ins Cebra gegangen sein.

Aber ihre Vernunft behielt nicht lange die Oberhand. Sie wurde immer nervöser und überlegte, im Cebra anzurufen und nachzufragen. Doch sie entschied sich, schnell vorbeizugehen, statt umständlich die Telefonnummer herauszufinden. Eine Kaffeepause wäre sowieso nicht schlecht.

Sie stieg eben aus der Ausgrabungsgrube, da stand sie dem Bürgermeister und einem ihr unbekannten Mann gegenüber.

»Tut mir leid, Frau Völkel, dass ich Sie so überfalle. Aber ich wusste, Sie würden heute hier arbeiten, und deshalb habe ich nicht extra angerufen. Darf ich vorstellen? Das ist Professor Doktor Jacobson, Archäologe und …«

»Archäologe reicht, danke. Erfreut Sie kennenzulernen.« Er streckte der Bauleiterin die Hand entgegen.

Sie zögerte. »Ich habe schmutzige Hände.«

»Das macht nichts. Haben wir nicht alle irgendwie schmutzige Hände …« Er lachte und drückte ihr fest die Hand. Dem Bürgermeister klopfte er leicht auf die Schulter. »Sie selbstverständlich ausgenommen.« Beide lachten und Frau Völkel schmunzelte über den feinsinnigen Humor des Professors.

»Ich möchte in Frankfurt ab nächstes Semester für interessierte Laien eine Ringvorlesung starten über aktuelle archäologische Funde in Deutschland. Und Ihr Bürgermeister hat mir neulich auf einer Tagung von den unerwarteten Funden bei Ihrer Grabung am alten Rathaus berichtet und mich neugierig gemacht. Da dachte ich, dass ich mir bei nächster Gelegenheit die Sache genauer anschaue. Und nun stehe ich hier und hoffe, Sie haben etwas Zeit für mich.«

»Für die Wissenschaften hat Frau Völkel bestimmt immer Zeit. Ich habe aber leider keine Zeit.« Der Bürgermeister hob entschuldigend die Schultern. »Das Amt ... Wir sehen uns nachher noch einmal. Auf Wiedersehen und vielen Dank.«

»Na dann folgen Sie mir mal bitte in die Unterwelt von Lohneburg.« Irene Völkel stieg wieder in die Grube.

»Gern, Frau Kollegin.« Beide lachten.

Professor Jacobson verbrachte über eine Stunde an der Ausgrabungsstelle. Mehr, als für Informationen zu den bisherigen Funden und ein Blick in die Grube nötig gewesen wäre. Er zeigte Interesse für die winzigsten Details und bezog seine Kollegin in Überlegungen zur Ringvorlesung ein. Zaras Mutter vergaß ihre Sorgen. Schließlich verabschiedeten sie sich voneinander; er ging ins Bürgermeisteramt und sie ins Café Cebra.

Zaras Mutter setzte sich an einen kleinen Tisch am Fenster und ließ ihren Blick und ihre Gedanken schweifen. Sie staunte über die schwarzen und weißen Tische und Stühle und die Fotos an den Wänden. Eine Gruppe Japaner trank Tee, ältere Herren saßen vereinzelt vor Kaffeetassen und lasen Zeitung, zwei Damen aßen Schwarzwälder Kirschtorte und rückten dauernd ihre Hüte zurecht. Die Fotos – für ein Café in Lohneburg avantgardistisch, und nachmittags treffen sich überwiegend Jugendliche hier. Nun, den Touristen wird es gefallen, und Männern sowieso. Was Zara wohl über die schönen Frauen denkt, mit ihren eindrucksvollen Körpern?

»Sie wünschen?«, fragte Lena.

»Ach ja. Ich hätte gerne einen Cappuccino. Und sagen Sie bitte, kennen Sie vielleicht ein Mädchen, relativ schlank, trägt häufig originelle Herrenhemden, verkehrt ab und zu hier, heißt Zara.«

»Zara? Wer kennt sie nicht.«

»War sie heute hier? Ich bin ihre Mutter.«

»Sie war. Ich bring gleich Ihren Cappu und schick den Geschäftsführer vorbei.«

»Danke.« Wozu den Geschäftsführer? Hat Zara was angestellt?

Kurz darauf stand Esther am Tisch. »Hier, bitte, Ihr Cappuccino. Darf ich mich einen Moment zu Ihnen setzen? Ich bin die Geschäftsführerin. Ich hatte heute ein längeres Gespräch mit Ihrer Tochter.«

Frau Völkel deutete mit der Hand auf den zweiten Stuhl. »Bitte.«

»Danke. Zara war ziemlich durch den Wind heute Vormittag. Sie wissen ja, dass Cindy heute Nacht gestorben ist. Und Zara wollte reden. So sind wir ein wenig durch die Gegend gefahren und haben geredet. Dann habe ich sie an der Sankt Marien Kirche abgesetzt.«

Das ist also die Geschäftsleiterin, von der Zara neulich so schwärmte. Sieht gut aus. Schöne Lederjacke. Was wollte Zara denn in einer Kirche? Sie setzt nicht mal zu Weihnachten einen Fuß dort hinein. Vermutlich wollte sie nachdenken, und die Kirche schien ihr geeignet dafür. Ist ein wunderbarer alter Bau. Romanisch, eine Trutzburg. Womöglich gibt es da auch was zu buddeln.

»Danke. Ja, der plötzliche Tod von Cindy hat sie sehr mitgenommen. Wir haben auch schon die ganze Nacht geredet – hat anscheinend nicht gereicht.« Sie rührte vorsichtig den Schaum in der Tasse um.

»Vielleicht saß Ihre Tochter morgens in der Küche, hatte noch Fragen und wollte Sie nicht am Arbeitsplatz stören.«

Was soll das denn? Ich will kein Therapiegespräch führen.

»Möglich. Aber ich kann meine Arbeit sehr flexibel einteilen.« Der Kaffeelöffel klirrte auf die Untertasse.

»Manchmal sprechen Mädchen mit ihren Müttern nur über einen Teil ihrer Probleme, und den anderen Teil mit …«

»… ihrer besten Freundin.« Frau Völkel sprang auf und sprach laut weiter. »Wollten Sie das sagen? Wollen Sie behaupten, Sie seien Zaras beste Freundin und meine Tochter könnte sich mir nicht anvertrauen? Mit allem! Was bilden Sie sich denn ein? Sie … Sie Kaffehaus-Psychologin!« Sie atmete hastig.

»Es tut mir leid.« Esther stand auf. »Sie haben mich missverstanden.«

»Missverstanden? So? Was gibt es da groß misszuverstehen?« Alle Gäste schauten zu den beiden Frauen. Die Japaner kicherten, die älteren Herren unterbrachen ihre Zeitungslektüre, die zwei Damen fanden die Kirschtorte nicht mehr so wichtig. Frau Völkel war das gleichgültig, der Geschäftsleiterin war es unangenehm.

»Beruhigen Sie sich doch bitte. Ich weiß auch nicht, warum sich Ihre Tochter an mich gewandt hat. Ich weiß nur, es hat ihr gut getan zu reden. Und darum geht es doch letztendlich. Ihre Tochter hat sich beruhigt. Sie wird den Tod ihrer Freundin verarbeiten und ihr Leben machen.«

»Verarbeiten … Leben machen. Wie Sie reden. Sie kennen Zara doch gar nicht. Zara ist hoch sensibel. Sie wirkt oft burschikos, aber das ist nur Fassade. Was glauben Sie, wie nah meine Tochter schon …« Sie hielt sich den Mund zu und Tränen traten ihr in die Augen.

Esther drückte Frau Völkel vorsichtig auf den Stuhl zurück, setzte sich ebenfalls und winkte Lena nach einem Glas Wasser.

»Sie haben recht. Ich kenne Ihre Tochter nicht, ein bisschen schon, aber natürlich nicht so gut wie Sie. Aber ich – ich habe auch etwas Erfahrung mit einer Tochter. Zwanzig Jahre waren mir vergönnt. Mit Höhen und Tiefen. Und die Gefühle zwischen Müttern und Töchtern ... ich meine ...«

»Ich weiß, was Sie meinen, also ungefähr jedenfalls, vergleichen, nein, eher übertragen, ja, man kann Erfahrungen übertragen, natürlich, aber ich wusste nicht, dass Sie ...« Frau Völkel bemühte sich leiser zu sprechen.

»Ich bitte Sie. Sie müssen sich nicht entschuldigen. Woher sollten Sie denn wissen, dass ich eine Tochter hatte. Und ich bin sicher, Zara würde alles mit Ihnen besprechen.«

»Was hat Sie Ihnen denn gesagt?«

»Nun – sie erzählte mir von Cindy, von der geplanten Operation, ihrer Hoffnung, der Einblutung im Gehirn ...«

»Das war alles?«

»Zwischendurch weinte sie.«

»Und sonst?«

»Nun – ich habe ihr etwas von mir erzählt.«

»Wie bitte?«

»Ja. Um sie zu trösten. Um ihr zu zeigen, dass ich ...«

»Dass Sie was?« Zaras Mutter ließ wieder alle mithören. »Finden Sie das etwa richtig? So persönlich zu meiner Tochter zu sprechen – über Ihre Probleme.«

»Ja, das fand ich richtig. Und das finde ich auch jetzt noch. Und außerdem bin ich nicht schwerhörig.«

»Zara war völlig fertig, und Sie laden Ihre Probleme bei ihr ab?«

Esther schwieg einen Moment. Diese Reaktion hatte sie nicht erwartet. Warum regte sich die Frau so auf? Es ist doch kein Drama, mit Zara vertraulich gesprochen zu haben? Ist ihre Mutter eifersüchtig?

»Sind Sie verärgert, weil Sie das Gefühl haben, ich hätte Ihre Tochter noch zusätzlich belastet?«

»Ja, was denn sonst!?«

»Und Sie haben Angst, dass mit Ihrer Tochter etwas Schlimmes passiert?«

»Ja.«

»Dass sie sich etwas antut?«

Zaras Mutter nickte und die Tränen kamen wieder.

Die Gäste kehrten zu sich zurück. Die Japaner studierten ihre Reiseführer, die älteren Herren lasen weiter Zeitung, die zwei Damen schoben die restlichen Krümel zusammen. Lena wienerte die Kaffeemaschine zum dritten Mal. Im Café war eine bedächtige Ruhe.

»Darf ich Ihnen noch etwas anbieten?«

Frau Völkel schüttelte den Kopf und drückte sich vom Tisch hoch.

»Ich brauche frische Luft und Zeit nachzudenken. Das ist alles etwas viel für mich. Ich habe schon meinen Mann verloren – meine Tochter sollte mich eigentlich überleben.«

Sie legte drei Euro auf den Tisch.

»Ich lade Sie ein«, sagte die Geschäftsleiterin.

»Danke. Das möchte ich nicht!«

John, Corinne und Zara standen im Eingang vom Cebra. Welch ein Unterschied zum Hasenstall. In dem hellen Raum saßen wenige Jugendliche, ansonsten Touristen und ältere Damen. Es roch nach Kaffee und Croissant. Die Fotos von den Frauen an den Wänden erinnerten John an die emotionalen Fotos von Cartier-Bresson.

»Hi Cory, look, die Bilder könnten von deinem Landsmann Henri sein; Magnum Qualität.«

Esther kam mit einem *Hallo* auf sie zu und führte sie an einen reservierten Tisch etwas abseits. Sie steckte das Schildchen ein, fragte nach den Getränken und ob sie sich zu ihnen setzen dürfe und ging zum Tresen. Kurz darauf brachte sie für John einen Whiskey, Café au Lait für Corinne, einen Ostfriesentee mit Sahne und Kluntjes für Zara, Espresso für sich und ein Schälchen mit Pralinen.

Alle schwiegen, tranken einen Schluck oder nahmen sich eine Praline.

»Wie war es in der Kirche?«, wandte sich die Geschäftsleiterin an Zara.

»Überraschend. Ich habe John und Corinne wieder getroffen. Aus Rothberg.«

»Tatsächlich aus New York City. Ich bin John und arbeite als Fotograf in Rothberg.«

»Ich heiße Corinne, arbeite als Malerin in Rothberg und komme aus Nice.«

»Mein Name ist Esther, ich bin die Geschäftsführerin des Cebra. Wie kommt es, dass Sie Zara in Rothberg kennen gelernt haben?«

John nahm seine Kamera aus der Tasche, drückte einige Knöpfe und zeigte Esther die Fotos von Zaras Straßenaktion: in weißem Männerhemd und buntem Rock vor Fachwerk, rote Locken gebändigt mit zwei schwarz-goldenen japanischen Essstäbchen, selbstbewusst tänzerisch singend. Esther lächelte Zara fragend an und Zara grinste zurück.

Dann erzählte sie: Vom schwulen alten Mann im Merce-
des, der Cindy und sie mitnahm, von ihren Songs von Bob
Dylan und Steppenwolf, den eingestreuten lyrischen, politi-
schen Kommentaren und Raps. »Ich habe über dreihundert
Euro eingenommen. Aber deswegen habe ich es nicht gemacht. Ich hatte Lust drauf! Danach waren wir mit John und
Corinne im Café, so …« Zara senkte den Kopf und hätte fast
geweint. *So wie jetzt* wollte sie sagen. Aber das stimmte nicht.
Cindy fehlte. Zara hatte bereits in Rothberg bemerkt, wie
neidisch Cindy wegen der vielen Fotos war, aber was konnte
sie denn dafür. Und dann die Foto-Collagen in der Schule,
Houston, wir haben ein Problem … Ein Lächeln huschte
über ihr Gesicht.

»Alles in Ordnung?« Esther berührte kurz Zaras Arm.

»Und dann haben wir Champagner getrunken, und Cindy
wollte Fräulein Lovell zum Vorbild nehmen, und nun – nun
trägt sie eine Totenkrone …« Zara begann zu weinen.

Einen Moment schwiegen die anderen. Esther drückte Zaras Hand und erschrak über die Kälte, John schaute gedan-
kenverloren in sein Whiskeyglas, und Corinne rührte in der
Kaffeeschale.

»Wie ist das denn mit Cindy passiert?«, wollte Corinne
wissen.

Esther erzählte, was sie darüber wusste: ein Ausritt mit
dem Freund in den Wald, ohne Helm, ein Schlag gegen den
Kopf durch einen Ast, der Sturz, das Krankenhaus, das Koma, die geplante Operation.

Zara weinte still vor sich hin.

»Shit!« John trank das Whiskeyglas leer und sah auf die
Uhr. »Komm doch mal wieder nach Rothberg, Zara. Du
könntest mir bei der Planung der Ausstellung helfen. Es gibt

eine Menge Fotos zu sortieren und originelle Texte zu verfassen. Denk mal drüber nach.«

»Ja, komm uns besuchen. Wir sind nicht mehr so lange in Deutschland. Und die Zeit verfliegt so schnell.«

John wandte sich an die Geschäftsführerin. »Übrigens, die Fotos an den Wänden, very impressiv, schwarz-weiß ist zwar old-school, aber das hat Stil. Frauen so vieler folks, die die Fantasie anregen.«

»Und Geschichten erahnen lassen. Ich bin viel rumgekommen und benutzte immer noch am liebsten meine alte Spiegelreflex.«

»Ach, die Fotos haben Sie gemacht?«

»John, blamier dich nicht. Auch Frauen können fotografieren. Sie können auch malen. Eigentlich können sie alles. Ich bitte dich ...« Corinne lächelte Esther an und nahm die letzte Praline. »Die sind die besten truffes du jour, die ich jemals gegessen habe. Und glauben Sie mir, in Nice gibt es viele Confiserien. Aber Ihre chocolats sind wahre Kunstwerke; und die Gegensätze – lieblich und herb oder zart und bitter. Sagen Sie bloß nicht, die machen Sie auch selber, oder?«

Die Geschäftsführerin lachte. »Ich kann backen – wenn es darauf ankommt – Streuselkuchen. Nein, die Pralinen sind nicht von mir. Aber sie werden hier im Ort hergestellt – von einer Frau. Die denkt sich eine Komposition aus und schmeckt sie, bevor sie die Zutaten überhaupt in der Hand hat, geschweige denn in der Rührschüssel. Unglaublich. Darf ich Ihnen noch einige mit auf den Weg geben?«

»Ich weiß nicht ...«

»Gerne. Mir haben sie auch geschmeckt; exquisite!«

Esther stand auf. »Einen Augenblick, bitte.«

»Zara, versprich, dass du bald nach Rothberg kommst, ja.«
Corinne berührte Zaras Arm. Zara schniefte noch etwas,
tupfte sich die Augen mit der Serviette ab, holte tief Luft und
nickte.

Die Geschäftsführerin kam mit einer Schachtel Pralinen
und einer Tüte Teegebäck zurück. »Alles ohne Konservie-
rungsstoffe selbstverständlich. Wenn Sie die Schachtel öffnen, muss es duften. Innerhalb von drei Wochen müssen Sie
alles gegessen haben. Und für dich, da du so gerne Tee
trinkst, ich schenke dir englisches Teegebäck; auch echte
Handarbeit von derselben Konditormeisterin. Diese Kekse
müssen nicht so schnell gegessen werden.« Sie schmunzelte.

»Danke.«

»Merci.«

John wandte sich an Corinne. »Cory, ich glaube, wir sollten langsam aufbrechen. Und Zara, sag uns, wann die Beerdigung ist. Okay? Wir möchten gern dabei sein.«

Alle standen auf und John und Corinne gaben der Geschäftsführerin die Hand. »Danke für die Einladung. Und
Zara, Kopf hoch! Heute sieht alles trist aus, aber du wirst
sehen, es wird auch wieder hell. Und wie gesagt, komm
doch mal in Rothberg vorbei. Und vielleicht – nein, nicht
vielleicht, bestimmt ...« sie nestelte aufgeregt in ihrer Handtasche »hier, ma carte, meine Visitenkarte, du musst mich
unbedingt in Nice besuchen. Ich würde mich riesig freuen.
Eine wunderbare Stadt, Côte d'Azur ...« Sie nahm Zara in
den Arm und flüsterte ihr ins Ohr: »La vie est belle.«

»New York ist auch nicht schlecht. Eine Visitenkarte habe
ich nicht. Aber es wird sich schon finden. Also: Welcome to
New York City, Zara.« John drückte sie kurz. Dann verließen
beide das Café. Esther und Zara schauten ihnen hinterher.

»Da hast du ja zwei ausgesprochen nette und interessante Menschen kennengelernt. Einen amerikanischen Fotografen und eine französische Malerin. Und beide haben dich eingeladen, sie in ihrer Heimat zu besuchen. New York und Nizza. Zara, mach was draus!«

Zara nickte, doch sie verstand nichts. Heute Morgen war sie völlig durcheinander, unsicher, was sie überhaupt anfangen sollte, die ganze Nacht hatte sie an Cindy, Rolf, Tod und Sterben gedacht, hatte mit ihrer Mutter zu viel Rotwein getrunken, und dann mit Esther am Fluss, die Berührungen, noch nie war sie so liebevoll und zärtlich berührt worden, und mit John und Corinne in der Kirche und im Hasenstall, und mit Lias Vater, und dann der Aufstand von Faris vor der Tür, und im Cebra, und nun die beiden Einladungen, wenn auch in weiter Ferne, doch wirklich, ja, sie hatte die Möglichkeit nach New York zu fliegen ... Cindy wollte auch, dass sie sich in New York treffen ... Ihr wurde flau im Magen und sie hatte einen bitteren Geschmack im Mund; Zara setzte sich hin.

»Alles in Ordnung? Du bist ja käsebleich.«

»Mir ist schlecht.«

»Du hast zu wenig gegessen. Möchtest du was essen? Bitte«, sagte Esther sanft.

»Nein, danke, lieb von dir. Einen Schluck Wasser, dann geht's schon. Ich hatte im Hasenstall gegessen.«

»Das ist stundenlang her.«

»Sprich nicht wie Irene!«, schrie Zara unvermittelt.

»Irene?« Esther zuckte erschrocken zusammen.

»Meine Mutter!« Zara fegte das Teeglas vom Tisch. Die Leute blickten gespannt zu ihnen.

»Du bist nicht meine Mutter!«

»Es tut mir leid«, sagte Esther ruhig.

»Ich brauche dein Mitleid nicht.«

»Oh – ich spreche als jemand, der sich um dich – sorgt.« Esther sprach das letzte Wort behutsam, fast flüsternd.

»Nicht nötig!«

»Doch.«

»Haste niemand anders?« Zara kämpfte mit ihrer Erregung.

Esther schluckte. Sie konnte Zaras Reaktion nicht verstehen. Es war doch vorhin ganz harmonisch mit John und Corinne. Traurig – natürlich, Cindys Tod ist tragisch. Aber dieses Gebrülle …

»Zara, beruhige dich doch.«

»Beruhigen? Die beste Freundin krepiert und ich soll ruhig sein?« Zara schrie weiter. Ihre Stimme überschlug sich.

»Zara«, sagte Esther mit leiser Stimme und streckte die Hand aus.

Zara verschränkte die Arme. »Weißt du, wer jetzt ruhig ist?«, zischte sie. »Genau! Cindy! Cindy hat Ruhe! Ewige Ruhe! Scheiß auf Ruhe!« Und es brach aus ihr heraus. Sie schlug mit den Fäusten auf den Tisch, Tränen schossen ihr in die Augen, sie bebte am ganzen Körper, japste nach Luft und sackte in sich zusammen.

Esther traute sich nicht, Zara zu berühren. Wie gern hätte sie das Mädchen in den Arm genommen, wie gern hätte sie ihr über den Kopf gestrichen und die Locken um die Finger kringeln lassen. Zara zu trösten, wie sie damals ihre Tochter getröstet hatte, wenn diese nicht wusste, wie das Leben weitergehen sollte. Ich muss mich zusammenreißen.

»Ich bin noch den ganzen Abend im Café, falls du mich brauchst. Auch nachdem wir schließen, bin ich oft noch beschäftigt. Du müsstest dann an der Hintertür klopfen.«

346

Zara nickte kaum merklich.

»Möchtest du meine Telefonnummer haben?« Ihre Stimme zitterte leicht.

Zara schüttelte schwach den Kopf und erhob sich erschöpft.

»Ich würde mich freuen, wenn du morgen mal vorbeischaust.«

»Ja, bis morgen«, sagte Zara leise, erhob sich langsam und ging schwankend zwischen den Tischen und den Blicken zum Ausgang.

Draußen war es bereits dunkel.

Zara strich eine Zeit lang aufgewühlt durch die Straßen. Warum habe ich Esther angeschrien. Esther ist nicht Irene – natürlich nicht. Trotzdem. Warum sorgen sich andere immer um mich. Ich esse anders – na und. Ich weiß, meine Klamotten könnten irritieren. Und wie ich aussehe, weiß ich auch. Also. Wieso drängt sich die Frau in mein Leben? Habe ich jetzt etwa zwei Mütter? Wie originell. Was ist mit Esthers Tochter passiert? Bin ich nun Ersatztochter. Oje, vielleicht sehe ich ihr ähnlich. Oder die Tochter aß auch etwas ungewöhnlich. Und ein Vater – gibt es einen Vater? Esther war siebzehn, als sie schwanger wurde. Süße siebzehn. Vielleicht ein Junge aus dem Ort, aus ihrer Klasse. Oder ein älterer Mann, ein Lehrer – ja, ein Lehrer. Betrunken auf einer Party. Oder eine … nein, dann hätte sie das Baby bestimmt nicht behalten wollen. Wie Ophelia wohl aussieht? Ein Blick auf die Uhr. Ich sollte nach Hause gehen.

Sie ging in den Park am Fuße der Burg. Die Wege waren nicht beleuchtet und um diese Uhrzeit menschenleer. Nur langsam gewöhnten sich Zaras Augen an die Dunkelheit, sie nahm die Umrisse der Büsche und Bäume wahr und setzte sich auf eine Bank. Es war kühl; sie fröstelte. Die Gespräche mit Alexander waren aufregend. Ich kann ihn so schön durcheinander bringen. Was er sich wohl als Nächstes traut. Die Nornen haben betont, dass er ein guter Spieler ist. Woher die das wissen? Draußen quatschen geht wohl in diesem Jahr nicht mehr. Also drinnen. Sie schmunzelte. Aber wo? Mit Cindy geht es überhaupt nicht mehr. Sie seufzte. Ach, Cindy. Wir hätten noch einiges zusammen unternehmen können. New York wäre bestimmt cool geworden. Und nun kommst du unter die Erde. Das nächste Grab, was ich besuchen könnte. Besuchen – sagt Irene immer. Besuch doch mal Rolfs Grab. Rolf ist für mich nicht im Grab. Wie wohl die Beerdigung wird? Nach Rolfs Beerdigung war sie wochenlang krank. Ob Cindy verbrannt wird. Möchte ich verbrannt werden oder lieber im Sarg vermodern? Wie die wohl damit klarkommen? Plötzlich die Jüngste tot – einfach so. Morgens noch zusammen gefrühstückt – Und bald ist Weihnachten. Wie Esthers Tochter wohl gestorben ist? Oder ist sie abgehauen und nur für Esther gestorben? Finde etwas, was nur dir gehört – was gehört nur mir? – Ich – Ich selber gehöre mir. Mein Leben gehört mir. Sie setzte sich auf die Banklehne. Ist Faris bedrohlich? Würde er sich mit Lias Vater prügeln? Allein oder mit seinen Freunden? Und Lias Vater? Wird der sich was einfallen lassen? Faris ist ein Großmaul – in der Schule. Sehr schlagfertig, mit Worten gewalttätig. Aber eine Schlägerei – mit Messer? Auf keinen Fall. Faris kämpft mit Worten gegen Lehrerinnen und Mädchen. Er kann nicht mit Frauen. Und auf der Bühne natürlich. Rap ist mein Leben – lächerlich. Rap und Rape hatte Fida gesagt und auf die Ähnlichkeit der beiden Wörter hingewiesen.

Und was sie bedeuten. Wie es ihr wohl geht. So schön und eine so beschissene Familie. Was hat Faris wohl für eine Familie? Großfamilie über Hundert? Bestimmt. Und alle in Lohneburg? Da würde ja nicht mal die Burg reichen. Sie lachte. Fida kennt die arabische Mentalität.

Sie schnupperte, es roch leicht nach Rauch. Irgendwo brannte es. Zara bekam ein ungutes Gefühl. Sie sprang von der Bank runter und wandte sich in Richtung Gymnasium.

Er glitt lautlos wie eine Schlange aus dem Gebüsch und blockierte ihren Weg. Ganz in Schwarz. Zara erschrak heftig und blieb abrupt stehen. Ihr Atem raste. Sein Gesicht war nicht zu erkennen; er trug die Kapuze tief über der Stirn. Sie bekam eine Gänsehaut.

People are strange ...

Er kam einen Schritt näher. »Piss leany.«

Zara wich zurück. Was sollte das werden?

»Die Umarmung heute Mittag war so kurz – schade. Du hast dich gut angefühlt ...«

Sie versteifte sich. Wieso ist er im Park?

when you're a stranger ...

Sein nächster Schritt.

Zara wich zurück. Er muss mir gefolgt sein.

»Wir beide sollten uns das nächste Mal mehr Zeit lassen. Eine Umarmung freestyle ...«

Er machte einen Schritt vorwärts.

»Wir sollten damit nicht so lange warten ...«

Er beobachtet mich. Zara wich zurück. Sie versuchte, ruhiger zu atmen und sich zu konzentrieren.

Faces look ugly ...

»Khalli al battha ... wie hast du das gemeint?«

Faris stutzte. »Du hast gut zugehört … yihassir ba'du. Lass die Wassermelonen sich selbst zerbrechen. Du verstehst?«

»Nein.«

»Arabisch ist eine wunderbare Sprache. So bildhaft, so poetisch. Deutsch ist so grob: Lass ihn im eigenen Saft schmoren.«

Noch ein Schritt. Sie standen einander auf Armlänge gegenüber.

When you're alone …

»STOPP!!!«, schleuderte Zara ihm entgegen, wich nicht zurück und streckte beide Hände aufgerichtet nach vorn.

»Ach, Sara.«

When you're strange …

»Hast du Angst? Ein Mädchen wie du?«, fragte er lakonisch.

»Wer schmort im eigenen Saft?« Ihre Stimme sollte fest klingen.

»Merkst du – es wird wärmer. So ein Feuer wärmt so schön. Ein alter Dachstuhl, viele alte Bücher. Abends kann es jetzt schon kühl sein. Vielleicht hat deine fette Freundin gefroren? Deine sista!«